La fille du souffleur de verre

V. Briceland

Traduit de l'anglais par
Sophie Beaume

Éditeur : François Doucet
Traduction : Sophie Beaume
Révision linguistique : Féminin Pluriel
Correction d'épreuves : Nancy Coulombe, Suzanne Turcotte
Montage de la couverture : Tho Quan
Illustration de la couverture et de la page 1 : Blake Morrow/Shannon Associates
Carte de Cassaforte : Jared Blando
Mise en pages : Sébastien Michaud
ISBN 978-2-89667-076-5
Première impression : 2010
Dépôt légal : 2010
Bibliothèque et Archives nationales du Québec
Bibliothèque Nationale du Canada

Éditions AdA Inc.
1385, boul. Lionel-Boulet
Varennes, Québec, Canada, J3X 1P7
Téléphone : 450-929-0296
Télécopieur : 450-929-0220
www.ada-inc.com
info@ada-inc.com

Diffusion

Canada :	Éditions AdA Inc.
France :	D.G. Diffusion
	Z.I. des Bogues
	31750 Escalquens — France
	Téléphone : 05.61.00.09.99
Suisse :	Transat — 23.42.77.40
Belgique :	D.G. Diffusion — 05.61.00.09.99

Imprimé au Canada

Participation de la SODEC. SODEC
Nous reconnaissons l'aide financière du gouvernement du Canada par l'entremise du Programme d'aide au développement de l'industrie de l'édition (PADIÉ) pour nos activités d'édition.
Gouvernement du Québec — Programme de crédit d'impôt pour l'édition de livres — Gestion SODEC.

Catalogage avant publication de Bibliothèque et Archives nationales du Québec et Bibliothèque et Archives Canada

Briceland, V. (Vance)

La fille du souffleur de verre
Traduction de : The glass maker's daughter.
ISBN 978-2-89667-076-5

I. Beaume, Sophie, 1968- . II. Titre.

PS3602.R52G5214 2010 813'.6 C2010-940398-3

Remerciements

L'inspiration à l'origine de ce roman est venue à la suite d'un sermon prononcé le dimanche suivant le 11 septembre 2001, par la pasteure Susan DeFoe Dunlap dans la première église méthodiste unie de Royal Oak au Michigan. Je suis très reconnaissante à la pasteure Dunlap d'avoir livré un message d'espoir dans une période de grande confusion.

Ce livre n'aurait pas été possible, sans l'aide de plusieurs personnes, notamment les conseils de Patty Woodwell et de Marthe Arends lors des difficiles premières ébauches. Je n'y serais pas parvenue non plus, sans le soutien et les encouragements de Craig Symons. Je dois également remercier grandement ma première lectrice, Brianna Privett, et Michelle Grajkowski, la meilleure des agentes littéraires. Andrew Karre et Sandy Sullivan, mes éditeurs chez Flux, méritent des éloges et toute ma gratitude pour leurs judicieuses recommandations et pour leur travail ardu.

Que de plaisanteries, lorsque je leur ai dit que tout ce que je savais sur l'écriture de romans, je l'avais appris dans des cours d'écriture ! Pourtant, les quelques bonnes techniques que j'ai utilisées dans mon écriture de fiction ainsi que les procédés de réécriture, je les dois aux méthodes disciplinées du Dr Louis E. Catron, avec lequel j'ai eu le privilège d'étudier dans le département de dramaturgie du College of William and Mary. Grâce aux encouragements du Dr Catron, j'ai commencé à écrire régulièrement et j'ai développé l'ambition et la confiance en moi nécessaires pour écrire à temps plein. C'est avec beaucoup de gratitude, et de nombreux bons souvenirs d'avoir lu à haute voix mes pièces en un acte avec d'autres étudiants dans son bureau, que je lui dédie *La fille du souffleur de verre*.

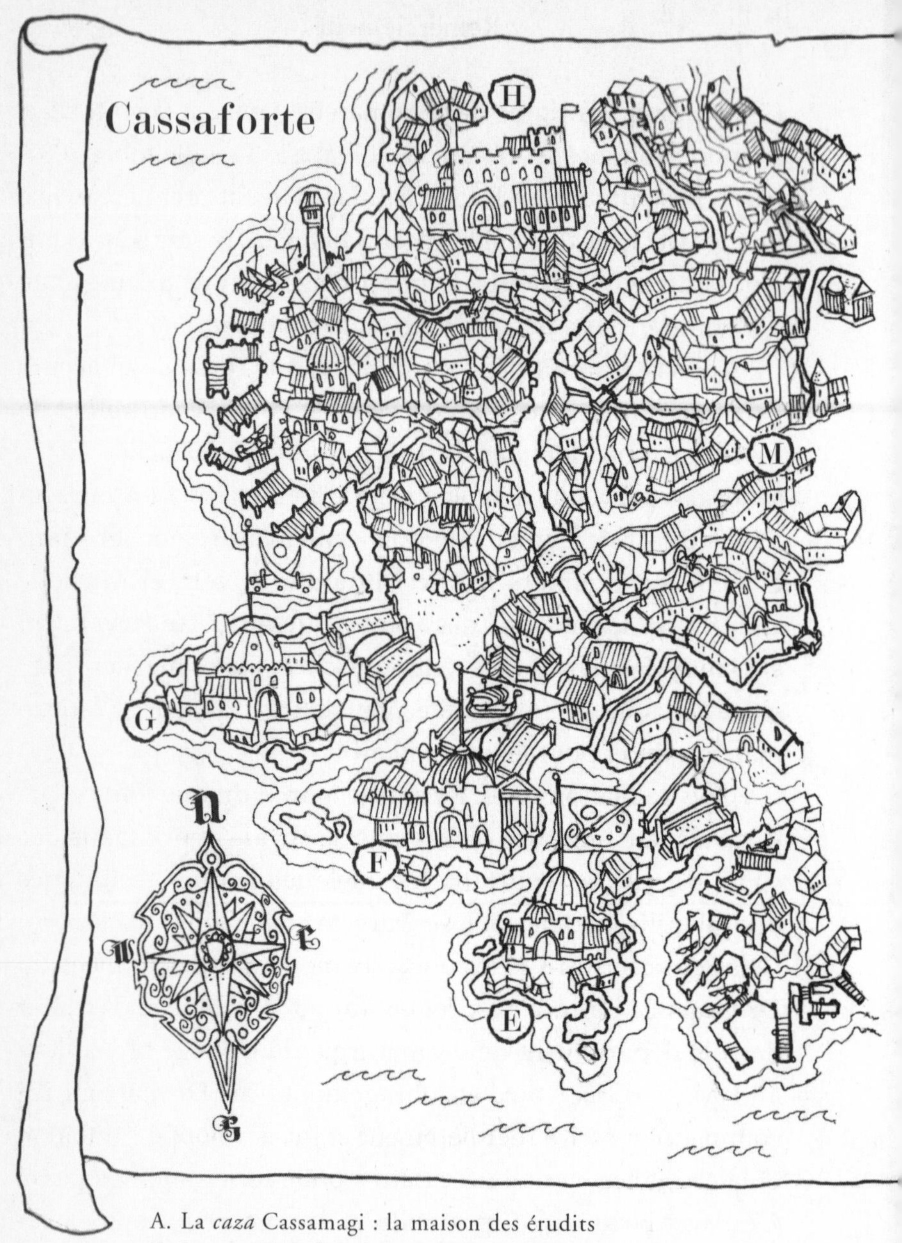

A. La *caza* Cassamagi : la maison des érudits
B. La *caza* Portello : la maison des architectes
C. La *caza* Divetri : la maison des souffleurs de verre
D. La *caza* Catarre : la maison des fabricants de livres
E. La *caza* Buonochio : la maison des artistes
F. La *caza* Piratimare : la maison des constructeurs de bateaux
G. La *caza* Dioro : la maison des fabricants d'armes

H. L'*insula* des Enfants de Muro
I. L'*insula* des Pénitents de Lena
J. Le palais
K. Le pont du temple
L. Le pont d'Allyria
M. Le *via* Dioro
N. La *taverna* de Mina

Livre un

—

la *caza*

—

Divetri

1

Parmi toutes les traditions étranges des états du sud,
la plus charmante se trouve peut-être dans l'état-ville de Cassaforte
où tous les soirs, on y entend les cors, et ce, dans une tradition
ininterrompue depuis des siècles.

— Célestine du Barbaray, *Traditions et caprices de la Côte Azur : un guide pour le voyageur hardi*

Le crépuscule sur le balcon surplombant la maison familiale était le moment de la journée préféré de Risa Divetri. Au-delà du pont de Muro à l'ouest, le soleil chatouillait l'horizon et embrasait les canaux de la ville. L'eau et la lumière ondulaient jusqu'à Risa qui se balançait sur la large rampe en pierre du balcon, donnant l'impression que le soleil couchant étirait ses longs doigts vers elle. Elle pensa combien le verre en fusion avait la même intensité rouge vif, quand on l'extirpait de la chaleur du four.

Si quelqu'un pouvait scruter son âme ce soir-là — le dernier dans la *caza* Divetri —, peut-être pourrait-il voir combien elle aussi était brûlante.

Dans la lumière du crépuscule, la rampe en pierre calcaire du balcon était chaude et confortable là où elle était assise. Juste en dessous d'elle, s'étendaient les branches supérieures d'un vieil olivier noueux. Si Risa balançait ses jambes, les feuilles pouvaient chatouiller la plante de ses pieds. Plus bas encore, les racines de l'arbre se tordaient parmi la rocaille de la pente qui descendait vers le canal, où un gondolier chantait une douce et lente mélodie tandis qu'il avançait à l'aide d'une perche. Au-delà du personnage solitaire se trouvait la place Divetri, puis les édifices couleur crème de Cassaforte.

À côté d'elle, penché par-dessus la rampe, se trouvait le père de Risa qui écoutait l'air du gondolier et se mit à le fredonner tout en regardant la ville. Sa mère, plongée dans ses pensées, était assise tout près, sur un banc érigé sur des carreaux rouges et noirs. Giulia Divetri semblait toujours sourire. Ses longs cheveux noirs, entrelacés d'un cordon de soie qui les traversait sur toute leur longueur, descendaient telle une corde de son épaule jusque sur le devant de sa robe brodée. Dans ses mains, elle tenait son carnet à croquis et un morceau de craie rouge. Ses doigts dansaient activement sur le papier.

– Le sang des Buonochio, dit le père de Risa, hochant la tête devant l'esquisse de sa mère.

Il fit un clin d'œil à Risa.

– Fougueux et artistes !

– Tu m'as épousée pour le caractère bouillant de ma famille, Ero, répondit ma mère, amusée.

Elle continua son esquisse, capturant une image qu'elle rendrait plus tard dans une de ses célèbres fenêtres.

– Si seulement j'avais plus de ce sang ! Tu vois... Je n'arrive jamais à rendre parfaitement le dôme du palais.

Elle leva le carnet. Ses traits parfaitement tracés dressaient le contour du toit bombé de la salle du trône du palais. D'autres saisissaient les deux lunes planant au-dessus du palais, nichées exactement à l'intérieur de deux constellations identiques.

— Tu as assez de talent et de passion pour nous deux, mon amour, murmura-t-il. Je l'ai su le premier jour où je t'ai vue — quand tu t'es penchée à cette fenêtre et que tu m'as hélé !

— Je me sentais effrontée, ce jour-là.

— Tu étais ravissante, ma chérie.

— Je savais reconnaître un homme bon, quand j'en voyais un.

Les lèvres de la mère de Risa s'incurvèrent, perdue dans ses souvenirs, tandis qu'elle retournait à son dessin.

— Même s'il n'était qu'un étranger passant dans la rue.

L'histoire familière fit sourire Risa ; elle était heureuse de l'entendre encore une dernière fois.

Peu importe l'heure de la journée ou la saison, un silence semblait toujours s'abattre sur la ville, quand le moment du rite approchait. Certaines nuits, Risa jurait qu'elle pouvait voir le joueur de cor du roi prendre sa place au sommet du dôme du palais, mais son père disait que c'était son imagination ; bien que le dôme fût le point culminant de la ville, le palais était trop loin pour qu'elle puisse discerner de tels détails.

— Risa ?

Alors que les rues devenaient silencieuses, anticipant le rite, son père lui tendit la main.

— Tu veux ?

Son visage s'illumina devant une telle invitation, pourtant elle ne pouvait répondre quoi que ce soit. Pas tout de suite — pas quand elle essayait d'inscrire nettement dans sa mémoire cette dernière nuit. L'expérience lui avait prouvé, à maintes reprises, qu'ouvrir sa bouche ne faisait que gâcher les choses.

La chaleur sèche des carreaux qui brûlait ses pieds nus semblait réchauffer son cœur aussi. Elle aimait ce calme et ce moment de la journée plein d'attente plus que tout autre. À côté d'elle, Ero desserrait les liens qui maintenaient l'étendard de Cassaforte en l'air. Il lui donna les cordes tendues, et ensemble, ils baissèrent le drapeau ondulant jusqu'au sol. Pour ce rite nocturne, ils devaient suivre le même rythme que la *caza* Portello à l'est et que la *caza* Catarre à l'ouest. Une fois l'étendard entre ses mains, Risa plia la soie aux riches couleurs violettes et brunes dans sa boîte. Avec respect, elle s'agenouilla et glissa la banderole à sa place sous le piédestal, où se trouvait le cor Divetri.

C'était sa dernière nuit, pensa-t-elle avec excitation. C'était la dernière fois qu'elle aiderait son père dans ce rite quotidien d'allégeance. Là où on aurait pu éprouver de la tristesse, elle ressentait seulement de la joie. L'excitation gambadait en elle comme un cerf sacré dans la forêt royale, lui donnant envie de bondir et de crier. Le lendemain soir, elle aurait une nouvelle maison et entendrait les cors depuis l'autre côté de la ville.

Elle ne serait plus simplement l'enfant d'Ero et de Giulia une fois qu'elle serait déclarée « fille des lunes ». Elle ne serait plus du tout une enfant une fois qu'elle serait acceptée sur l'une des *insulas* et qu'elle commencerait à apprendre des choses. Des choses *importantes*. Elle quitterait enfin sa vie comme son frère et ses sœurs aînés, au lieu d'attendre simplement que celle-ci commence.

À peine s'était-elle redressée qu'un coup par-derrière la fit tituber. Elle chancela et se rattrapa à son père, à peine consciente des ricanements qui résonnaient dans la cour.

- *Petro !* hurla-t-elle de sa voix haut perchée. Tu es fou !

Une excitation délirante et soudaine la propulsa à nouveau sur ses jambes. Riant aux éclats, elle se mit subitement à courir après son jeune frère en décrivant des cercles frénétiques dans la cour supérieure. Elle n'avait plus que cette dernière nuit pour jouer avec lui, se souvint-elle. Ce serait sa dernière chance.

— Touche-moi encore et je te dépouille de tes vêtements avant de te jeter aux rapaces du canal et de les laisser te déchiqueter jusqu'aux os !

Son frère cria, feignant la terreur.

Giulia rit.

— Elle tient de toi, chéri. Une Divetri avec une mission est effrayante à voir.

Avec un clin d'œil à sa femme, Ero affirma :

— Et ainsi, notre petite jeune fille redevient la tigresse que nous connaissons et aimons tant.

Son père l'avait appelée « tigresse » si souvent que Risa portait ce titre comme une marque de fierté. Les gens commentaient souvent les similarités entre Ero et sa fille. Ses longs cheveux bruns, comme les siens, semblaient presque cuivrés à la lumière du soleil. Et alors que Giulia communiquait sa colère discrètement, avec ses yeux étincelants et son ton de voix inquiétant, le père et la fille étaient connus pour hurler leurs passions.

— Reviens ici, verrue purulente ! cria-t-elle à Petro.

— Jamais ! dit-il joyeusement, par défi.

Ils se pourchassèrent l'un l'autre sur le balcon. Petro fonça la tête la première dans Mattio, le chef artisan de l'atelier d'Ero, juste au moment où il apparaissait dans l'air frais du soir.

— Par le poulain de Muro ! s'exclama Mattio, riant de surprise.

— Désolée, souffla Risa tandis qu'elle tournait autour de l'imposant contremaître pour attraper son frère.

Petro se précipita derrière les jupes de leur gouvernante, Fita, mais la vieille femme était trop occupée pour le remarquer, réprimandant discrètement une des bonnes pour avoir porté un tablier sale pendant le rite.

— Oh, oh, oh ! Doucement, doucement, gronda un homme d'âge mûr derrière Mattio.

Son nez était de travers en raison d'une ancienne blessure.

— C'est un moment de la journée solennel.

L'expression du cousin Fredo était, comme toujours, pieuse et lasse de leurs comportements.

— En effet ! approuva la gouvernante.

Elle se tourna vers la domestique rouge de honte.

— Allez vous changer et mettez quelque chose de propre *immédiatement.*

— Désolé, cousin, cria Petro, qui ralentit. Je suis désolé, Fita.

— Ah-*ha !* s'écria Risa, en signe de triomphe.

Elle le saisit par le col. Le grognement de protestation de Petro fut coupé net, quand elle le traîna par l'arrière du col.

— Je te tiens maintenant, petite croûte sanglante sur le derrière d'un mendiant !

— *Cazarrina,* implora le cousin Fredo avec une profonde consternation, s'adressant à Risa par son titre officiel.

Sa main s'étira vers son épaule, mais elle réussit à se sortir de sa poigne avant qu'il puisse lui faire un de ses douloureux pincements.

— *Cazarrina* ! S'il te plaît ! Mes nerfs !

Il fouilla dans la poche de son surcot pour en sortir sa petite boîte argentée de *tabacco da fiuto*, avec lequel il se calmait. C'était en raison de cette pâte crémeuse que l'arrivée de leur cousin était toujours précédée par l'odeur désagréable des feuilles de tabac, du clou de girofle et de l'huile de pin âcre.

– Mes chéris, dit Giulia depuis son banc, il est presque l'heure. Accordez aux nerfs de votre cousin une petite période de repos. Vous vous égosillerez plus tard.

Le frère et la sœur échangèrent un regard. Les nerfs du cousin Fredo étaient leur sujet de conversation préféré. Étouffant leur amusement, ils détournèrent les yeux vers le sol, tentant de se montrer sincères.

– Nous sommes désolés, cousin, entonnèrent-ils.

Fredo opina avec raideur et, utilisant le bout de son petit doigt, il tamponna le *tabacco da fiuto* sur ses gencives dans les creux au-dessus de ses deux canines. Semblant revigoré il ajusta son large col tandis que le frère et la sœur s'élancèrent devant lui pour rejoindre l'extrémité du balcon.

– Tu as quelque chose dans ta main, dit Risa, toujours en train de rire des manières pompeuses de Fredo. Donne-le-moi.

– Tu veux dire ça ?

Fredo sortit un ballon en cuir de sa poche.

– Attrape ! hurla-t-il.

Il avait l'intention évidente de le lancer à sa sœur, mais, quand Risa attrapa son frère par le col et le fit tourner, le ballon décrivit un arc haut dans le ciel et atterrit avec un bruit sourd à serrer le cœur contre une fenêtre de verre plombé. Giulia sourcilla, mais les enchantements agissaient et le verre resta intact. N'importe quelle autre fenêtre aurait volé en éclats sous un tel impact, mais, grâce aux bénédictions qui fortifiaient leur structure, le verre des Divetri résistait même aux tempêtes les plus violentes de la mer Azur.

– Pas ça, dit Risa à voix basse tandis qu'elle essayait de saisir le poignet gauche que Petro avait gardé serré contre lui tout le temps. Ton autre main.

– C'est une lettre, railla Petro. Une lettre *personnelle* pour toi... De tu sais *qui*.

– Qui ?

– *Tu* sais, dit Petro.

D'un regard éloquent, il indiqua les contremaîtres réunis près de la porte. Elle suivit la direction de son regard. Emil, le plus jeune des hommes dans l'atelier de son père, se tenait derrière Mattio et Fredo, le nez plongé dans un livre.

– Il t'*aiiiiiiiime*. Il veut te faire la *cour*.

Risa se raidit, déchirée entre l'envie de crier d'horreur ou d'éclater de rire.

– C'est faux ! finit-elle par grommeler.

Emil faisait belle figure parmi les artisans, mais les amours de sa vie se trouvaient dans des livres et reliés avec du cuir.

– Excuse-*moi*.

Petro haussa la voix d'une demi-octave et fit semblant de rejeter des cheveux imaginaires sur son épaule.

– Je suis Risa Divetri, *cazarrina*. Quand je me marierai, mon mari *devra* être un homme des Trente ou des Sept.

– Je ne suis *pas* comme ça !

D'un mouvement habile, Risa s'empara du morceau de papier que son jeune frère tenait fermement dans sa paume.

– Ha ! s'exclama-t-elle, tout en le dépliant.

Bien que son frère ait tenté de déguiser son écriture avec la calligraphie raffinée de ses aînés, l'auteur était d'une évidence flagrante, étant donné les taches et les bouts de plumes collés dans l'encre.

Ma chérie,
Quand je pense à vous, je voudrais mourir,
tant mes sentiments pour vous sont profonds.
J'aime vos yeux, l'arc de vos sourcils
la rapidité avec laquelle vos lèvres revêtent un sourire
quand j'entre dans la pièce.
Vous êtes si belle – presque une déesse!
Épousez-moi, s'il vous plaît, s'il vous plaît, s'il vous plaît!
– Vous savez qui[1]

Risa laissa ses yeux parcourir la lettre. Pour n'importe qui d'autre, le message aurait pu sembler plutôt inoffensif, mais Risa, connaissant son frère, savait qu'elle devait l'analyser. Elle scruta la note rapidement à la recherche du message caché. C'est alors qu'avec un cri d'indignation et aucune compassion pour les nerfs du cousin Fredo, elle hurla :

– « Nez de canard ? » Tu me traites de « nez de canard », toi, espèce de petit morveux ?

Petro jubilait. Avant que Risa ait pu l'étrangler à nouveau, il se précipita vers ses parents, gagnant suffisamment de terrain pour faire une roue triomphale.

– Il y a quelqu'un qui va avoir un nez *brisé* ! cria Risa.

Elle n'était pas vraiment en colère. Elle aimait simplement le bruit de son hurlement, quand il sortait de ses poumons. Il est vrai qu'elle éprouva aussi une joie particulière à la vue de Fredo qui colla immédiatement ses mains sur ses oreilles.

1. N.d.T. : Traduction libre.

— Doucement, doucement, implora-t-il quand elle passa devant lui. Mes nerfs… *Cazarra*, s'il te plaît, ajouta-t-il, lançant un appel à Giulia.

— Risa, qu'est-ce que c'est que ces sottises ? demanda sa mère alors qu'elle approchait.

Elle tendit la main pour prendre le papier froissé, puis le lissa sur son carnet tandis qu'elle retenait le bras de Risa.

— Ton cousin est un homme sensible…

En son for intérieur, Risa savait que sa mère ne croyait pas plus à l'histoire des nerfs de Fredo que quiconque dans la *caza*. Giulia était toujours polie avec Fredo, même dans les plus pénibles circonstances.

— Ce gamin qui se trouve prétendument être ton fils m'a traitée de « nez de canard », dit Risa, pointant la lettre.

— Cette note semble tout à fait flatteuse, bien que l'écriture puisse être améliorée, dit Giulia. Où vois-tu qu'il est écrit « nez de canard » ?

Risa fit glisser son doigt le long du côté droit du papier, pointant la dernière lettre de chaque ligne du message.

n e z d e c a n a r d[2]

— C'est notre code secret, dit-elle. Tu comprends ?

Sa mère leva un sourcil. Risa pouvait voir qu'elle essayait de ne pas rire, ce qui aurait donné à Fredo une autre raison de se plaindre. Bien qu'il ne puisse pas les entendre à cette distance, il les étudiait de près.

— Très habile, dit enfin Giulia. Très astucieux. Toutefois, n'es-tu pas un soupçon trop vieille pour ces folies ?

2. Dans la version original anglaise, la dernière lettre de chaque ligne donne : duck nose, qui signifie nez de canard.

Risa inclina légèrement la tête. Elle tenait à ce que cette soirée reste parfaite.

– Afin d'être courtoise avec le cousin de ton père et ses... nerfs, si tu pouvais attendre pour assassiner ton frère *après* le rite, je le prendrais pour une faveur personnelle.

Elle plia le message et le glissa sous son dessin, où aucun de ses enfants ne serait tenté de le dérober.

Le son enveloppant d'un cor résonna depuis le palais. Il semblait vibrer à travers les airs tandis qu'il couvrait les quelques derniers bruits du soir de Cassaforte. Le cataclop des sabots des chevaux sur le pavé, les chants des gondoliers sur les canaux et les bavardages des foules cessèrent tous devant le son musical de l'instrument. L'enjouement de Risa s'interrompit aussi. Le rite d'allégeance avait commencé ; il était temps une nouvelle fois de penser à elle comme à une jeune citoyenne sérieuse, plus comme à une enfant.

Risa savait que chacune des *cazas* appartenant aux sept grandes familles de Cassaforte avait été construite sur des *insulas* le long de la côte de la ville. L'ensemble des ponts et des canaux qui les reliaient au continent, toutefois, faisaient en sorte qu'il était difficile de dire où les sept *cazas* commençaient et où la capitale finissait. Les *cazas* se trouvaient séparées de Cassaforte tout d'un coup.

De la *caza* la plus à l'est, au loin, surgit le son de réponse retentissant de la plus ancienne famille des Sept.

– Chère *caza* Cassamagi, souffla Risa, enchantée par le son, comme elle l'était chaque nuit.

Instinctivement, elle tendit la main vers celle de son cadet. Si les deux dieux devaient la séparer de son frère durant la cérémonie du lendemain, ce serait la dernière nuit qu'ils passeraient ensemble pour les années à venir.

La *caza* Portello, tout de suite à l'est de leur propre *insula*, était la deuxième plus vieille *caza* dans tout Cassaforte. Tandis que le son du cor des Cassamagi balayait le ciel qui s'assombrissait, les soieries rouges et blanches des Portello s'élevèrent sur le mât. Les Cassamagi étaient connus pour leurs recherches dans la discipline des enchantements ; la *caza* Portello était connue de partout pour son architecture. Ses murs se dressaient hauts et fiers, et ses ponts renforcés par les enchantements ainsi que ses tours, rivalisaient avec le palais royal de Cassaforte en grâce et en délicatesse. Quand ses couleurs eurent atteint le sommet du mât, le son de réponse de son cor ténor se répandit depuis les hauteurs de Portello.

Au signal, Ero commença à tirer la corde qui érigerait le drapeau bleu et vert des Divetri dans les cieux. Il sourit, comme il le faisait toujours, de voir les couleurs de la famille voler dans le crépuscule de plus en plus sombre et d'entendre les soieries claquer sèchement dans la brise marine. Puis, en deux enjambées avec ses jambes musclées, il se rendit au piédestal. Il ôta le grand couvercle bombé, bleu-vert avec patine, et le déposa sur le sol. Un cor en cuivre reposait sur un coussin violet à l'intérieur. Comme un cor de chasse, son tube était enroulé sur lui-même jusqu'à ce que, après trois tours, il s'évase en un pavillon.

Ero saisit l'instrument et le leva vers les cieux. Il faisait face au palais du roi Alessandro. Risa le regardait avec admiration tandis qu'il prenait une profonde inspiration. Sa poitrine s'élargit et ses pieds s'arc-boutèrent. Ero souffla alors dans le cor Divetri.

Bien qu'elle ait entendu le même son de velours chaque soir de sa vie, sa beauté et sa force étonnaient toujours Risa. Alors que l'unique note augmentait en volume, elle semblait lancer une corde, invisible mais chatoyante, qui liait ensemble les habitants de la *caza* Divetri. Elle s'enroula autour d'eux, puis s'envola dans la direction du palais lui-même, au-dessus de la ville et de ses édifices. Pour Risa, cette corde était presque une sensation tangible. Elle se demanda pour la première fois si quelqu'un d'autre l'avait sentie. Les autres, toutefois, semblaient simplement attentifs et non enchantés. Pourquoi était-ce si vivant, pour elle ?

Le son de velours s'estompa, mais tout le monde resta calme encore un moment. Le rite ancien d'allégeance avait été accompli. Pendant une autre nuit, comme c'était le cas depuis des siècles, la *caza* Divetri demeurerait.

Ils écoutèrent les cors résonner de chez les Catarre et les Buonochio, les fabricants de livres et les artistes, puis de chez les Piratimare et les Dioro, les constructeurs de bateaux et les fabricants d'armes. Sept *cazas* unies à travers ce rite nocturne par les reliques et les symboles du roi les plus sacrés du pays — la couronne d'olivier et le sceptre d'épines.

Après que l'allégeance des *cazas* fut proclamée dans toute la ville, le joueur de cor du palais joua une dernière longue note. Elle s'attarda, puis disparut dans le soleil couchant.

Au moment où elle s'évanouit, tout le monde était visiblement détendu. Les artisans commencèrent à partir. Le dernier, bien sûr, fut le cousin Fredo, qui s'éternisait avec ses prières au dieu Muro et à la sœur de Muro, la déesse Lena. Aucune des deux lunes ornant le ciel nocturne ne sembla remarquer les prières qu'il marmonnait.

Quand la famille fut seule à nouveau, Giulia passa sa main dans les cheveux de son fils.

— Mes cadets ont grandi trop vite, soupira-t-elle.

Risa était en désaccord. On ne lui avait pas permis de grandir assez rapidement.

— Je n'ai pas grandi, revendiqua Petro. Je n'ai que 11 ans. L'année *prochaine,* par contre !

Ero rit.

— Tu es assez vieux, mon garçon. Assez vieux. As-tu aimé ta dernière soirée ? Oui ?

— Papa.

Petro se sentit soudain effrayé. Il était encore si jeune, pensa Risa. Peut-être qu'il ne réalisait que maintenant qu'il quitterait la *caza* pour vivre avec les Pénitents ou avec les Enfants, tout dépendant qui lui donnerait sa bénédiction.

— Que se passerait-il si tu tombais malade après-demain ? Qui soufflerait dans notre cor au coucher du soleil ?

Par-derrière, Risa se jeta sur lui et le chatouilla doucement. La solennité du rite avait disparu et elle se sentait à nouveau taquine.

— Personne ! gronda-t-elle. Personne ne soufflerait dans le cor ni ne lèverait les drapeaux, et puis les démons engloutiraient la *caza* et elle ne serait plus à nous !

Tandis que son frère et elle riaient, leur père secoua la tête. Ses boucles miroitaient dans la lumière dansante du *brasero* surélevé dont les flammes illuminaient le drapeau de la famille chaque nuit.

— Ça n'arrivera pas, Petro. Tu sais très bien que Romeldo viendrait de l'*insula* pour reprendre mes tâches jusqu'à ce que je me sente mieux. Il est le plus vieux et l'héritier de la *caza.* Souviens-toi quand j'ai été malade à cause du soleil quand tu étais plus jeune. Il était venu.

— Et si Romeldo était malade ?

— Es-tu inquiet que tout s'écroule quand tu partiras demain ?

Petro hésita.

— Non. En fait, peut-être.

– Quand tu seras assez fort, dit Ero affectueusement en s'agenouillant et en saisissant le nez de son fils entre ses doigts, *tu* pourras réaliser le rite et nous garder en sécurité dans notre *caza*.

– Je suis plus vieille que Petro ! protesta Risa, non pour la première fois. Je pourrais réaliser le rite !

Sans même regarder sa femme, Ero répondit ce que Risa avait prédit.

– La protection d'une *caza* n'est pas la responsabilité des femmes.

– Allons, Ero…, dit Giulia, sa voix douce contrastant avec le ton obstiné de son mari.

C'était un vieux sujet de dispute entre eux.

– Tu sais bien que ma parente Dana a levé le drapeau en tant que *cazarra* de Buonochio. La *cazarra* de Buonochio a toujours fait ça, depuis que la maison existe. Dans le passé, les Cassamagi…

Ero leva la main.

– Dans la *caza* Divetri, le rite d'allégeance est la responsabilité du *cazarro*. Ça l'a toujours été et ça le sera toujours.

Il se releva et fit un nouveau clin d'œil à sa fille.

– Les femmes sont utiles pour d'autres choses, hein ? Ensorceler le cœur des hommes, d'abord. Tu apprendras.

Il sourit largement à sa femme, qui secoua la tête tout en lui rendant son sourire.

– Par Lena, tu n'es qu'un vieux ringard !

Ce fut sa seule riposte. Continuant de discuter, ils avancèrent vers la porte qui descendait à la résidence.

Risa les regarda fixement s'éloigner en premier, un air de défi dansant dans son cœur.

– Je suis utile pour bien plus de choses que pour ensorceler le cœur des hommes, dit-elle, exprimant l'opinion qu'elle n'osait prononcer devant son père. Après-demain, je le prouverai.

— Tu ne pourrais même pas ensorceler un crapaud, avec ton *nez de canard* ! s'écria Petro joyeusement.

Avant qu'elle ait pu l'attraper, il se précipita derrière leurs parents, riant à pleins poumons.

2

—

Notre frustration est infinie, mon suzerain, de constater que nous sommes incapables de répliquer aux enchantements de la ville barbare de Cassaforte. Un couple marié buvant du vin dans une de ses coupes a de fortes chances de rester fidèle jusqu'à la fin des temps, et quiconque lit un de ses livres de magie – et la raison pour laquelle tout le monde le voudrait, cela reste un mystère – conserve la connaissance éternellement. Même leurs symboles de monarchie, la couronne d'olivier et le sceptre d'épines, sont enchantés de telle façon que personne en dehors du vrai héritier ne peut tendre les mains vers eux sans en subir de terribles conséquences. Sire, les gens de Cassaforte sont des démons avec des formes humaines.

– L'espion Gustophe Werner, dans une lettre personnelle au baron Friedrich Van Wiestel

– À ton avis, lesquels t'offriront leur bénédiction, les Enfants ou les Pénitents ? demanda Petro.

Ils étaient étendus sur le sol feutré de la chambre de Risa, à regarder le ciel nocturne.

— C'est le dieu ou la déesse qui accorde sa bénédiction au cours de l'Examen, idiot, dit-elle automatiquement.

Tous les six ans, au cours de l'alignement des deux lunes avec les constellations jumelles, chaque enfant des Sept et des Trente entre l'âge de onze et de seize ans se soumettait au rituel de l'Examen. À ce moment, ils étaient choisis par la déesse de la lune pour étudier sur l'*Insula* des Pénitents de Lena, ou par son frère, le dieu de la lune, pour une éducation sur l'*Insula* des Enfants de Muro.

— Tu sais ce que je veux dire ! Sur quelle *insula* vais-je finir ?

La question de Petro lui trottait dans la tête à elle aussi depuis des jours maintenant. Les différences entre les deux *insulas* étaient, pour autant qu'elle sache, minimes. Ce qui importait, c'était que sa vie serait complètement nouvelle et grande ouverte à l'une d'elles.

— Maman et papa ont été formés par la déesse des Pénitents, continua Petro. Alors, est-ce que nous serons bénis par eux aussi ?

— Romeldo et Vesta sont autant leurs enfants que nous, et ils ont été choisis par le dieu, souligna Risa.

Son frère aîné et la plus jeune de ses deux sœurs aînées étaient très studieux, l'une des caractéristiques de ceux choisis pour étudier avec les Enfants de Muro. Leur plus vieille sœur, Mira, avait toutefois suivi les traces de leurs parents : elle avait été choisie pour rejoindre l'*Insula* des Pénitents de Lena, où elle était maintenant maître en verrerie dans son atelier. Bon nombre de nouvelles couleurs vives de verre plat que la *caza* utilisait dans son travail étaient des innovations esthétiques de Mira.

Petro saisit un biscuit tartiné de miel frais dans un plat qui se trouvait entre sa sœur et lui.

— Je vais m'ennuyer de la cuisine de Fita.

— Je vais m'ennuyer de maman et de papa.

— Je vais m'ennuyer de ma chambre.

— Je vais m'ennuyer de mon petit atelier, dit Risa, pensant à son local à côté de la manufacture de son père, loin des fours et des souffleurs de verre chaud. Sur l'*insula*, je n'aurai pas d'espace de travail privé jusqu'à ce que je sois maître artisan.

— Tu vas t'ennuyer d'*Emil*, la taquina Petro, léchant le miel sur ses doigts, puis tendant la main vers un autre biscuit de Fita.

— *Non*.

Risa donna des coups de talon dans les airs.

— Je pense que tu seras choisi par les Pénitents, finit-elle par dire, mettant une figue fourrée aux noix dans sa bouche. Tu ne crois pas ?

Il y eut une longue pause avant que Petro parle à nouveau.

— Si c'est le cas, j'espère que tu le seras aussi.

— Oh, Petro !

Risa sentit un soudain élan d'affection pour son petit frère. Il n'avait que onze ans. Bien qu'ils aient souvent joué ensemble et qu'ils se soient taquinés comme des égaux, elle savait que parfois les cinq ans qui les séparaient la rendaient adulte à ses yeux.

— J'espère aussi. Mais rappelle-toi, tu as de la famille sur les deux *insulas*. Romeldo, Mira et Vesta t'aiment aussi.

— Mais je les connais à peine, dit Petro avec une toute petite voix. Ils sont partis quand j'étais petit. Toi, tu as toujours été là.

Il tendit la main vers l'assiette.

— Ça suffit, le miel, lui dit-elle, éloignant le plat. Tu ne dormiras jamais.

— Je crois que tu seras choisie par les Pénitents aussi. Tu es une artiste.

Il fit un geste vers le petit placard dans lequel Risa gardait ses œuvres les plus délicates. Le placard avait autrefois exposé les mosaïques que les enfants Divetri avaient créées au cours de leur première formation en verrerie, mais elles avaient fini par être remplacées par plusieurs beaux bols ronds que Risa avait créés dans les fours des Divetri. Contrairement aux autres objets fabriqués dans l'atelier de son père, ses bols n'étaient pas soufflés à partir de verre chaud. Ils n'étaient pas non plus assemblés morceau par morceau et scellés par du ciment ou des profilés de plomb, comme les mosaïques ou les fenêtres qui avaient rendu sa mère célèbre. Ils étaient, en fait, complètement différents de tout ce que les autres membres de la famille Divetri avaient produit au cours des siècles. Certains avaient des formes géométriques selon des modèles simples aux couleurs vives; d'autres étaient des pièces plus complexes taillées en forme de fleurs et assemblées avant d'être fondues et fusionnées dans les fours. Tous lui étaient propres et Risa en était fière.

Elle sourit alors à son frère.

— Tu penses vraiment que je suis une artiste?

Comme il acquiesça, elle l'étreignit fermement.

— Tout ce que tu dois faire, c'est apprendre les enchantements des récipients et tu seras artisan junior. J'ai beaucoup plus à apprendre que toi, dit-il.

— Je veux apprendre bien plus que les enchantements des récipients, répliqua Risa, sentant à nouveau l'excitation monter en elle. Plus que les enchantements de protection aussi.

— Mais ce sont les habiletés que les *insulas* enseignent aux souffleurs de verre.

Petro étira sa bouche en un bâillement.

– Les bols et les coupes ont des enchantements de récipients. Les fenêtres ont des enchantements de protection. Même moi, je le sais.

Étant donné que la fonction naturelle d'une fenêtre est de protéger les gens des éléments, les créations de plomb et de verre de Giulia étaient renforcées par les enchantements appris sur l'*insula* qui les protégeaient à l'intérieur de la *caza* contre le mal de l'extérieur. Aucune fenêtre Divetri n'avait été brisée ou fissurée depuis leur création, ni par un marteau, ni par une arbalète, ni même par les nombreux ballons de Petro.

– Oui, tu as raison, admit Risa. Mais c'est si *ennuyeux !* Je ne peux pas croire que les objets puissent seulement contenir une sorte d'enchantement, c'est tout.

– Les enchantements ne travaillent que sur la fonction initiale d'un objet. C'est ce que papa dit.

Légèrement frustrée de ne pas être capable d'expliquer ce qu'elle voulait dire, Risa chercha ses mots.

– Les livres des Catarre sont enchantés pour aider à apprendre, ce qui est la fonction naturelle d'un livre, mais si j'utilise un livre pour heu… je ne sais pas…

– Pour m'en donner un coup sur la tête ! Alors il devient une arme et tu peux y mettre un enchantement d'attaque des Dioro, proposa Petro.

– Tu es vraiment idiot !

Elle le chatouilla jusqu'à ce qu'il éclate de rire.

Ils restèrent étendus là, côte à côte, jusqu'à ce que leur excitation s'apaise.

– Risa ?

La voix de Petro était faible et calme.

– J'ai peur.

– J'espère que nous serons choisis ensemble par les Pénitents. Si c'est le cas, je veillerai sur toi, promis, murmura-t-elle à son oreille.

Elle fut remerciée par une étreinte ferme et moite.

– Maintenant, au lit ! Lena ne nous bénira jamais si nous dormons debout !

Ensemble, ils se levèrent du tapis et ôtèrent les miettes de biscuits de leurs habits.

– C'est la dernière nuit où nous dormirons ici, dit Petro, juste avant de quitter la pièce.

Risa le savait déjà. Même si elle aimait la *caza* et tous ceux à l'intérieur de ses murs, elle était anxieuse de commencer sa nouvelle véritable vie. De ses mains qui tremblaient presque d'excitation, elle ouvrit les portes de son balcon et regarda dehors.

L'odeur du jasmin en fleur, sur la rive opposée du canal de l'ouest, remplit ses poumons. Tandis qu'elle tournait la clé qui éteignait la lanterne murale, elle aperçut son reflet dans un de ses bols. C'était la dernière nuit où elle se verrait dans ses habits confortables – ses habits d'enfant. Demain soir, elle porterait la robe des initiés de l'*insula*.

Après-demain, pensa-t-elle avec enthousiasme, tout sera très différent.

3

Quelle nation d'insignifiants que ces gens de Cassaforte – des paysans et des ouvriers contaminés qui, sans raison apparente, ont assumé les responsabilités de l'aristocratie sans perdre aucun des traits de leurs origines moins que modestes.

– Le comte William DeVane, *Voyages divers et variés au-delà du canal Azurite*

Le bâillement que Risa laissa échapper menaça de fendre sa tête en deux. Il était si béant qu'elle n'aurait pas été surprise si quelqu'un avait tenté de lancer des pistaches dedans (comme les enfants le feraient avec des têtes de Polichinelle géantes durant les festivités plus tard dans la journée).

– Quelle heure est-il ? demanda-t-elle tandis que Fita la tirait vers les escaliers à l'extérieur de la résidence.

– Cinq heures.

La gouvernante était aussi grave à cette heure matinale qu'à n'importe quelle autre, remarqua Risa.

– Du *matin* ?

– Les cuisinières sont réveillées et au travail depuis bien plus tôt que ça, l'informa Fita tout en la poussant encore dans le dos.

Risa était à peine capable de voir les marches. La gouvernante l'avait arrachée du lit sans aucune cérémonie – sans petits pains ni lait chaud épicé au *kaffè* pour les réveils matinaux, pas même suffisamment de temps pour se débarbouiller le visage, pour se coiffer ou pour une rapide utilisation du pot de chambre.

– Oui, mais je ne suis pas une cuisinière.

C'était, comme d'habitude, la pire chose à dire.

– Le jour n'est pas venu où une *cazarrina* me dira en plein visage qu'elle est meilleure que moi ! gloussa Fita, s'énervant et geignant par-dessus l'épaule de Risa tandis qu'elles descendaient.

– Ce n'est pas ce que je !… Et puis, rien.

Risa décida qu'engager une controverse lui demanderait trop d'efforts. La sensation de pureté de ses pieds nus sur la pierre la réveilla peu à peu. Au petit matin, le ciel revêtait toujours la couleur du cobalt. Il faisait assez clair pour que Risa puisse voir quelques ouvriers de l'atelier transporter des fagots de bois jusqu'aux fours. La fumée des cheminées flottait vers le ciel. Les lunes qui apparaissaient si près la veille au soir s'étaient à présent séparées et s'enfonçaient dans l'horizon, disparaissant au-delà des canaux et de la mer Azur, tranche par tranche.

Les cuisinières étaient peut-être déjà levées, mais pas les oiseaux. Les oiseaux étaient plus sensés.

– Vous avez raison. Je suis désolée, marmonna Risa. Je ne vaux pas mieux qu'une cuisinière.

— Bien sûr que non ! approuva Fita, saisissant soudain la main de Risa pour la tirer d'un coup sec du bas des escaliers vers le pont inférieur.

— Avec vos cheveux qui volent dans toutes les directions, vous ressembleriez plus à une souillon !

— Vous ne m'avez pas laissé le temps de me coiffer !…

À nouveau, Risa dut se calmer. Elle essaya une tactique différente.

— Où allons-nous ?

— Le *cazarro* et la *cazarra* vous attendent.

— Pour faire quoi ?

— Je ne suis pas censée me mêler des affaires du *cazarro* et de la *cazarra*.

Les lèvres de Fita se serrèrent en une ligne pincée et dévote.

— Mais je crois que cela a à voir avec la bénédiction du roi.

— Le roi !

Risa était surprise. Le roi Alessandro était malade depuis aussi longtemps qu'elle se souvienne. Quand son frère et ses sœurs avaient été accueillis dans les *insulas* il y a six ans — et les six années avant ça — ils avaient reçu la bénédiction du roi la veille de la cérémonie. Les Divetri avaient supposé, toutefois, qu'étant donné l'infirmité du monarque, il ne ferait pas d'apparition pour Risa et Petro.

Elle comprenait maintenant où Fita la conduisait. Elles étaient péniblement parvenues au sommet d'un vieil escalier de pierre menant de la fin du pont inférieur au point le plus bas de la *caza* Divetri — un quai en bois qui faisait saillie dans la mer, où des commerçants pouvaient livrer les denrées et les marchandises nécessaires aux ateliers et aux fonctions quotidiennes de la tenue d'une maison. Ses parents étaient déjà là, errant sur le vaste quai.

— Risa, ma chérie, je t'ai dit une centaine de fois de ne pas courir dans ces escaliers, cria sa mère avant même que les pieds de Risa se retrouvent sur le bois. Tu vas tomber sur la tête !

— Elle n'a *pas* de tête !

Petro se tenait là, les bras autour de Giulia, la tête cachée dans la robe en velours de leur mère. Il n'avait pas le cœur à la plaisanterie, car il était encore plus endormi que Risa. Tout le monde semblait épuisé à cette heure matinale, remarqua Risa. Même si Giulia était aussi ravissante que toujours dans ses douces teintes bordeaux et jaunes, Risa reconnut la robe qu'elle portait comme vêtement du matin, peluché et confortable, dans lequel on la voyait rarement à l'extérieur de sa chambre à coucher. Petro avait fait un effort pour mettre des pantalons et une chemise, mais elle n'était pas rentrée et lui descendait presque jusqu'aux genoux.

— Je suis trop fatiguée pour te taper, dit Risa à son frère, le rejoignant dans les jupes de leur mère, plus par soutien physique que par affection.

— Fita a dit que le roi venait.

— Pas le roi. Le prince.

— Le prince Berto ?

Risa ouvrit grands les yeux. Une brume matinale planait encore au-dessus de la mer.

— Vraiment ? Alors, on aura la bénédiction royale malgré tout ?

— Ce fut une surprise pour nous, dit sa mère.

Au ton narquois de sa voix, Risa réalisa soudain que Giulia était aussi troublée qu'elle.

— Quelle femme insensée !

Ero était habitué à se réveiller si tôt. Il portait sa tenue de travail quotidienne – une chemise unie, de grosses bottes, d'épais pantalons résistants et un grand tablier gris attaché à de multiples reprises autour de son ventre proéminent.

– Se plaindre de la visite de la famille royale ! N'aimerais-tu pas voir tes enfants commencer leur éducation dans les *insulas* avec autant de chance que les dieux leur alloueront ?

Le regard incisif que lui lança Giulia fut apparemment une réponse suffisante.

– Je sais que tu n'aimes pas le prince Berto…

– Ce que je n'aime pas, dit Giulia, caressant les cheveux de Petro, c'est qu'il garde tout le monde dans l'ignorance à propos de la santé de son père. Les Buonochio étaient toujours si près d'Alessandro.

Dans sa confusion et sa torpeur, Risa n'avait pas remarqué que Fredo était descendu sur le quai avec quelqu'un d'autre. Contrairement au reste de sa famille, il était sur son trente et un – presque comme s'il était allé se coucher avec ses bottes bien cirées et son surcot brodé, le nœud de sa chemise parfaitement noué autour de son cou. Il se tenait au bout du quai à regarder vers l'est, où le noir d'encre du ciel s'atténuait.

– Cousin ! Je crois que je vois la *barca*, annonça Fredo, attirant l'attention d'Ero.

Le père de Risa traversa le quai pour aller voir.

Giulia resta toutefois manifestement inquiète.

– Oh, chéri !

Elle força Petro à se détacher d'elle et tenta de lisser les cheveux de son fils. Repérant une trace suspecte, elle sortit un mouchoir d'une de ses poches, l'humecta et commença à nettoyer le visage de son fils. Petro toléra cette attention, les yeux à demi-fermés.

Quand Giulia se tourna vers sa fille en approchant le mouchoir humecté, Risa dut faire preuve d'autorité.

– Non merci ! insista-t-elle, reculant les deux mains en l'air. Je vais m'en occuper.

– Eh bien, fais ce que tu peux, dit sa mère d'un air distrait.

– Ce qui ne sera pas beaucoup, marmonna Fita tandis qu'elle atteignait enfin le bas des escaliers et avançait vers eux.

L'insinuation n'échappa pas à Risa. Elle parcourut ses cheveux avec ses doigts et tenta de les rassembler vers l'arrière aussi soigneusement qu'elle le pouvait. Sa chemise de nuit ferait l'affaire ; bien qu'elle n'était pas sophistiquée ni aucunement de bonne fabrique comme ses robes plus officielles, elle était au moins soignée, unie et présentable, du fait qu'elle la couvrait du cou jusqu'aux pieds. Peut-être pourrait-elle se dissimuler davantage derrière Petro. L'idée semblait assez bonne pour son cerveau brumeux de sommeil, alors elle rejoignit sa famille, qui se rassemblait au bout du quai.

Fredo avait vu juste. Bien que Risa ne l'ait pas vu avant à cause de l'obscurité, le célèbre *barcinoro* du palais approchait à un rythme étonnant. Sa coque avait la taille d'environ dix ou douze gondoles. Contrairement à une barca *ordinaire,* il avait été recouvert d'or de la poupe jusqu'à la proue recourbée vers le haut qui émergeait de l'eau ; un chérubin rondelet ornait le *ferro,* se projetant depuis l'avant du bateau. Même dans les modestes débuts de l'aube, il semblait briller et rayonner le long du littoral. Tout sauf l'arrière du bateau était couvert d'un toit en pente, peint avec les couleurs violettes et brunes de la ville. La bannière de Cassaforte ressortait d'un pavillon doré tout en haut. Au lieu de reposer sur un unique canotier comme une gondole, le *barcinoro* du roi se déplaçait promptement grâce au travail de douze rameurs cachés dans la cale, six de chaque côté, dont les pelles des avirons pivotaient dans l'eau en cadence.

C'était une vue si majestueuse et impressionnante que la famille attendait dans un silence absolu tandis que le vaisseau approchait. Les rameurs changèrent le mouvement de leurs rames sans aucune variation ou hésitation individuelle, aussi habilement qu'un jouet mécanique. Le *barcinoro* ralentit et commença à tourner dans le sens contraire des aiguilles d'une montre jusqu'à ce qu'il soit parallèle au quai. Autant Risa trouvait cette délicate opération hypnotique, autant Petro semblait la trouver ennuyeuse. Il poussa un grand bâillement bruyant.

— Respecte ton roi et ton pays, mon garçon !

Le ton de Fredo était virulent et il tendit le bras pour pincer la taille de Petro.

Les sourcils de Risa se creusèrent de colère alors que son frère laissa échapper un cri aigu et lui marcha accidentellement sur l'orteil.

— Ça fait mal ! se plaignit Petro.

— Ça n'est que le prince, ronchonna Risa à Fredo tout en posant instinctivement ses mains autour des épaules de Petro.

Giulia aussi essaya de consoler son fils en le cajolant.

— Le prince qui deviendra roi quand son père sera emmené par le Frère et la Sœur.

Risa pouvait gagner le point sur son cousin là-dessus et elle le savait.

— Pas avant que le roi l'ait formellement nommé son héritier. En attendant, il est seulement prince.

— Il n'y a pas de *seulement* quand on parle de membres d'une famille royale, fut la réponse du fidèle Fredo. Chacun mérite le même respect que son chef.

Risa le regarda avec aversion et se demanda s'il parlait vraiment du prince ou de son propre statut dans la *caza*.

— Pince quelqu'un de ta taille, l'avertit-elle, mais pas Petro. Plus jamais.

Leurs yeux se fixèrent un moment, tels deux adversaires acharnés et imperturbables.

— Cazarra, finit-il par implorer Giulia, tendant la main vers la boîte en métal dans sa poche. Mes nerfs…

— Ce sont *mes* nerfs qui m'inquiètent le plus pour le moment, Fredo, dit Giulia, réconfortant Petro avec une douce caresse sur sa nuque.

Ses lèvres se contractèrent de mécontentement en direction d'Ero, qui déclinait clairement toute participation aux disputes familiales incluant son cousin.

Mais peut-être était-il trop occupé à regarder le *barcinoro*. Deux gardes du palais l'amarraient au quai tandis que deux autres hissaient une passerelle de bronze poli pour former un pont solide entre le quai et le vaisseau. La surface du *barcinoro* était finement sculptée, mais Risa était trop éblouie par la proximité du bateau doré pour en relever les détails. Puis, un des gardes du palais, dans son uniforme rouge intense et sa longue cape, se démarquant des autres, s'éclaircit la gorge et déclama :

— Le prince Berto, fils l'Alessandro, requiert une audience avec la famille Divetri, des Sept, au cours de cette journée des plus prometteuses.

En retour, Ero inclina la tête et répondit :

— Ma famille serait honorée de jouir d'une audience avec le prince.

Ceci était apparemment le signal attendu. Les gardes, qui avaient érigé la passerelle, se placèrent sur le côté, les bras tendus, pour les accueillir à bord du *barcinoro*. Ero et Giulia entrèrent les premiers. Les gardes prirent les mains de Risa et de Petro, quand ce fut leur tour. Risa fut secrètement heureuse qu'au moment où le cousin Fredo essaya de les suivre, le garde sur le quai ait levé la main. Fredo n'était pas autorisé sur le *barcinoro* doré ; comme Fita, il devrait regarder la scène du quai. Tandis qu'elle embarquait, Risa résista à la tentation d'envoyer un petit sourire satisfait dans sa direction et, à la place, elle se tourna vers la majeure partie abritée du bateau et attendit la suite.

Heureusement, ils n'attendirent pas longtemps. Les rideaux d'un violet soutenu s'écartèrent, leur frange dorée flottant sur les planches lisses du bateau.

– Saluez, ordonna Ero, calmement.

Les mains de Giulia, reposant sur l'épaule de Risa, firent pression pour qu'elle fasse une révérence. La tête inclinée, Risa vit d'abord une chaussure noire, puis une autre, qui disparurent rapidement, car la longue robe de cérémonie du prince Berto descendait sur ses pieds. Elle vit que des ronds de velours brun brodé entouraient ses bottines tandis qu'il s'arrêta de marcher.

– Risa famille Divetri.

La voix du prince Berto n'était pas aussi grave que Risa l'avait imaginée. Rien d'imposant ni même de royal. À ses oreilles, son intonation nasillarde faisait davantage penser à l'un des marchands querelleurs qui agaçait Fita en essayant de lui soutirer des *lundri* supplémentaires pour une cargaison de citrons.

– *Cazarro,* j'espère que notre visite ne vous incommode pas.

– Pas du tout, Votre Éminence.

Ero salua à nouveau.

– Je n'aimerais pas importuner une famille des Sept si éminente.

Maintenant qu'elle s'était redressée, Risa pouvait voir à quoi ressemblait le prince. Son nez était pointu et presque trop grand pour ses traits ; son front était haut et incliné. Il semblait n'y avoir presque pas de chair sur ce visage tellement les os étaient près de sa peau.

– La maladie de mon père, le roi, m'a empêché d'assumer bon nombre de mes fonctions mineures, mais néanmoins importantes.

Les profondes cavernes autour de ses yeux rendaient son regard presque fantomatique ou maladif.

– Comment va votre père ? demanda Ero.

Giulia pencha la tête avec intérêt.

Le prince regroupa les manches imposantes de sa robe. Pour la première fois, Risa remarqua qu'elles recouvraient complètement ses mains. En fait, dans sa grande robe officielle brune, le prince Berto ressemblait un peu à un épouvantail – une tête minuscule, réduite comme celle d'une poupée « *apple-doll* » collée sur un volumineux déguisement de fermier. Avait-il des mains ? Il n'y en avait aucune preuve.

– Malheureusement, je crains qu'il atteigne la fin de ses jours, dit Berto à Ero.

Sa tête de poupée pendit un instant, puis se redressa.

– Il n'autorise que moi à s'occuper de lui. Il refuse tous les autres. Comme vous pouvez l'imaginer, continua-t-il en s'adressant à la mère de Risa, c'est épuisant.

Giulia l'en remercia tout bas.

– Quelle charmante *caza* vous avez, *cazarra*, remarqua-t-il à nouveau.

– Eh bien, merci, Votre Éminence.

Giulia refit une charmante révérence. Risa, toutefois, étudiait le prince Berto. Ses yeux étranges, foncés comme une obsidienne polie et étincelant encore plus, ne regardaient pas sa mère, mais la *caza* au-dessus d'elle tandis que le soleil levant illuminait lentement ses parois et sa structure. Ses yeux semblaient passer rapidement des cheminées de l'atelier crachant leur fumée à la lueur chaude des fenêtres de la cuisine, puis aux escaliers menant à la résidence principale, tous pleinement visibles au-delà de la cour au bout du pont inférieur. Étrangement, Risa pensa voir de l'avidité dans ce regard, presque comme s'il voulait atteindre la *caza* avec ses mains – à condition qu'il ait bel et bien des mains sous ses manches bouffantes – et en saisir les édifices, puis les arrimer dans la cale de son *barcinoro* doré.

Puis, ses yeux foncés rencontrèrent ceux de Risa. Elle frissonna, soudain consciente de l'intensité du regard qu'elle portait sur lui. Elle se sentit comme une souris cherchant de la nourriture dans les réserves, et qui se retrouverait soudain confrontée à un chat affamé.

Pour le prince Berto, cependant, elle ne représentait visiblement rien. Il la remarqua à peine. Ses yeux exercèrent un mouvement rapide et s'adoucirent tandis que ses paupières se baissaient.

– Occupons-nous de nos affaires à présent si vous le voulez bien.

Il fit un geste indiquant à Risa et à Petro de s'approcher.

– Agenouillez-vous devant le prince, leur souffla Giulia, manifestement contente de leur attitude si réservée.

Risa et son frère se mirent à genoux, se préparant à recevoir la bénédiction. Risa se sentit comme si elle allait étouffer dans le velours quand le prince tendit ses mains au-dessus de sa tête, mais il finit par faire un pas de côté. Les rideaux violets se séparèrent à nouveau et un des prêtres du palais entra. Bien que le bandeau autour de la tête du prêtre fût plus élaboré que ceux des prêtres ordinaires formés dans les *insulas,* sa bénédiction fut, elle, assurément quelconque – du genre banal et marmonné. Il semblait plus endormi que quiconque.

En fait, la bénédiction se termina si rapidement que Risa fut presque surprise que le prince se soit déplacé pour ça. Fita s'attardait plus longtemps sur les prières du petit déjeuner. C'est à peine si leurs genoux avaient eu le temps de toucher le pont tellement il leur avait semblé que le prêtre les pressait de se relever. Puis, les gardes les escortèrent rapidement sur la passerelle de bronze brillante jusqu'au pont.

– Ce fut un plaisir, entonna le prince, de voir la famille Divetri à l'aube de cette journée spéciale.

– Le plaisir était pour nous, Votre Grandeur.

Le cousin Fredo, de retour avec la famille, agissait comme s'il était resté avec eux tout le long.

– Un très grand plaisir, en effet.

L'un des gardes défit le nœud du cordage du *barcinoro.*

– Mille mercis pour votre visite, Votre Éminence, dit Ero.

Risa se trompait peut-être, mais elle aurait juré que le visage de son père était aussi perplexe que le sien devant la brusquerie du traitement.

– Peut-être nous reverrons-nous bientôt.

La seule réponse du prince fut un sourire. Il semblait tendu et réservé. À nouveau, toutefois, ses yeux semblèrent galoper au-dessus du paysage de la *caza,* dévorant la vue avec avidité. Tenant toujours fermement ses manches ensemble, il repartit derrière les rideaux. Un garde cria un ordre. Comme un seul homme, les douze rameurs invisibles plongèrent leurs rames dans l'eau et le vaisseau glissa au loin, se propulsant en direction de la *caza* Catarre.

– Eh bien ! dit Giulia, une fois le *barcinoro* hors de portée de voix. Quel culot !

– Allons, chérie, dit Ero, calmant déjà la tempête qu'il sentait venir.

– Je suis surprise qu'il soit venu, vu qu'il ne s'est pas donné la peine d'offrir la bénédiction aux enfants lui-même !

– Le prince est un homme occupé, dit le cousin Fredo, regardant le *barcinoro* disparaître vers le sud-ouest.

– Il a d'autres *cazas* à visiter, ajouta Ero, essayant toujours de calmer sa femme.

Il froissa les cheveux déjà emmêlés de Risa.

– Nos enfants ne sont pas les seuls à passer un examen aujourd'hui. Qu'as-tu pensé du prince, petite tigresse ?

Le cousin Fredo soupira, les épaules basses.

– Un homme très bien, n'est-ce pas ?

Non. Risa ne pensait pas ça du tout.

– Il était intéressant, admit-elle.

Pendant un moment, elle pensa à partager ses inquiétudes, mais elle fut distraite par son frère. Il avait levé le col de sa chemise jusqu'à ce qu'il couvre sa bouche et son nez, et enfoncé ses mains dans ses manches. Tout ce qu'elle pouvait voir de lui, c'était ses oreilles, ses yeux exorbités et ses cheveux.

– Risa, regarde ! dit-il en dessous du tissu. Je suis le prince Berto !

La journée spéciale de Risa avait commencé beaucoup plus tôt qu'elle l'aurait cru, mais maintenant que ça y était, elle ne pouvait s'empêcher d'être excitée. Sa bouche tressauta devant les clowneries de son frère, puis elle rit.

– Pour l'amour de Lena, attention que Fredo ne te voie pas ! l'avertit-elle, gambadant dans sa direction.

Le pauvre cousin Fredo était encore en train de regarder attentivement le vaisseau doré. Il semblait être le seul Divetri à avoir sincèrement apprécié la visite royale.

9

—

Comme chaque objet a sa fonction, laisse les fils et les filles des Sept et des Trente découvrir les buts pour lesquels ils sont nés dans les murs des deux insulas. Qu'ils apprennent la profession de leur famille, terminent leur scolarité ou mènent des vies monacales, le résultat final sera la stabilité civile et un essor des arts.

– Allyria Cassamagi au roi Nivolo de Cassaforte, dans une lettre personnelle trouvée dans les archives de Cassamagi

Des drapeaux bleus et verts flottaient à chaque fenêtre de la *caza* Divetri plus tard ce jour-là. Penchée sur la rampe du balcon de sa chambre, Risa regardait les domestiques décorer le haut des murs des canaux avec des guirlandes. Ils étaient vêtus de couleurs vives, se tenant juste en dessous, près du quai où dansaient sur l'eau une douzaine de gondoles. La journée sentait la fête. Des cuisines montaient tant de parfums qu'il était difficile d'en identifier un avant qu'il ne soit remplacé par un autre. Canard. Rôti de porc. Vivaneau cuit au four dans un jus de citron, l'intérieur fourré de tranches de pommes rôties. Olives écrasées. Tarte aux fruits. Clafoutis.

Une centaine de mets raffinés pour la fête devaient être servis après l'Examen.

Si elle se penchait davantage et regardait attentivement le coin, Risa pouvait voir les deux ponts de la *caza* Divetri menant au continent. Le plus haut était le plus grand des deux; il s'étendait d'une place à Cassaforte jusqu'à la cour officielle raffinée de la *caza*. Le pont le plus bas était habituellement utilisé par les marchands et les artisans, car il rejoignait plus directement les écuries. Les vendeurs munis de clochettes marchaient le long des ponts et des murs des canaux pour vendre des grenades et des pommes cannelle, ou pour vociférer des attaques comiques sous forme de chansons et de poèmes.

Partout où Risa regardait, elle voyait que la capitale donnait son meilleur pour le Festival des deux lunes. La *caza* Catarre faisait voler les couleurs rouges et vertes de la famille parmi les drapeaux violets et bruns de la ville. Des fenêtres des maisons les moins riches et des petits magasins qui longeaient les canaux et les rues, volaient des étendards aux couleurs vives et des drapeaux en papier. La famille Sorrendi avait mis le paquet pour l'occasion, exhibant de grandes quantités de fleurs dans des boîtes suspendues à chaque fenêtre. Les Sorrendi faisaient partie des Trente — les familles les plus élitaires de tout Cassaforte, en dehors des Sept des *cazas* —, et ainsi, ils étaient autorisés à exposer les armoiries de la famille au-dessus de leur porte. D'ailleurs, des domestiques des Sorrendi apparaissaient en ce moment même à une fenêtre des étages supérieurs en train de polir les armoiries en cuivre. Lorsque le soleil de midi entrera dans la place, les armoiries brilleront fièrement.

Une domestique poussa un cri et se colla contre le mur quand Risa se précipita dans les escaliers pour descendre dans la pièce à colonnes où la famille mangeait un petit déjeuner tardif. Ses pieds claquèrent au contact du marbre frais noir et blanc.

— Ça y est ! chantait-elle à pleins poumons.

L'animal sauvage en elle s'échappait de sa prison et elle bondit gaiement sur le côté.

— Ça y est enfin ! s'écria-t-elle.

Sa mère, qui rit tandis qu'elle se servait d'une petite cuillère pour déposer des grains de raisin sur une assiette plate en verre, tendit un bras.

— Retiens-toi, mon amour. Nous avons de la compagnie.

Pas encore le prince, assurément. Tournoyant, Risa se retrouva face à un bel et grand étranger qui portait un heaume argenté. Il lui sourit.

— Romeldo ! cria-t-elle tandis que les traits de l'homme lui devenaient familiers.

— Par Muro, c'est bien la petite Risa ? s'exclama son frère aîné. Pieds nus et tout ?

Avec une soudaine prise de conscience, Risa baissa les yeux vers ses pieds et ses jambes nus. Ce fut seulement quand il commença à rire qu'elle réalisa qu'il plaisantait. À nouveau détendue, elle se jeta sur lui dans une puissante étreinte, cognant son front contre sa coiffe officielle.

— Que fais-tu ici ?

Romeldo avait été choisi par le dieu de la lune il y a douze ans, quand il en avait quinze. Bien qu'il ait toujours vécu sur l'*insula*, il reviendrait bientôt à la *caza* quotidiennement pour commencer à assumer ses fonctions d'héritier. Risa avait seulement quatre ans quand il était parti. Elle se souvenait à peine de l'époque où son frère ne portait pas les robes jaunes des Enfants de Muro.

— Eh bien, je dois faire l'Examen de mon frère. Et le tien aussi, diablotine ! lui répondit Romeldo. Ce serait une sacrée surprise si Mira était la scrutatrice désignée pour les Pénitents ! Est-ce qu'elle vient ?

— Elle sera là, mais pas pour examiner.

Ero mordit dans son pain grillé.

— L'un des membres de la famille Settecordi procédera au rituel.

— Renaldo Settecordi des Trente ? Je le connais.

Ero claqua des doigts.

— Lui-même.

Romeldo plissa son nez devant Risa.

— Nous avons eu une compétition au *bocce*. Bien sûr, j'ai gagné. Pourquoi es-tu encore là, petite démone ? Ne devrais-tu pas être occupée à revêtir tes atours pour le festival, Lady Chemise de nuit aux Pieds nus ?

Risa sourit à son nouveau titre.

— Mais je t'ai à peine vu !

— Tu me verras suffisamment à la fête. Et ne t'*organise* pas pour me faire rire durant la cérémonie, jeune demoiselle !

Romeldo lui fit un clin d'œil. Risa lui rappelait Ero, que ce soit par ses longues boucles couleur brique rouge recouvrant sa tête, par ses larges épaules ou par sa nature confiante.

— Quelles sont les nouvelles du roi ? demanda-t-il à sa mère.

— Je suis en train de fabriquer une nouvelle fenêtre pour une de ses chambres, dit Giulia, dégageant ses longs cheveux noirs sur ses épaules. Mais, bien qu'on m'ait donné les dimensions, je n'ai pas été autorisée à entrer dans la chambre pour voir où elle irait.

— Voilà plus d'un an que personne n'a vu le roi Alessandro !

Ero secoua la tête.

– Nous avons vu le prince ce matin, dit Risa à Romeldo.

Il la regarda, surpris.

- Pour la bénédiction. Il n'était pas très loquace sur les détails de la santé de son père.

Giulia renifla, à l'évidence toujours déconcertée par leur abrupt traitement plus tôt dans la matinée.

Risa leva le bras vers la tête de son frère pour ajuster la coiffe qu'elle avait heurtée. Romeldo lui adressa un sourire amical et l'arrangea lui-même avant de retourner à la conversation en cours.

– Il est souffrant depuis trop longtemps ! Aucun médecin ne peut le guérir ?

– Pas s'il refuse de les voir, dit Giulia. Ou si le prince refuse de les laisser entrer.

– Voyons, Giulia.

Ero devait essayer de faire taire sa femme avant que ses spéculations dérapent, mais Risa était intérieurement d'accord avec sa mère. Le prince semblait louche.

– La couronne d'olivier a offert au roi Alessandro une vie longue et prospère. Il est peut-être simplement prêt à monter dans le chariot de Muro et à rejoindre ses ancêtres sur les plaines de l'ascension. À présent, ma fille, ajouta-t-il pour Risa, file, de peur que quelqu'un te suspecte d'essayer d'influencer l'opinion de notre examinateur.

– Seul le cousin Fredo pourrait suspecter ça, dit Risa, sans se préoccuper de cacher son mépris.

Le sourire de son père s'évanouit.

– Notre cousin est un homme bon. Ce n'est pas sa faute si le mariage mal choisi de mon oncle a fait naître Fredo à l'extérieur des Sept et des Trente. Il est quand même un artisan compétent et un Divetri, et c'est pour ces raisons que tu dois le respecter.

Sa mère regarda les fruits dans son assiette. Romeldo évita ses yeux et regarda à travers les colonnes vers la fontaine qui giclait doucement à la lumière du soleil. Avec une certitude qu'elle n'osait pas formuler, Risa savait qu'ils ne partageaient pas la haute opinion de son père sur Fredo l'angoissé. Pourtant, elle baissa la tête.

– Je suis désolée, papa, grommela-t-elle, essayant d'avoir l'air de s'excuser sincèrement.

Un soupir s'échappa des lèvres d'Ero.

– Quand tu es née, j'ai cru que j'aurais ma petite fille pour toujours.

Il la serra si fort qu'il lui coupa la respiration.

– C'est aujourd'hui que je te perds, petite tigresse. Tu oublieras chacun de nous une fois que tu seras partie, tu peux me croire.

Tout son enthousiasme de la dernière semaine et toutes ses attentes par rapport à sa nouvelle vie ne pourraient jamais effacer le fait qu'elle allait quitter ses parents.

– Vous ne me perdrez jamais, promit-elle à voix basse.

Des larmes commencèrent à se former au coin de ses yeux.

– Jamais. Je vous rendrai fiers, je le jure. Je serai toujours une Divetri.

5

Les sauvages des sables du désert au sud de la mer ont leurs Madrasahs, les Vereinigteländer leurs guildes, les gens de Cassaforte leurs insulas, et les contrées civilisées leurs collèges et leurs universités, pourtant tout ça ne leur sert que dans un seul but : l'amélioration de l'être et l'éducation pour contrer l'oisiveté de la jeunesse.

— CÉLESTINE DU BARBARAY, *TRADITIONS ET CAPRICES DE LA CÔTE AZUR : UN GUIDE POUR LE VOYAGEUR HARDI*

Les gondoles, ornées de drapeaux et de fleurs, congestionnaient les canaux fortifiés. Se tenant dans le jardin ombragé, Risa pouvait voir, dansant sur l'eau, les *ferri* qui faisaient saillie sur leur poupe. À cette heure, il y avait tant de gens qui avaient envahi la cour que bon nombre de domestiques et de sympathisants étaient forcés de regarder la scène depuis les gondoles qui tanguaient sur l'eau.

Heureusement que la pièce jardin était surélevée de quelques marches au-dessus de la cour. Risa et son frère auraient été incapables de voir la cérémonie autrement. Entre eux et le centre de la cour se tenaient des centaines de femmes aux coiffures élaborées dans leurs atours d'été et d'hommes portant brocarts et calots de velours. Les souvenirs de Risa du dernier Examen, des années plus tôt, étaient à peine plus qu'une sorte d'enthousiasme et une vague image d'être assise sur le rebord d'une fenêtre à essayer de voir passer tous ces chapeaux colorés. L'idée que Petro et elle allaient maintenant être le centre d'attention lui fit des nœuds dans l'estomac. Son frère et ses sœurs aînés avaient-ils ressenti la même chose en regardant par la fenêtre pendant leur journée spéciale ? Et son père ? Des générations de Divetri avant elle avaient occupé cette pièce jardin le jour de la cérémonie, réalisa Risa. Aucun doute qu'ils avaient ressenti les mêmes serrements de cœur qu'elle. Aussi réconfortante puisse être cette pensée, elle ne soulagea en rien sa nervosité.

Petro se tenait sur la pointe des pieds et aurait bien grimpé sur une chaise pour mieux voir si Risa ne l'en avait pas empêché. Bien que personne dans la foule n'ait su qu'ils étaient dans la pièce jardin, elle ne voulait pas courir le risque que quelqu'un les repère avant le moment approprié.

– Ta tunique est défaite, dit-elle, s'agenouillant pour l'arranger.

– Non. J'ai attaché tous les autres boutons ! répondit-il. Personne ne remarquera que le reste n'est pas boutonné.

Elle finit d'attacher le reste des boutons et lissa la tunique noire unie.

– *J'ai* remarqué, dit-elle. Tu es très beau toutefois.

Elle rassembla en arrière les boucles de Petro qui se répandaient en dessous de son chapeau noir. Elle était vêtue de noir aussi – et d'une robe, par-dessus le marché ! Son aversion pour les robes était bien connue dans la *caza* ; elle préférait travailler et jouer en pantalons avec une tunique lâche par-dessus. Habituellement, ses cheveux n'étaient retenus que pour le travail du verre chaud, rassemblés dans un *reta* qui ressemblait à un filet et qui épousait parfaitement l'arrière de sa tête.

Mais aujourd'hui, sa crinière était entrelacée de rubans et tressée en une torsade complexe dans sa nuque. Quand elle avait aperçu son reflet dans un miroir, une heure plus tôt, elle s'était à peine reconnue. Malgré son nez retroussé et la légère protubérance de sa lèvre supérieure – qui d'après elle, la faisait ressembler à un canard – quand elle était richement habillée et parée, elle avait presque l'air du sujet d'un tableau des Buonochio. Cette prise de conscience avait eu pour résultat qu'elle s'était regardée deux fois, contente d'elle.

L'attention de Petro, toutefois, était concentrée sur deux prêtres qui se faisaient face. Leurs bras étaient à présent levés vers le ciel, où le soleil brillait à son point culminant.

– Voici le jour, clama Romeldo, où le chariot de Muro vient se reposer dans l'Écurie d'argent, avant de reprendre son voyage de six ans.

Romeldo avait baissé la visière de son casque pendant cette portion de la cérémonie et le masque de Muro, le dieu de la plus grosse lune, souriait fixement à la foule.

Comme Romeldo, Renaldo Settecordi portait un casque qui couvrait son visage. Sa visière avait été moulée avec le visage souriant familier de Lena, la déesse de la plus petite lune.

– Voici le jour où le chariot de Lena vient se reposer dans l'Écurie d'or, proclama Romeldo, avant de reprendre son voyage de six ans.

La foule retint son souffle quand les deux prêtres portèrent leur bâton de cérémonie vers le ciel. Avec une forte détonation, qui poussa Petro à se cacher les oreilles, des flammèches émergèrent des bâtons et explosèrent au-dessus de la foule. Au-dessus de la cour, visibles malgré le soleil de midi aveuglant, deux sphères de feu dorées planaient l'une au-dessus de l'autre. Les étincelles formaient des constellations, qui les entouraient. En un instant, les étincelles éclatantes disparurent, bien que leur éclat se soit attardé dans les yeux de Risa. De minuscules particules de suie volèrent sur la foule. Le choc du bruit soudain s'estompa, mais, depuis l'autre côté de la ville, Risa entendait les ripostes en provenance des autres cours. Cela lui rappela que dans chaque maison des Sept et des Trente où vivait un enfant entre 11 et 16 ans, l'Examen avait lieu. Petro et elle rencontreraient les autres élus cette nuit, dans l'une ou l'autre des *insulas*.

Des rires de soulagement envahirent la foule. Une poignée d'applaudissements pour les feux d'artifice retentirent des gondoles, résonnant entre les parois des canaux. Risa pensa essuyer ses paumes moites sur sa robe, mais décida de ne rien en faire. Pourquoi, au nom des deux lunes, le rituel imposait-il qu'elle doive porter une robe noire à midi pendant une chaude journée d'été ? Ce serait pire, quand ils marcheraient au soleil.

Les ourlets de leurs longues robes flottant autour de leurs pieds, les deux personnalités masquées portant des casques – l'Enfant et le Pénitent – se tournèrent en direction du reste de sa famille, qui se tenait à l'extrémité de la cour.

– Qui soumet ses enfants à l'examen de Lena ?

– Qui soumet ses enfants à l'examen de Muro ?

– Moi… Ero, *cazarro* de Divetri, demande que mes enfants subissent l'examen de Muro. Puisse-t-il regarder dans leur cœur et les choisir, selon sa volonté.

Le cœur de Risa s'accéléra quand son père se leva pour prononcer ces mots. Comme les examinateurs, il portait une longue et ancienne houppelande qui s'évasait aux chevilles.

Le turban de soieries multicolores qui enveloppait sa tête faisait paraître sa barbe d'autant plus austère sur son visage.

Sa mère était tout aussi belle, quand elle avança. Les cheveux de Giulia, brillant au soleil comme de l'ébène capturée dans des cordes de soie, descendaient en cascade sur le dos de sa robe verte à motifs. Les manches bleu roi brodées de fil métallisé faisaient ressortir le bandeau doré autour de son front, au centre duquel pendait une unique opale.

— Moi, Giulia, *cazarra* de Divetri, demande que mes enfants subissent l'examen de Lena. Puisse-t-elle regarder dans leur cœur et les choisir, selon sa volonté.

Les deux prêtres saluèrent d'abord les parents de Risa, puis se saluèrent l'un l'autre. La respiration de Risa s'accéléra tandis que sa mère et son père retournèrent à leurs sièges. Derrière eux se tenaient ses sœurs : Vesta, portant la robe des Enfants, serra l'épaule de sa mère avec enthousiasme tandis que Mira se tenait à côté, souriant aussi sereinement que la déesse au nom de laquelle elle avait été choisie. Risa ne pouvait pas voir le visage de Romeldo à travers son masque, mais bien sûr, il était présent aussi. Après l'emballement de son cœur, Risa fut frappée de réaliser qu'ils étaient ensemble comme une famille — tous les Divetri. Elle ne se souvenait pas de la dernière fois où elle avait vu tous ses parents en même temps.

Dans un groupe de personnes à proximité se trouvaient le chef artisan : le sympathique Mattio, souriant aussi largement que si Petro et elle étaient ses propres enfants ; le cousin Fredo, frottant du bout de son doigt le *tabacco da fiuto* sur ses gencives, son surcot pieusement paré de médailles religieuses ; Emil, toujours habillé en tenue de travail et plissant les yeux devant la foule, l'air perplexe. Tous les artisans et les domestiques faisaient aussi partie de la famille élargie des Diverti —

elle était heureuse qu'ils soient là pour le plus grand jour de sa vie.

– Une fois tous les six ans, quand les chariots des dieux viennent se reposer, nous, leurs représentants, voyageons à travers les maisons des Sept et des Trente pour transmettre, selon la tradition, leurs bénédictions aux enfants.

La voix de Renaldo Settecordi, forte et claire, pouvait l'emporter sur le brouhaha de n'importe quelle foule ; devant cette assemblée silencieuse, elle semblait résonner.

– À la lumière du jour, ils seront examinés. Ce soir, baignés dans la lumière des lunes, ils seront reçus dans les *insulas* pour poursuivre leur éducation et leur formation.

La voix de Romeldo, plus claire mais tout aussi pénétrante, pouvait probablement être entendue d'une extrémité du pont supérieur à l'autre.

– Que les enfants avancent maintenant ! Qu'ils soient vus et jugés !

Il ôta son casque et secoua ses boucles tandis que Renaldo faisait de même.

– N'aie pas peur !

Risa serra la main de Petro, consciente de l'ironie de la situation, car elle n'avait jamais été aussi effrayée de sa vie.

Quand les prêtres avancèrent vers les portes de la pièce jardin, la foule se divisa en silence. Risa tira son frère en arrière juste au moment où ils atteignirent les portes et les ouvrirent. Les enfants se tinrent là pendant un moment, dans l'encadrement de l'entrée. Des centaines d'yeux regardaient dans leur direction. Même quand les prêtres repartirent vers le centre de la cour, en chantant, toute l'attention de la foule se portait sur les deux Divetri.

Risa paniqua soudain. Que faisait-elle ici ? Elle aimait la *caza* ! Pourquoi devait-elle partir ? Pourquoi avait-elle pensé que la cérémonie serait excitante ? C'était exactement comme elle l'avait imaginé pendant des années, mais jamais elle n'aurait pensé combien son cœur battrait la chamade avec tant d'insistance, ni combien elle deviendrait timide au dernier moment. Là, une petite secousse de Petro la fit avancer en trébuchant. Elle retrouva ses esprits. Même si sa mâchoire tremblait de peur, elle prit la partie jupe de sa robe avec sa main libre et passa les portes.

Des odeurs assaillirent ses narines. La centaine de parfums dissimulaient à peine les odeurs denses et fétides de sueur et d'ail émanant de la foule. Il y avait le musc des pommades pour cheveux et l'acidité de la poudre de clou de girofle qui purifiait l'haleine. Le frère et la sœur passèrent à travers les arômes, avançant pas à pas sur les carreaux terracotta jusqu'à ce qu'enfin, ils atteignent l'espace dégagé au centre de la cour. Tout le monde leur souriait. Risa savait que peu importe la direction où elle regarderait, elle se retrouverait face à un visage souriant, et ce, aussi loin que ses yeux pouvaient voir. Elle garda son regard bien en face jusqu'à ce qu'enfin Petro et elle atteignent leur but.

Renaldo Settecordi fit un geste avec son bras dans un mouvement théâtral pour garder la foule à distance.

– Lena, lumineuse lumière des cieux, s'écria-t-il, levant les bras, mais gardant son visage bas. À travers ma prière, je te supplie de m'accorder la vue, afin qu'ainsi je puisse connaître ta volonté pour ces enfants.

Après un moment, il leva la tête et avança lentement.

Réprimant un soupir, Risa remarqua immédiatement ses yeux. Une pellicule couvrait ses pupilles, lui donnant l'apparence d'un vieil homme souffrant de cataracte. Pourtant, il avançait avec résolution et détermination dans leur direction. Il plaça sa main sur l'autre et les tint à quelques centimètres au-dessus de la tête de Petro. Son jeune frère fixait solennellement le sol, le visage blanc pâle. Alors qu'elle essayait de ne pas rester bouche bée, Risa leva les yeux à nouveau vers le prêtre. Les lèvres de Renaldo articulèrent une prière pendant quelques instants tandis qu'il fermait les paupières. Puis, il devint silencieux.

C'était comme s'il avait entendu une réponse audible à ses oreilles. Ses yeux s'ouvrirent à nouveau pour regarder vers son frère. Ils n'étaient plus distants et étranges, mais particulièrement limpides. Avec ses doigts en coupe, il leva le menton de Petro, puis embrassa ses mains de la manière traditionnelle avec laquelle il murmurait une prière.

– Béni sois-tu, mon enfant, dit-il, gardant une voix neutre.

Le sourire qu'il affichait, toutefois, était sincère. Il semblait regarder son frère avec affection. Risa était prête à parier toute la *caza* et la fortune de sa famille que Petro avait été choisi par les Pénitents de Lena.

Les yeux du prêtre se voilèrent à nouveau tandis qu'il se dirigeait devant Risa. Elle baissa la tête et essaya de ne pas penser à la foule de gens qui concentraient toute leur attention sur elle. Sur le dessus de sa tête, elle sentit la chaleur des paumes du Pénitent tandis qu'elles planaient quelques centimètres au-dessus. Tout comme avec Petro, il murmura une prière destinée à la déesse.

– Bénie sois-tu, mon enfant, dit-il tout en levant le menton de Risa.

Bien que son sourire ait été amical quand il embrassa ses mains et murmura la prière de bénédiction, son visage trahissait une expression différente de celle qu'il avait eue pour son frère.

– *Oh Petro !* pensa-t-elle, comprenant soudain, *tu as été choisi par la déesse et moi, par le dieu. Je ne pourrai pas aller avec toi.*

Une fois que le Pénitent eut reculé, Romeldo leva les bras et baissa la tête.

– Muro, donateur de joie, je te supplie de me donner la sagesse afin que je puisse choisir judicieusement pour toi.

Les yeux aussi inhabituels et brumeux que ceux de Renaldo l'avaient été, Romeldo pria pour Petro.

– Sois béni, mon enfant, dit-il enfin.

Son expression était tendre quand il embrassa les doigts de son jeune frère, mais sans aucune joie spéciale.

Risa était maintenant tout à fait certaine que Petro et elle se retrouveraient, à la fin de la journée, dans de nouvelles maisons différentes. Elle retournerait à l'*insula* des Enfants de Muro avec son frère. Peut-être demain se trouverait-elle à travailler aux côtés de Vesta, qui n'était que de quatre ans son aînée. Au tout dernier moment, quand les paumes croisées de Romeldo planèrent au-dessus d'elle, elle se souvint qu'elle était censée regarder humblement vers le bas. Elle pencha brusquement son cou vers le sol.

Elle attendit un moment qui lui sembla très long.

– Sois bénie, mon enfant, finit-elle par entendre.

Risa leva les yeux vers ceux de son frère aîné, surprise de ce qu'elle vit. Il était perplexe. Pendant un long moment, il tint son menton, les sourcils froncés comme s'il ne la reconnaissait pas. Puis, il recula.

C'était le moment des annonces. La foule se tut entièrement.

– La déesse Lena a choisi le *cazarrino* Petro comme l'un des siens, proféra Renaldo Settecordi d'une voix tonitruante. Qu'il avance et prenne sa place parmi les Pénitents !

Un tonnerre d'acclamations et d'applaudissements jaillit de la foule. La vision de Risa se troubla légèrement à cause des larmes à la vue du visage de son frère. C'était comme s'il allait tomber brusquement malade au milieu de la cour, mais au son de la proclamation du Pénitent, il respira profondément, frissonna légèrement, puis avança en trébuchant. Un faible sourire se dessina sur ses lèvres, quand il réalisa pleinement qu'il avait été choisi. Il finit par sourire largement, avec un réel soulagement. Avait-il pensé qu'il pouvait être laissé pour compte ? Aucun enfant des Sept ni des Trente n'avait jamais été refusé par les *insulas*.

Mira se présenta, levant haut dans les airs un drapeau turquoise derrière Renaldo, qui posa une main paternelle sur l'épaule de Petro. Une pluie de marguerites remplit les airs, quand la foule lança des pleines poignées de pétales au nouvel élu. Tandis qu'il traversait la cour, Petro observa la cascade de blanc et la salua, son petit chapeau de travers. Risa pensa qu'il semblait sincèrement heureux pour la première fois de la journée.

Après un moment de célébration, la foule se calma à nouveau, dans l'attente de l'autre annonce. Renaldo recula et fit un geste indiquant à Romeldo de parler.

Romeldo, toutefois, inclina simplement la tête. Son visage était blanc et plein d'attente. Après un long moment, il tendit une main vers Renaldo, comme s'il lui indiquait de continuer. L'autre examinateur sembla surpris. Il y eut une longue pause pendant laquelle ils se regardèrent l'un l'autre. Romeldo n'avança pas plus pour nommer le dieu de Risa.

Enfin, manifestement confus, tous deux avancèrent et se mirent à chuchoter. Renaldo secoua brusquement la tête quand Romeldo montra Risa. La foule commença à murmurer avec surprise devant la rupture du rituel traditionnel. Ero bougea sur son siège, attentif.

Risa devenait de plus en plus perturbée à chaque seconde de suspense. Derrière le drapeau, le visage de Mira était aussi perplexe que le sien. Les odeurs de parfum tenaces et de sueur issues de la foule semblaient encore plus irrespirables qu'avant; les corps étaient si serrés de tous les côtés qu'ils l'empêchaient de voir ses parents. Tout ce que Risa pouvait voir, c'était des étrangers qui bougeaient leur tête en regardant directement vers elle. Elle devait avoir fait quelque chose de mal, mais elle ne se souvenait pas avoir fait un pas de travers ou avoir parlé quand elle ne le devait pas. Cette incertitude risquait de la tuer si elle durait plus longtemps.

Pourquoi Romeldo tardait-il? Après quelque temps, la conversation entre les examinateurs arriva à sa fin. Tous deux semblaient peu satisfaits l'un de l'autre. Avec une grande appréhension, Risa regarda son frère qui marchait enfin dans sa direction. Le même regard perplexe colorait son expression, mais il y avait quelque chose d'autre : de la pitié.

Il avait pitié d'elle. Pourquoi?

Pliant les genoux, Romeldo se pencha pour rapprocher sa bouche de son oreille. Son souffle chatouilla sa peau.

– Petite sœur, murmura-t-il tout en serrant ses épaules. C'est... difficile pour moi de te dire ça. Je n'arrive pas à y croire moi-même.

– Que se passe-t-il? demanda-t-elle.

La peur lui serrait la gorge. Elle ne pouvait imaginer pourquoi il lui disait cela.

Il soupira, s'armant de courage pour lui livrer les nouvelles.

– Tu n'as pas été choisie.

Malgré la chaleur et l'épaisseur de sa robe, Risa se sentit glacée, à ces mots.

– Quoi ?

– Tu n'as pas été choisie, répéta-t-il.

Alors qu'elle essayait de digérer la nouvelle, il la tint plus serrée.

– Ne fais pas de scène, l'avertit-il.

Sa voix, quand elle la retrouva, était cassée sous l'émotion.

– Pas choisie ? Non !

– Je suis tellement désolé...

– Qu'ai-je fait de *mal* ?

Ce cauchemar était impossible. Ça ne pouvait pas se passer comme ça. Personne ne pouvait être rejeté. Jamais. C'était inédit. Elle avait passé toute sa vie à attendre cette cérémonie ; elle avait imaginé cette heure comme les jeunes filles rêvent à leur mariage. C'était censé être le plus beau et le plus heureux jour de sa vie – un *quand*, pas un *si*.

La bouche de son frère était toujours près de son oreille.

– Tu n'as rien fait de mal, petit moineau. Rien. Les dieux ont leurs raisons de...

– Romeldo, murmura-t-elle, honteuse du désespoir dans sa voix. Repars et dis-leur que Muro m'a choisie. Tu *peux* leur dire. Ça n'a pas besoin d'être vrai.

À chaque mot, elle le suppliait d'obéir.

– Je ne peux pas.

– Tu es mon *frère* ! s'écria-t-elle, plus fort qu'elle n'en avait l'intention.

Sa gorge était serrée.

– Je t'en prie !

– Risa, je ne peux pas. Ça ne fonctionne pas comme ça. Mes vœux...

– Ça ne se peut pas !

Ero et Giulia s'étaient précipités vers eux tandis qu'ils parlaient, des expressions d'inquiétude et de confusion sur leurs visages. De loin, Risa pouvait entendre le bruit des acclamations des environs de la ville qui résonnaient sur les eaux des canaux et dans les rues. D'autres familles célébraient. Leur cour à eux était d'un silence de mort. Risa scruta les visages avoisinants. Tant de personnes familières : des domestiques, des parents éloignés, des voisins, des amis de la famille. Ils étaient tous venus pour la voir s'élever. À la place, ils étaient témoins de son humiliation.

– Que se passe-t-il ? demanda Ero d'une voix feutrée.

– Elle n'a pas été choisie.

Les mots semblèrent résonner dans la cour silencieuse.

– C'est impossible, riposta Ero.

Son visage était pâle.

– Ça n'est jamais arrivé. Chaque enfant des Sept et des Trente a toujours été accueilli sur les *insulas*.

Romeldo s'éclaircit la gorge et se redressa.

– Je t'en prie, Père. Ne rends pas cela plus difficile...

– C'est une plaisanterie ? Tu dois t'être trompé !

Le ton d'Ero était si rauque et furieux que Giulia lui saisit le bras.

– Refais une prière ! Refais une prière ! Ou tu n'es plus mon fils.

Romeldo fronça un sourcil.

– Les dieux ne jouent pas avec les prières, *cazarro*, dit-il, mettant l'accent sur le titre d'Ero pour insister sur la gravité de ses paroles. Settecordi et moi avons reçu la même réponse à nos prières. Le dieu et sa sœur nous ont parlé pour dire que l'enfant n'avait pas sa place dans leurs *insulas*.

Pendant la discussion, les larmes de Risa avaient commencé à couler. Elle réalisa que son visage était rouge et bouffi, et que les larmes formeraient des flaques sur sa robe et des plis sur la soie. Elle savait que larmoyer en public déshonorait sa famille. Pourtant, elle se sentait comme si Muro et Lena avaient descendu leurs bras des cieux pour arracher son cœur encore battant de sa poitrine. Comment pouvaient-ils être si cruels envers elle pendant ce qui aurait dû être le moment le plus heureux de sa vie ? Que leur avait-elle fait ? C'était injuste – pire, c'était barbare.

– Si les dieux n'ont pas besoin de moi, cria-t-elle, arrachant sauvagement les rubans entrelacés dans ses cheveux, alors je n'ai pas besoin des dieux !

– Risa !

Romeldo semblait abasourdi.

Tandis qu'elle courait dans la résidence, bousculant la foule, les yeux aveuglés par les larmes, elle comprit la tristesse de son père en entendant sa voix sévère derrière elle.

– Laissez-la partir ! dit-il. Laissez-la partir !

Des rubans et des cheveux lâches s'agitaient derrière elle dans sa fuite. Soyez tous bouche bée ! Elle se fichait qu'on la voie en larmes. Aucune humiliation ne pouvait être pire que la tristesse dans la voix de son père quand il avait prononcé ces mots méprisants : *Laissez-la partir !* Elle l'avait gravement déshonoré. Elle avait déshonoré sa famille et son nom.

Elle courut dans le réfectoire, rentrant presque en collision avec les immenses tables chargées de toutes sortes de mets succulents. Les Divetri et leurs amis fêteraient plus tard pour célébrer Petro. Ça aurait dû être son banquet aussi – si les dieux avaient voulu d'elle.

Ça n'avait pas été le cas. Si même les dieux lui tournaient le dos, alors personne n'aurait besoin ou ne voudrait d'elle. Elle était un monstre. Un paria.

Elle se rua dans le grand hall et dans le vestibule, puis monta les escaliers qui semblaient sans fin, et après une succession de couloirs, elle atteignit enfin la sécurité de sa chambre. Elle pensa que claquer la porte lui apporterait de la satisfaction. Il n'en fût rien. Une fois qu'elle l'eût verrouillée, elle s'écroula sur le sol et recommença à pleurer. Son visage et sa robe étaient déjà trempés de larmes salées. De l'eau ruisselait de ses narines. Elle ne se préoccupait pas d'essuyer son visage.

– Risa ?

Un coup discret se fit entendre à sa porte quelques minutes plus tard. La voix de Giulia, feutrée, traversait le bois.

– Risa, ma chérie…

Elle ne répondit pas. Elle resta assise là de longues minutes, le visage enfoui dans la partie jupe de sa robe, osant à peine respirer. Elle finit par entendre les pas de sa mère s'éloigner. Elle ne répondrait pas, peu importe combien ils frapperaient fort. Aucune consolation n'apaiserait son immense chagrin. Rien n'effacerait l'écho des mots empreints de déception de son père : *Laissez-la partir !*

6

Vous souhaitez être en désaccord avec le roi ? Alors, tenez-vous debout sur l'Escalier du requérant et défendez votre point sans rancœur. Ne choisissez pas la voie que vous envisagez ! Le rite d'allégeance doit être complété sans hésitation ni regret ! Sinon… Eh bien, rappelez-vous le sort de la caza Legnoli, mon frère, et tremblez !

— Arnoldo Piratimare, dans une lettre au *cazarro* Humberto Piratimare (dans les archives historiques de Cassamagi)

À l'arrière des terres de la *caza*, près de la digue, les fours de l'atelier Divetri brûlaient. Chaque jour, d'énormes fagots de bois enchantés par les Cassamagi se consumaient avec des flammes blanches aveuglantes. Les immenses fours étaient ventilés selon une méthode qui produisait une chaleur régulière sans fumée tout en maintenant une température constante. La plupart des grands vases soufflés de l'atelier devaient rester dans les fournaises pendant un jour ou deux, un par un. S'ils n'étaient pas refroidis à un rythme lent et calculé, ils risquaient de se fendre.

Le propre bol de Risa était resté dans les fours pendant plus d'un jour et demi. Toutes les trois ou quatre heures, elle avait bougé de trente centimètres le moule en céramique dans lequel il reposait loin du cœur des fours de recuisson, jusqu'à ce qu'enfin il soit assez refroidi pour être glissé sur une étagère en pierre lisse. D'un geste rapide, elle prit son ouvrage. Le bol en verre chauffa ses mains immédiatement, mais ne les brûla pas. Elle souffla sur le sable qui séparait le verre du moule, puis regarda la surface réfléchissante.

C'était magnifique. Enlever une création de la chaleur rappelait toujours à Risa la Fête des oranges du milieu de l'hiver. La fête avait lieu une fois par an. Les enfants se réveillaient le matin et trouvaient leurs couvertures jonchées de fruits, de bonbons et de petits cadeaux. Les parents disaient aux plus petits que les bibelots avaient été laissés là par un oranger qui était apparu au pied de leur lit tandis qu'ils dormaient, puis qu'il avait dépéri. Risa avait cessé de croire à la Fête des oranges avant d'avoir l'âge de Petro, mais chaque fois qu'elle enlevait un de ses ouvrages du four, elle avait les mêmes picotements d'anticipation – le désir de voir si elle serait bien remerciée.

Aujourd'hui, elle l'était. Malgré la couche de poudre et les quelques traces laissées par ses doigts, ce bol était parmi ses plus réussis. Avec un peu de verre bleu cobalt de Mira comme base, Risa avait découpé deux couches de vagues légèrement courbées de différentes tailles et les avaient intégrées dans un modèle ondoyant qui apaisait ses sens. Placé sous un chapeau de verre clair fondu, le bol avait l'air d'avoir été tenu sous les eaux de la mer Azur elle-même et, quand il en fut sorti, d'avoir capturé ses douces vagues à l'intérieur.

L'air chaud estival rafraîchit le bol tandis qu'elle le transportait dans le vaste atelier de son père pour aller rejoindre son propre petit studio. Au cours de la semaine passée, Risa s'était tenue inhabituellement distante, ne parlant pas à ses parents. Elle n'avait pas émergé de sa chambre jusqu'à ce que la faim la force à descendre à la cuisine un jour et demi après sa disgrâce. À chaque pas, elle avait maudit sa faiblesse — elle aurait préféré mourir de faim plutôt qu'apparaître en public à nouveau. Fita avait jeté un œil sur son visage bouffi et strié de larmes et l'avait invitée à s'asseoir, lui offrant plat après plat. C'était probablement des restes du banquet de Petro, mais Risa n'y avait pas prêté attention.

À chaque occasion, elle se disait qu'elle se fichait que les dieux l'aient rejetée. La vérité, toutefois, était que ça la tracassait comme un mal de dents, toujours avec la même douleur lancinante. Elle pensait au rejet chaque fois qu'elle voyait les visages des dieux lui souriant depuis les stèles qui décoraient la *caza*, ou à chaque juron des domestiques qui évoquaient leurs noms. Elle y pensait quand elle regardait la ville et voyait les restes de décorations de la Fête des deux lunes volant depuis les gondoles ou flottant dans les canaux. Par-dessus tout, elle y pensait pendant qu'elle était seule, dans des moments calmes où son jeune frère lui manquait et où elle se demandait ce qu'il faisait.

Après l'exil qu'elle s'était imposé, ses parents s'étaient montrés chaleureux et gentils. Ils semblaient déterminés à feindre que rien d'extraordinaire n'avait eu lieu. Ils s'intéressaient à elle tout comme les jours précédents, parlant de leur travail et commérant sur les autres familles des Sept et des Trente. Ils ne faisaient aucune mention de Petro ni ne discutaient de l'Examen. En dehors du fait qu'elle s'était retrouvée seule à la maison, c'était presque comme si ce jour n'était jamais arrivé.

À chaque sonnerie des cloches toutes les heures dans le square du palais, toutefois, Risa savait que c'était arrivé. Elle essayait de ne pas imaginer les conversations de ses parents quand elle n'était pas à leurs côtés – des chuchotements sur la fierté qu'ils éprouvaient pour leurs autres enfants, se confessant que Risa était leur seule déception. Elle essayait de bloquer ces pensées dans un endroit fermé de son cerveau, les étouffant avec déni et claquant les portes. Trop souvent, toutefois, elles se glissaient par les fissures pour revenir la hanter.

– Tu as l'air bien, aujourd'hui, dit Mattio tandis qu'elle filait à vive allure.

L'homme costaud et gentil se leva pour la saluer par-dessus le seau plein de déchets de verre écrasé. Il était trop tard pour faire semblant de ne pas l'avoir entendu. Mattio était son artisan préféré ; il avait toujours joué avec elle et l'avait encouragée à développer ses habiletés. Son père lui avait enseigné comment couper le verre avec un stylet à pointe en diamant, mais c'était Mattio qui l'avait fait s'exercer à maintes reprises jusqu'à ce qu'elle puisse couper même des courbes complexes sans éclats ou cassures accidentelles. C'était Mattio qui lui avait appris comment garder un œil sur le verre chaud pour jauger sa température, et comment être sûr que les différentes couleurs du verre adhéreraient les unes aux autres. Elle avait reçu de Mattio ses premières leçons de soufflage du verre. Il avait toujours loué ce qu'il trouvait bien dans ses créations et montré ce qui pouvait être amélioré.

– C'est un nouveau bol ? demanda-t-il à présent. Puis-je voir ?

Timidement, elle le lui tendit. Il fit le tour de la pièce avec ses doigts.

– Très lisse et égal.

Il hocha la tête, impressionné.

– Très peu de bulles visibles.

Saisissant le bol par le bord, il le leva dans la lumière du soleil qui filtrait à travers la porte de l'atelier.

– Magnifiques couleurs. Beau travail, *cazarrina* !

Risa rougit de fierté à ses compliments. Mais ce fut une sensation inhabituelle de se sentir bien. Alors que la gratification aurait dû l'inonder comme une rivière rafraîchissante, voilà qu'elle ne faisait que la couper comme un couteau brûlant, la rendant encore plus consciente de combien son chagrin l'avait épuisée au cours des derniers jours.

– *Cazarro* ! cria l'artisan, qui se tourna pour appeler Ero.

– Mattio, non, implora Risa.

Elle avait essayé de traverser l'atelier aussi vite que possible, avant qu'Ero la voie. Son père était la dernière personne à qui elle voulait parler.

– Viens voir ce que ta fille a fait, dit Mattio.

Ero leva les yeux de l'un des fours, un bâton à la main. À son extrémité rougeoyait une boule de verre. Le cousin Fredo tendit la main pour prendre le bâton et inclina la tête pour indiquer qu'Ero pouvait y aller. Son père leva un doigt, pour indiquer qu'il avait encore besoin d'un moment. Il retira une branche d'un seau d'eau, coupée de l'un des oliviers de la famille tôt le matin. Ses feuilles vert argenté, longues comme des doigts, luisaient et s'égouttaient, tandis qu'avec ses deux mains, Ero leva la branche dans les airs. L'eau empêcha le bois et les feuilles de brûler immédiatement quand il approcha la branche du verre liquide incandescent. Puis, la branche commença à fumer, quand Ero l'utilisa pour tracer les symboles des dieux dans les airs, ses lèvres murmurant la prière qui bénirait le verre avant qu'il prenne forme.

Risa sentit un frissonnement d'énergie dans les airs, quand l'enchantement se réalisa. Son père remit la branche d'olivier dans son seau et Fredo replongea le bâton dans le four. Ce rite, cette cérémonie de la création, aurait dû être son droit d'aînesse, réalisa-t-elle. Il ne le serait jamais. Pendant le reste de sa vie, elle ne ferait que se tenir à distance tout en sentant l'enchantement passer dans les verreries de son père. Cette prise de conscience rendit son cœur encore plus lourd.

Essuyant la sueur sur son front, Ero traversa l'atelier.

– Elle a l'œil pour la couleur, ta fille, dit Mattio, présentant la pièce.

Risa baissa les yeux vers le sol quand son père regarda son ouvrage.

– Très beau, concéda-t-il. Technique intéressante.

Elle leva les yeux avec espoir. Il était sérieux, mais c'est alors qu'il gâcha tout en ajoutant :

– Tu n'aimes pas le soufflage traditionnel du verre, petite chérie ? Tu avançais rapidement dans cet art.

– C'est une excellente artiste avec le verre chaud quand elle le veut, répondit Mattio. Meilleure que la plupart de nos apprentis quand ils ont commencé. C'est dans son sang.

– Alors, je ne comprends pas pourquoi elle…

Ero s'arrêta pour reformuler sa pensée.

– Tu pourrais nous rejoindre aux fours, Risa.

Les ressentiments envahirent peu à peu Risa au fur et à mesure que tous deux parlaient. Il était évident que, même si son père reconnaissait la beauté de ses expériences, il pensait que c'était une perte de temps. Elle ravala sa colère et dit en regardant le sol :

– Je ne serai jamais comme toi ou Romeldo, *cazarro.*

– Il y a toujours l'art des fenêtres, comme ta mère, suggéra Ero. Peut-être que si tu passais plus de temps avec elle…

Risa leva la tête et le regarda, le cœur lourd.

— Je suis désolée de te créer des problèmes.

Ero soupira de frustration. Davantage de sueur humectait son front.

— Ma fille, j'ai essayé d'être patient cette semaine. Ça me frustre de te voir ignorer les arts Divetri…

— Allons, allons, réprimanda Mattio, jouant au conciliateur. Risa n'est pas étrangère au soufflage du verre ni à la construction de fenêtres plombées.

— Pourtant, elle tourne le dos à la fois à une formation et à la famille, gronda soudainement Ero, sa tempe se dilatant devant la provocation de Mattio. Des centaines et des centaines d'années de traditions Divetri !

— Je vais faire quelque chose de différent, expliqua Risa en colère.

Comme celle de son père, sa tempe risquait d'éclater sans avertissement.

— Je veux qu'*une* chose soit mienne, c'est tout.

— Personne ne veut d'*innovations* provenant de la *caza* Divetri, cria son père. Aussi beaux soient tes bibelots, personne ne les achètera. Tu perds ton temps avec de telles bizarreries. Les Sept et les Trente veulent des vases comme nous les avons toujours faits, soufflés, façonnés à la main et bénis avec les enchantements traditionnels.

— Des enchantements que je ne pourrai *jamais* réaliser ! cracha Risa.

Chaque mot était amer sur sa langue. Elle montra la branche d'olivier que son père avait brandie pendant la cérémonie juste avant.

— Avec toute cette histoire, je suis la seule des sept *cazas* et des trente plus grandes familles de Cassaforte, à avoir été rejetée par les *insulas* !

Avec une profonde satisfaction, elle remarqua que sa franchise avait entraîné un silence ahuri dans l'atelier. Même le cousin Fredo et Emil, à l'autre bout de la pièce, la regardaient bouche bée.

– Tu crois que je perds mon temps, *cazarro* ? Peut-être que oui. Grâce à tes stupides dieux, je n'ai rien d'autre à faire que de perdre mon temps.

Ero leva une main pour l'empêcher de poursuivre.

– Ne parle pas en mal des dieux ! Ils te regardent en ce moment même !

– Ah bon !

Tenir tête à Ero semblait l'électrifier. Elle sentait de l'énergie dans l'air, comme si ça crépitait à l'extrémité de ses cheveux. Toutefois, tandis qu'elle argumentait, une partie d'elle se sentait coupable. Elle ne devait pas contredire le *cazarro* d'une des plus anciennes et des plus estimées familles de Cassaforte. Pas son propre père. Pourtant, une partie malfaisante en elle ne pouvait résister à l'envie de porter un dernier coup.

– Tu peux le croire, mais *pas* moi. Les dieux m'ont mise sur le carreau. Je suis à ta merci, *cazarro*... je ne perdrai pas plus de temps à apprendre un art que personne n'achètera. Si tu as d'autres projets pour les prochaines heures où je serai sous ton toit, dis-le-moi. Je ne peux pas te rendre fier comme tes autres fils et filles. Mais je me rendrai utile.

Ero fixa Risa un moment. Après ce qui sembla une éternité, il lui rendit son bol.

– J'ai une livraison à faire au magasin de Pascal cet après-midi, finit-il par dire, sur un ton aussi calme et froid que le sien. Ça te ferait du bien de sortir de la *caza* pendant quelques heures.

Risa leva l'ourlet de sa jupe de travail et fit la révérence.

– Parfait, *cazarro*.

— Fille…

Le mot arrêta Risa, qui se tourna à moitié pour faire face à son père à nouveau.

— Je suis fier de *tous* mes enfants.

Il y avait une raideur dans la mâchoire d'Ero quand il prononça ces mots.

— Crois-moi ou pas, comme tu veux.

Si elle avait été la fille qu'elle était il y a une semaine, Risa l'aurait cru. À la place, elle salua sans un mot, tourna le dos à l'homme qui l'avait engendrée et sortit, arrogante, de l'atelier. Elle n'était plus la fille qu'elle avait été. Elle n'était plus sûre du genre de fille qu'elle était maintenant. Ni certaine de s'en soucier.

7

Les lois successorales de Cassaforte, en tant que lois reposant directement sur les caprices du dirigeant en fonction, furent mises à l'épreuve au cours du Ve siècle après la fondation de la ville, quand le roi mourant et délirant, Molo, déclara sa jeune couturière comme héritière. Bien que sa décision fut rapidement annihilée, pendant les deux siècles qui ont suivi, les loyaux sujets de la reine autoproclamée Poppy, pour la plupart des amis et des descendants, se battirent amèrement pour que sa lignée prenne place sur le trône.

– Anonyme, *Une histoire brève et complète de la ville de Cassaforte*

Le magasin de grès brun se nommait simplement « Chez Pascal ». Aucun autre nom n'était nécessaire. Tous ceux qui étaient quelqu'un savaient que les verreries cassaforténnes les plus délicates de la *caza* Divetri et des *insulas* se trouvaient là. Le propriétaire détestait avoir à étaler son stock, préférant garder les objets en verre fragiles à l'intérieur de caisses douillettes. Son magasin surprenait souvent les nouveaux clients, car c'était un espace étroit et poussiéreux dans lequel des boîtes en bois semblaient empilées au hasard. Mais

Pascal pouvait, sur demande, montrer sans hésitation n'importe quel produit à la personne qui le désirerait.

— C'est vraiment un plaisir, répéta Pascal pour la troisième ou quatrième fois. Un réel plaisir de vous recevoir dans mon modeste établissement.

Via Dioro s'étirait à l'ouest, de la Place du palais à l'*insula* de la *caza* Dioro. Il y avait de nombreux quartiers commerciaux dans Cassaforte, mais aucun n'était aussi huppé et luxueux que *via* Dioro. Le magasin de Pascal se trouvait juste un peu à l'écart du bruit et de l'animation de la place. Toutefois, quand Risa regarda vers le nord et l'est, elle put aisément voir l'impressionnante et imposante résidence en dôme du roi Alessandro.

Cette partie de la rue était l'endroit à voir et où être vu. À l'extérieur des fenêtres du magasin, s'affairaient des membres des Sept et des Trente, certains vêtus de leurs atours, d'autres portant la robe de leur *insula*. Risa avait elle-même mis sa robe la plus belle et la plus délicate et avait passé un long moment à essayer d'attacher ses cheveux avec des cordons pour former une tresse semblable à celle de sa mère. Sa robe la démangeait. Résistant à l'envie de tirer sur ses manches serrées aux poignets, elle sourit au vieux commerçant.

— J'ai confiance que la fabrication soignée des verreries de mon père rencontre vos standards élevés, dit-elle.

Les yeux de Pascal étaient blanchâtres avec les taches qui voilaient parfois le regard des gens très âgés. Il jeta à nouveau un œil sur ses articles à travers une épaisse lentille.

— Aucun doute là-dessus, ma chère. Ton père est l'artisan le plus remarquable que je connaisse. Même plus remarquable que son père avant lui. Des verres de fidélité ?

Il leva une paire de verres bleus délicats et les fit tourner dans le sens contraire l'un de l'autre. Risa hocha la tête. C'était des cadeaux de mariage chers et populaires auprès des Sept et des Trente.

— Un ensemble parfait, dit Pascal, les plaçant dans une boîte doublée de velours. Un admirable exploit. Ils se vendront tout de suite, tu verras. Je te donne trente *lundri* pour eux.

— Cinquante, dit Risa automatiquement, sachant que Pascal les vendrait soixante-quinze *lundri*.

— Quarante, dit Pascal.

— Quarante-cinq, renchérit-elle.

C'était un test, réalisa-t-elle après qu'il eût accepté, mais elle avait appris à marchander avec vigueur, depuis son plus jeune âge. Ils passèrent à travers tout le chargement de la même manière, morceau par morceau, s'entendant sur un prix jusqu'à ce qu'enfin la bourse de Risa soit pleine de pièces d'or et que Pascal ait un nombre considérable de vieilles boîtes en bois remplies de verres Divetri.

— Ton père sera un homme heureux, dit Pascal tandis qu'il ôtait la lentille de son œil. Et j'aurai un grand nombre de clients heureux.

— Si vous avez encore un peu de temps, il y aurait une autre chose…

La porte principale s'ouvrit en grinçant, amenant les odeurs de la rue dans la pièce viciée.

— Patron, s'il vous plaît… dit une voix râpeuse, à peine compréhensible.

Risa se tourna au milieu de la phrase pour voir un vieil homme appuyé désespérément à la poignée de la porte, comme s'il risquait de s'écrouler sur le sol sans ce support. Ses cheveux étaient épais, longs et collés par la crasse. Il avait un bleu jaunâtre sur la joue et des lambeaux de vêtements pendaient de son corps squelettique. Sa main libre trembla quand il la tendit, comme pour demander l'aumône.

— S'il... S'il vous plaît, répéta-t-il.

— Dehors ! cria Pascal, son vieux visage ridé se tordant d'un air menaçant. Sors d'ici !

Il fit des mouvements pour le chasser avec les mains, puis prit une grosse voix.

— *Via* Dioro n'est pas un endroit pour la racaille ! Si je te revois par ici, j'appellerai les gardes pour qu'ils te mettent aux fers !

Le vieil homme s'éloigna de la porte tandis que Pascal la ferma du pied. Risa, les mots de Pascal retentissant encore dans ses oreilles, pouvait voir le mendiant par la fenêtre alors qu'il descendait la rue la tête basse.

— Ce gueux dérange les commerçants tous les jours, expliqua Pascal, sa voix redevenant normale au fur et à mesure qu'il se calmait. J'espère qu'il ne t'a pas contrariée, *cazarrina*.

— Non, pas du tout, dit Risa, vaguement perturbée.

Le mendiant ne l'avait pas choquée. Par contre, le comportement de Pascal, oui. Elle aussi était à blâmer, toutefois. Ce n'est qu'après que le vieil homme l'ait chassé de la porte qu'elle réalisa qu'un seul *lundri* parmi les centaines contenues dans sa bourse lui aurait permis de vivre confortablement pendant un mois.

Elle pourrait se retrouver à vivre comme une mendiante un jour, dépendant pour toujours de la charité des autres. Mais elle aurait probablement toujours sa place dans la *caza* Divetri si elle le voulait. Mais, sans diplôme d'une *insula* ni aucune habileté au-delà de l'ordinaire pour collaborer aux ateliers Divetri, pourrait-elle être indépendante ? Il fallait qu'elle le sache.

— Je voulais simplement votre opinion, en tant que commerçant, sur une autre pièce.

Pascal avança avec avidité, sa lentille prête à l'emploi.

– Quelque chose de spécial, *cazarrina* ?

Risa sortit d'un sac matelassé son propre bol, celui qu'elle avait extirpé du four ce matin même. Bien qu'elle ait gardé une expression impassible, son cœur se mit à battre la chamade, quand elle regarda le marchand parcourir sa surface avec ses mains. Les poils épars de ses sourcils se froncèrent, interrogateurs.

– C'est peint ?

– Non, dit-elle. C'est du verre coupé et superposé, fusionné par la chaleur et façonné en forme de bol par gravité.

– Très curieux, dit-il, retournant à son estimation. C'est ton œuvre ?

Comme elle acquiesça, il lui jeta un coup d'œil rapide.

– Beau, mais pas extraordinaire. Tu pourrais le vendre sur un marché pour dix ou douze *luni*.

– Quelques *luni* ! s'exclama-t-elle, offusquée.

Son bol ne valait même pas un *lundri* ! Elle devrait en fabriquer des centaines pour que ça rapporte autant qu'une paire de verres de mariage Divetri !

– Sa composition est étonnamment solide, dit Pascal brusquement, mais pas de façon hostile. Il n'a pas reçu d'enchantements de récipient, n'est-ce pas ?

Il gloussa, pas surpris que Risa opine.

– Mes clients recherchent du verre soufflé enchanté, le plus délicat que je puisse trouver. Vends ton bol et récolte quelques *luni* pour ton argent de poche, mon enfant, la conseilla-t-il tout en lui rendant le bol.

Risa acquiesça, le salua de la tête et sortit du magasin.

Si les yeux de Pascal avaient été plus vifs et plus clairs, il aurait remarqué les larmes qui commençaient à ruisseler sur le visage de Risa quand il l'a suivie dans la rue. Il ne fut pas conscient non plus quand il l'aida à monter dans la charrette et lui tendit les rênes réchauffées par la peau parfumée des mules, qu'elle partait le visage strié de rouge et de blanc, et la tête basse.

Une personne la vit toutefois. Il se tenait aux pieds du pont Allyria, à regarder sa charrette approcher lentement. Risa le remarqua quand les mules tirèrent le chariot vers la douce pente du pont qui surplombait le canal River. Le garçon la fixait – vraiment ahuri. Il ne semblait pas avoir plus de 16 ou 17 ans. Sa peau dorée par le soleil semblait d'autant plus bronzée sur son uniforme de gardien de la ville – une tunique pourpre avec des galons dorés, qui atteignait ses cuisses ; des cuissardes rouge foncé et un képi rond et rouge sur la tête. Sur les côtés dépassaient des cheveux blonds ondulés. Contrairement aux gardes du palais avec leur longue et lourde cape, celle du garçon était courte et plus fonctionnelle.

Son nez se plissa légèrement, quand elle passa devant lui. Elle éprouva du ressentiment devant son regard effronté, rapidement suivi par une grande honte à cause de l'image qu'il devait avoir d'elle dans ses yeux verts. Il aurait toute une histoire à raconter à ses camarades ce soir, réalisa-t-elle. L'histoire d'une fille des Sept ou des Trente qui pleurait dans les rues, ferait le tour de la ville demain.

Résolue à ne pas révéler combien il l'embarrassait, Risa redressa son dos et son cou, puis détourna la tête du jeune garde. S'apitoyant une dernière fois sur son sort en reniflant, elle fit claquer les rênes et galoper les mules.

Ce fut seulement quand le chariot eût atteint le sommet du pont qu'elle regarda derrière elle, ses yeux éblouis par les rayons obliques du soleil du début de soirée. Le garde la regardait toujours. Ses yeux rencontrèrent les siens ; il sourit et la salua. Il se moquait d'elle, c'est sûr. Il mettait probablement déjà au point les mensonges qu'il colporterait aux autres gardes après le dîner de ce soir. Elle serra ses lèvres de contrariété et une fois de plus, fit claquer les rênes.

Le pont d'Allyria était l'un des plus anciens de Cassaforte, construit par le premier *cazarro* de la *caza* Portello. Comme tous les ponts de Portello, il surplombait un large canal avec une courbe élégante. À ce moment de la journée, c'était l'heure habituelle du dîner pour la plupart des habitants de Cassaforte. Bon nombre d'entre eux étaient déjà rentrés chez eux retrouver leur famille. Le pont était presque exempt de trafic. Une seule gondole fendait les flots, alors que son propriétaire avançait à l'aide d'une perche vers le sud, quittant les eaux du canal qui dansaient dans son sillage. Des mouettes croassaient dans le ciel rougeoyant au-dessus du canal.

C'est près de cet endroit, se rappela Risa, que ses parents s'étaient vus pour la première fois. La sœur de sa mère était restée pour une longue visite chez les Allecari, une famille des Trente qui vivait ici, et avait décidé de prolonger son séjour encore quelques jours. Comme le voulait la coutume dans les meilleures familles de Cassaforte, Giulia avait offert de la nourriture et du vin comme cadeau à la gouvernante des Allecari afin que la famille ne soit pas contrariée par le prolongement d'une longue visite. C'est dans cette maison que Giulia, qui regardait par une fenêtre à l'étage, avait aperçu Ero pour la première fois. Elle l'avait trouvé si beau, disait-elle, quand elle racontait l'histoire, qu'elle avait éprouvé l'étrange désir d'attirer son attention. Elle avait obéi à sa pulsion et avait ouvert la fenêtre pour le saluer, avant qu'il s'éloigne. Ero avait levé les yeux, lui avait souri et l'avait saluée. Ils s'étaient mariés dans les six mois, comme s'ils étaient destinés à se rencontrer et à s'épouser.

Si Giulia n'avait dit mot, pensa Risa avec un frisson, il n'y aurait eu ni Petro ni Romeldo. Ni Vesta ni Mira. Ni Risa. Remarquez que la dernière n'aurait pas été une grosse perte.

Son chariot valdinguait sur le pont. C'est alors que, couvrant le son des roues sur les pavés, Risa entendit un cri étouffé à sa gauche. Quand elle tourna la tête, elle vit trois jeunes hommes rassemblés autour d'une personne seule, un homme âgé. L'un des jeunes leva son genou brusquement pour asséner un coup dans le ventre de l'homme. Quand il ramena son pied au sol, il lui écrasa les orteils. Un autre garçon frappa l'homme à l'arrière de la tête. Même à cette distance, Risa pouvait deviner la détresse de leur victime. C'était le vieil homme qu'elle avait vu quelques minutes plus tôt chez Pascal — le mendiant.

Avance, disait une voix dans sa tête. *C'est dangereux ici.* Elle pensa immédiatement aux centaines de *lundri* cachés dans le plancher du chariot. La peur de risquer de perdre son argent la forçait de presser les mules. Ce n'est qu'un vieux mendiant, après tout, la raisonnait une partie d'elle. S'il appartenait à quelqu'un, il n'aurait pas à errer dans les rues et à mendier des *luni.* Personne ne se soucierait qu'il soit blessé. Il serait facile de prétendre simplement qu'elle n'avait rien vu et de continuer sa route sur le pont.

Pourtant, quelque chose de pitoyable dans les cris muets de cet homme l'ébranla. Aussi en mauvaise posture se trouvait-il, personne ne méritait d'être battu par des garçons oisifs cherchant à molester quelqu'un plus faible qu'eux. Plus tôt n'avait-elle pas pensé qu'elle aurait pu l'aider quand elle en avait eu l'occasion ? Il semblait qu'elle se voyait accorder une seconde chance — elle ne se pardonnerait pas si facilement son inaction cette fois.

Risa vira brusquement le chariot sur la gauche. Comme les mules refusèrent de bouger assez vite, elle les conduisit à un arrêt près du mur du canal et sauta à terre.

– *À l'aide!* hurla-t-elle aussi fort que possible, espérant que les eaux du canal transporteraient ses cris à l'autre extrémité du pont, où des gens traînaient encore. Aidez-moi, s'il vous plaît!

Les jeunes hommes furent surpris qu'elle approche. Ils ne devaient pas reconnaître son visage, mais ils la reconnaissaient comme un membre des Sept ou des Trente à ses beaux habits. Elle continuait de crier en courant, devenant plus confiante parce qu'elle leur faisait peur. Un des garçons s'enfuit immédiatement, descendant la rue du canal en courant aussi vite que ses jambes pouvaient le porter. Les deux autres semblaient paniqués par sa désertion. Le plus grand suivit rapidement le premier. Le troisième tenait encore le mendiant. Il repoussa brutalement le vieil homme et s'enfuit à son tour.

Le vagabond tomba en arrière contre le muret du canal. Tandis que Risa le regardait, il perdit l'équilibre et bascula par-dessus bord. Un instant plus tard, elle entendit un gros plouf.

Quand elle atteignit l'endroit où l'homme s'était trouvé, elle regarda attentivement par-dessus le muret, horrifiée. Dans les eaux du canal River, elle vit des mains s'agiter à la surface, tentant de se retenir à quelque chose. Elle regarda frénétiquement autour d'elle. Près de l'endroit où elle avait laissé le chariot, elle repéra des brèches identiques construites sur les côtés opposés du mur du canal – des échelles en descendaient, mais c'était trop loin. Elle n'avait pas le choix. Elle leva sa robe, plia les genoux et sauta dans le canal, à plus de six mètres en dessous du pont.

L'eau sombre s'infiltra dans sa bouche et dans son nez. Son goût de vase fétide la saisit. Risa cligna des yeux pour clarifier sa vision. Une main, faible et molle, battait encore l'eau à moins de deux mètres d'elle. Ses jupes étaient complètement enchevêtrées autour de ses jambes, l'empêchant de bien nager, mais elle s'en dépêtra suffisamment pour avancer.

Quand sa main saisit celle du mendiant, la force de l'homme sembla revenir. Il saisit son poignet avec une telle force qu'elle crut que ses os allaient se rompre. Avec l'énergie du désespoir, il l'entraîna d'un coup sec sous l'eau. Elle fut prise par surprise. Ses poumons la brûlèrent tandis qu'ils absorbaient de l'eau.

Elle força pour extirper son poignet de la prise de l'homme et refit surface, toussant si fort que son corps fut saisi de douleur. Tandis que l'eau s'écoulait de ses yeux, elle sentit quelqu'un sauter tout près d'elle. De fortes éclaboussures trempèrent son visage et elle fut secouée de haut en bas dans le sillage de l'impact.

– Ne vous débattez pas ! entendit-elle quelqu'un crier.

Elle était sur le point de protester qu'elle ne se débattait pas du tout quand l'eau s'écoula davantage de ses yeux. Le garçon, qui venait de plonger, était déjà en train d'attraper le mendiant, s'adressant à lui tandis que ses bras vêtus de rouge tentaient de maintenir la tête de l'homme à la surface.

– Attrapez son autre main, lui dit-il.

Elle la saisit alors qu'elle tapait sur l'eau, donnant presque un coup sur la tête du garçon.

– Calmez-vous ! postillonna-t-elle dans l'oreille du mendiant. On ne vous fera pas de mal.

Il devait y avoir quelque chose de rassurant dans sa voix, quelque peu râpeuse à cause de l'eau du canal, car le vieil homme calma ses gestes.

– Nous devons le sortir de là, dit le garçon, chassant une mèche de cheveux de son visage.

Ses yeux verts clignèrent avant de s'ouvrir.

– Pouvez-vous nager ? Je n'ai pas besoin de vous sauver aussi ?

– Je peux me débrouiller. Emmenez-le vers le pont, suggéra Risa, qui commença à nager du mieux qu'elle pouvait en battant des pieds dans cette direction. Il y a un genre d'échelle là-bas.

Leurs progrès étaient lents, en raison des protestations du mendiant et de la lourde robe détrempée de Risa. Arrivée au mur du canal, elle était complètement épuisée.

– Je tire, vous poussez ! suggéra le garçon.

Il ne semblait pas du tout essoufflé. Tandis que Risa le regardait se hisser hors de l'eau à l'aide d'une des prises, elle réalisa qu'elle n'avait même pas réfléchi à la façon dont elle aurait pu remonter seule le vieil homme dans l'échelle de pierre. Ça aurait été tout simplement bien trop difficile pour elle.

Le garçon en uniforme rouge réussit à attraper les vêtements grossiers du mendiant et à le hisser vers la première saillie de pierre. L'instinct fit le reste. Les jambes du vieil homme s'efforcèrent de trouver une prise et ses mains cherchèrent à tâtons les encoches entre les murs de pierre. Risa l'aidait à monter ses pieds d'une marche à l'autre tandis que le garçon le supportait par les épaules. C'était un travail délicat. Risa était presque aussi mouillée qu'elle l'avait été dans le canal à cause de ses deux épaisseurs d'habits dégoulinants. Elle finit par sentir une paire de mains l'aider à se hisser sur le mur du canal. Elle se laissa tomber sur la chaussée. Là, elle remarqua avec soulagement que le chariot se trouvait toujours à seulement quelques dizaines de mètres.

— Surveillez-le une minute, lui ordonna le garçon.

Il grimpa à nouveau sur le mur du canal et s'accroupit.

— Où allez-vous ? postillonna-t-elle.

Le mendiant s'écroula sur la chaussée et s'adossa contre le mur.

— Je redescends, dit le garçon en souriant.

Il disparut dans l'eau, après un saut et un gros plouf. Risa se précipita pour le regarder nager vers le milieu du canal, où un chapeau rouge dansait sur l'eau comme un bateau d'enfant. Il l'attrapa et nagea à nouveau jusqu'à l'échelle.

— Je suppose que je ne peux pas le mettre tout de suite, dit-il, désolé, quand il apparut à nouveau sur la chaussée.

Il retourna le chapeau. Il en déversa une tasse ou deux d'eau.

Risa ne put s'empêcher de rire, à la fois par pur soulagement et à la vue de l'expression faussement affligée du garçon. Tandis qu'elle étudiait son uniforme et ses longs cheveux blonds devenus noirs à cause de l'eau, elle se rappela où elle l'avait vu avant.

— Tu es le gardien de la ville qui me regardait à *via* Dioro.

— Je m'appelle Milo Sorranto, *cazarrina,* dit-il, inclinant légèrement la tête. Je t'ai entendue appeler à l'aide.

— Comment sais-tu qui je suis ? demanda-t-elle, troublée.

— Tu n'es pas sans savoir la fierté de Cassaforte pour ses Sept et ses Trente, dit-il en lui souriant.

Comme elle l'avait suspecté plus tôt, elle n'était qu'une curiosité pour lui. *Vous ne devinerez jamais qui j'ai vu sangloter en ville aujourd'hui… la* cazarrina *de Divetri !*

— Je vois, dit-elle, pas contente du tout. Et quelle histoire raconteras-tu à tes camarades, ce soir ? Que tu as sauvé une *cazarrina* sans défense du canal parce qu'elle avait été assez stupide pour sauter après un mendiant ?

Il leva un bras et retint ses cheveux en une queue de cheval, puis en essora l'eau avant de les laisser libres à nouveau.

– Stupide ? Sans défense ? Mon dieu, crois-moi, tu n'es rien de tout ça, *cazarrina* !

Il secoua la tête. Risa le regarda de plus près. Elle ne voyait pas un seul signe de supercherie dans son expression. D'une certaine façon, son manque total de fourberie la mettait à l'aise.

– Je pense que tu es tout à fait capable de te secourir toi-même, continua-t-il. Si je dois dire quelque chose à quelqu'un… Et je suppose que je devrai faire un genre de rapport, si je veux avoir un nouvel uniforme…

Il baissa les yeux sur ses habits abîmés et grimaça avec sa bouche.

– Tu diras quoi ? demanda Risa, curieuse malgré le fait qu'elle fut trempée jusqu'aux os.

Ses lèvres sont un peu trop fines, remarqua-t-elle. C'était la seule chose qui empêchait qu'on le qualifie de beau.

– Que tu es très jolie, laissa-t-il échapper.

Après que les mots fussent sortis, importuns, de sa bouche, il rougit nettement et toussa. Risa eut l'impression de rougir elle aussi. Elle n'avait jamais reçu un compliment de ce genre de la part d'un étranger.

– Ou… que tu l'étais.

Étant donné son geste, elle comprit immédiatement ce qu'il voulait dire. Ses cheveux étaient à nouveau sans tenue et pendaient comme des algues sur son visage. Sa robe, complètement fichue, tombait sur elle comme une gaine mouillée. Une de ses manches manquait. Elle rit presque – à la fois à cause de la vérité sur son état et à cause de l'expression choquée sur le visage du garçon. Elle était presque aussi affreuse que le mendiant lui-même.

Se retournant rapidement vers le vieil homme, Risa vit qu'il grelottait, car il s'était recroquevillé. Tout à coup, elle se souvint qu'elle avait une couverture pour les mules. Elle sentait la peau des mules et les parfums avec lesquels les Sept et les Trente cachaient les odeurs de leurs bêtes, mais au moins, elle sembla offrir au mendiant du réconfort quand elle l'enveloppa autour de ses épaules.

– Pauvre homme. Que va-t-il lui arriver ? demanda-t-elle, s'agenouillant à côté du mendiant.

– Je dois l'amener en prison pour vagabondage, à moins que quelqu'un le ramène chez lui, répondit le garde.

Risa fut immédiatement scandalisée.

– En prison ! Cet homme a été *victime* d'un crime. Ces garçons l'ont battu !

– À moins que quelqu'un le ramène chez lui, c'est ce que dit la loi, répéta le garde.

Elle rencontra son regard et observa les coins de sa bouche s'incurver vers le haut.

– Les Sept de Cassaforte sont réputés être généreux. Je l'ai toujours entendu dire.

Lui lançait-il une pique ? Impossible à dire. Risa ne s'imaginait pas expliquer à son père comment elle s'était organisée pour ramener un mendiant à la maison. Cependant, il n'y avait pas d'autre solution pour éviter la prison à ce vieux mendiant. Elle imaginait déjà comment l'histoire du garde finirait : *Elle est simplement partie, le nez bien en l'air. Vous savez comment sont les Sept. Ils pensent qu'une couverture de mules est suffisante pour les gens comme lui.*

Il avait touché à sa fierté. Pensait-il vraiment qu'il devait l'humilier pour qu'elle se comporte honorablement ?

— Si tu m'aides à le mettre dans mon chariot, dit Risa avec raideur. J'apprécierais grandement. Comment t'appelles-tu déjà ?

Le garde sourit, manifestement content de sa décision.

— Milo, *cazarrina*.

— Un nom plutôt commun, dit-elle, se baissant pour mettre le bras du mendiant autour de son épaule.

Milo balaya ses cheveux mouillés de son visage, salua, puis remit son képi sur sa tête tandis qu'il se baissait pour l'aider.

— Tu veux sûrement dire pour un jeune homme peu commun, *cazarrina* ? murmura-t-il en lui faisant un clin d'œil.

Ensemble, ils levèrent le mendiant grelottant.

Risa afficha un sourire en coin. Un nom assez commun pour un jeune homme impertinent, à tout le moins.

8

—

Il semble cruel qu'ils fassent partie des Sept et que nous soyons seulement des Trente, n'est-ce pas ? Si ce n'était à cause du choix aléatoire d'un ancien roi, les choses auraient facilement pu en être autrement, et ce, à notre avantage. Toutefois, ma chère, j'ai entendu que les vents du changement sont en train de souffler. Qui sait quels bons augures ils amèneront à nos pieds ?

– Ruliette Vincinzi des Trente,

dans une lettre personnelle à sa sœur

Il était impossible de ne pas remarquer les couleurs de chaque *caza* s'élevant autour d'elle alors que le soleil baissait à l'horizon. Les mâts auxquels les drapeaux des *cazas* volaient étaient installés au plus haut point de chacune des sept *insulas.* Au bruit du cor du palais, le mendiant s'agita près de Risa. Elle voyageait doucement, car la tête du vieil homme se balançait de façon inquiétante à chaque secousse sur la route.

– Tant de choses vont mal, murmura-t-il, ouvrant à peine ses yeux. Tant de choses… mal.

– Vous êtes en sécurité, le rassura-t-elle.

Où diable dormirait-il ? Elle ne pouvait pas simplement le laisser dans la cour des Divetri.

Peut-être qu'il y aurait une chambre de bonne de libre où il pourrait rester ? Il pourrait peut-être même accomplir certaines tâches domestiques légères jusqu'à ce qu'il soit capable de prendre soin de lui.

– Vous avez un nom ? demanda-t-elle.

Le sommeil le regagna.

– Dom..., murmura-t-il. Dom.

Pendant un moment, il n'y eut plus aucun bruit sauf le son des cors en provenance des *cazas* en signe de leur loyauté aux cieux, la respiration laborieuse de Dom et le cataclop constant des mules qui tiraient leur fardeau. Il était étrange de penser qu'il y avait seulement une semaine, ces sons musicaux transportaient Risa de plaisir. Ce soir, assise presque seule dans la charrette qui avançait dans les rues paisibles et sombres, elle ne ressentait rien. Le son des cors, les uns après les autres, survolait les toits de la ville, jusqu'à ce qu'on ait entendu les sept. La trompette du palais émit sa bénédiction. La nuit commençait à tomber sur Cassaforte.

La légende raconte qu'une seule fois, dans toute l'histoire de la ville, une *caza* avait renoncé à compléter le rite d'allégeance – la *caza* Legnoli, il y a trois cent ans. Une famille de travailleurs du bois. Leur artisanat était si délicat que les grilles sculptées des Legnoli dans le temple de Lena étaient encore une destination populaire pour les pèlerins de tout le pays. Leur *cazarro*, toutefois, était querelleur et perturbateur. Il se disputait régulièrement avec les six autres *cazarris* et la couronne – juste pour entendre sa propre voix, disaient la plupart des gens.

Risa avait entendu plusieurs versions de ce qui était arrivé à la *caza* Legnoli ; ça s'était passé il y a si longtemps que les témoins des événements étaient depuis belle lurette dans les bras des dieux. Ce qui était certain, c'était que le *cazarro* était fortement en désaccord avec le roi et qu'il avait déclaré son intention de rester dans sa *caza* en ignorant le rite d'allégeance. Certains disent que lorsque ses couleurs ne se levèrent pas et que son cor ne retentit pas, un démon géant descendit des nuages et détruisit la *caza* et tout ce qu'elle contenait. D'autres prétendent qu'un grand coup de foudre frappa la *caza* et détruisit son contenu et tous ceux qui avaient été assez stupides pour y rester. Peu importe la version, le résultat fut que les Legnoli restants abandonnèrent la *caza*. Parmi les Trente, le roi éleva les Dioro au rang des Sept et choisit une famille de la plèbe qui était intéressée à remplacer les Dioro parmi les Trente. Les chances de prendre possession de la fortune d'une famille sont extrêmement rares ; si une telle opportunité se représentait, il n'y aurait pas de pénurie de postulants pour remplacer les déshonorés.

Risa jeta un œil vers la *caza* Dioro tandis que le chariot quittait la place en prenant le pont inférieur qui menait à la *caza* Divetri. Les Dioro étaient une fière famille de fabricants d'armes. Leur *caza* se découpait toujours fièrement sur l'horizon croissant, ses murs de pierre semblant plus vieux que simplement trois siècles. Il était impossible de croire que la caza Legnoli avait été réduite en miettes par la foudre, encore moins par un démon. Ce n'était que des mythes. Tout comme Muro et Lena, les dieux par qui Risa pensait avoir été abandonnée, n'étaient rien d'autre que de jolies histoires basées sur les deux lunes dans le ciel. Deux roches froides et distantes, entourées aléatoirement par de simples amas d'étoiles.

— Les oiseaux, marmonna le vagabond.

Pendant un moment, on entendit un bruit comme si des ailes battaient plus haut. Tandis que le bruit devenait de plus en plus fort, Risa réalisa qu'ils entendaient les vibrations d'un carrosse qui galopait vers la ville en passant sur le pont supérieur. Quand les deux véhicules se croisèrent, en haut et en bas, Risa entendit en plus du cliquetis des jantes des roues, le tintement familier des clochettes portées par les meilleurs chevaux de ses parents.

Où pouvaient-ils bien aller, à ce moment de la journée ?

9

Bénie soit Lena, donne-nous ta paix, pour que notre pays soit harmonieux. Donne-nous ta sagesse pour que nous soyons prospères. Mais par-dessus tout, donne à tes pénitents la clémence envers les autres pour que nous ayons la sérénité d'être cléments envers nous-mêmes.

– EXTRAIT DU LIVRE DE PRIÈRES DE L'*INSULA* DES PÉNITENTS DE LENA

– Quoi ?

Risa détestait être réveillée par le froid. Elle avait dormi bien au chaud sous sa couette, alors qu'en ville, la nuit était glacée.

– Qu'y a-t-il ? Arrête de me secouer.

Pendant un moment, dans sa confusion matinale, elle crut que Petro la taquinait. Alors qu'elle reprenait conscience, elle se souvint que son jeune frère était sur l'*insula* des Pénitents de Lena, depuis plus d'une semaine.

Fita se tenait au-dessus d'elle. La vieille domestique avait apporté un plateau pour le petit-déjeuner plein de petits pains chauds et de fruits. Il était plutôt inhabituel que Fita porte elle-même le plateau et il était encore plus étonnant qu'elle secoue Risa pour la réveiller. Ça n'était arrivé qu'une seule fois auparavant, à l'aube de la soi-disant bénédiction du prince Berto. Quand Risa finit par se redresser, Fita croisa ses bras, les lèvres pincées.

– Je vous ai préparé un plateau, dit-elle inutilement.

Risa regarda son petit-déjeuner un instant, son estomac gargouillant légèrement devant l'odeur des brioches fraîches et de la cruche de jus pressé.

– Vous ne m'apportez *jamais* de plateau. Vous dites que les plateaux, c'est pour les enfants.

Ce devait être son imagination, mais Risa pensa voir le coin des lèvres de la gouvernante tressauter.

– Vous n'êtes de toute évidence plus une enfant, dit-elle. À partir et à agir selon votre gré sans l'autorisation de votre père.

Rompre un des petits pains sembla un choix avisé. Fita pourrait changer d'idée et les enlever brusquement, étant donné son humeur actuelle.

– De quoi parlez-vous ? Vous avez visiblement quelque chose en tête.

– Je parle du mendiant que vous avez ramené à la maison.

Le ton de Fita était bourru et outragé.

– L'odeur ! Franchement, *cazarrina,* qu'est-ce qui vous a pris ?

Ce fut au tour de Risa de hausser les épaules et de se montrer offensée.

– Il s'appelle Dom. Il a été jeté dans le canal par des voyous. Les gardes l'auraient arrêté si je ne l'avais pas ramené à la maison. Que vouliez-vous que je fasse ? Que je l'envoie en prison ? Que je le laisse dormir une autre nuit dehors ?

Comme Fita ne répondit pas, elle devint méfiante.

— Où est-il maintenant ?

— Dans la cour des écuries, je crois, dit Fita, avec une attitude compassée et officielle.

— Encore ? Ne me dites pas qu'il a *dormi* là ?

Risa se leva et s'habilla rapidement, la colère rendant ses mouvements prompts et vigoureux.

— J'ai dit à Allandro hier soir de vous demander de lui trouver une place parmi le personnel.

— Ce n'est pas le rôle du *garçon d'écurie* de dire à la *gouvernante* quoi faire.

Alors que Risa s'apprêtait visiblement à protester, la femme ajouta :

— Seuls le *cazarro* ou la *cazarra* peuvent m'ordonner d'engager quelqu'un.

— Vous n'êtes pas si insensible habituellement ! commenta Risa.

Tandis que la gouvernante haussait les épaules, Risa mit ses pantoufles.

— Où est le *cazarro* ?

— Votre mère et votre père ne sont pas revenus du palais, murmura Fita.

Risa émit un bruit d'étonnement devant cette nouvelle – il était extrêmement rare que ses parents passent la nuit hors de la *caza*.

— Vont-ils rester pour le repas de midi, *cazarrina* ? Si c'est le cas, il faudra que le personnel de cuisine prépare un cadeau d'hospitalité. Votre mère prend toujours grand soin de respecter les coutumes, ajouta-t-elle devant le regard étonné de Risa.

— Pourquoi sont-ils au palais ? demanda Risa, assimilant enfin toutes les informations données par Fita.

Fita laissa tomber ses mains.

— Je ne sais pas, *cazarrina*. Ils ont été convoqués hier soir, après le rite de loyauté.

— Savaient-ils qu'ils resteraient si longtemps ?

Autre haussement d'épaules. Frustrée, Risa passa un châle autour de ses épaules.

— Vous ne savez pas pourquoi mes parents sont au palais ni pourquoi ils y sont restés toute la nuit. Vous ne savez pas pourquoi mon ami Dom a passé la nuit dans la cour des écuries.

— Ça, je le sais. Il n'a pas été autorisé à entrer dans la maison parce que je n'ai pas reçu d'ordre du *cazarro* ni de...

— Mon ordre aurait dû suffire !

— Et si je peux me permettre, *cazarrina*, dit la gouvernante, furieuse, appeler un tel personnage un *ami*, même dans un sens large, alors que vous faites partie des Sept...

— Vous *ne* pouvez *pas* vous permettre ! cria Risa dont la voix s'éleva au-dessus de celle de la gouvernante.

Ignorant le silence pincé de l'employée de maison, elle prit le plateau et sortit avec raideur de la chambre.

Elle trouva Dom encore blotti sous la couverture. Il sentait fortement la mule et le parfum, l'eau du canal et les ordures, ainsi qu'une certaine odeur fétide qu'elle associa à son âge. Elle essaya de cacher ses émotions qui la mettaient mal à l'aise quand l'homme tourna son visage vers elle, un visage strié de rides et moucheté de tâches de vieillesse.

— Tu étais partie, dit-il, le regard misérable.

— Je suis désolée, dit-elle, encore plus en colère contre Fita.

Autant la gouvernante pouvait se montrer généreuse quand elle le voulait, autant elle pouvait être frustrante quand elle était déterminée à agir à sa façon.

— J'ai dormi ici, dehors.

— Ça n'arrivera plus, promit Risa. Je vous ai apporté votre petit-déjeuner.

Elle déposa le plateau sur le banc près de lui.

— Vous voyez ? Tout est réglé. Nous partagerons.

Elle saisit la moitié d'une brioche qu'elle avait déjà rompue et en prit un morceau. Il était impossible de ne pas voir la faim et l'envie dans les yeux du mendiant. Il sembla hésiter. Risa le suspecta d'être trop fier pour manger alors qu'elle le regardait. Elle tourna la tête et mangea sa portion. Elle l'entendit prendre une des brioches et commencer à la manger voracement.

Ses mains tremblaient encore quelques minutes plus tard quand, sous la douce insistance de Risa, il finit la dernière brioche et but la dernière gorgée de jus de fruits.

— Vous aurez des repas réguliers à partir de maintenant, lui dit-elle. Il ne nous reste plus qu'à vous trouver quelque chose à faire.

Elle n'avait pas remarqué le grand nombre de veines rouges dans les yeux de l'homme jusqu'à ce qu'il les tourne vers elle, craintif.

— Je... Il n'y a rien...

— Avez-vous déjà travaillé le verre ?

Il secoua la tête.

— Avez-vous déjà travaillé dans des écuries ? Avez-vous déjà servi des repas ?

Tandis qu'elle parcourait la liste des fonctions possibles qu'il pourrait occuper dans la *caza*, il continuait à secouer la tête.

Pourquoi essayait-elle tant de l'aider ? À chaque emploi pour lequel Dom secouait la tête, elle se demandait si elle n'avait pas sorti un vrai bon à rien de la rue. Il devait avoir passé toute sa vie, oisif, à mendier, d'après ce qu'elle comprenait. Aucune occupation ne pouvait lui être attribuée.

Elle se souvint la première fois qu'elle avait vu le visage du mendiant dans le magasin de Pascal et combien son impuissance lui avait renvoyé l'image de la sienne. Maintenant, elle pouvait l'aider, seulement, elle devait trouver de quelle façon.

– Vous ne voyez rien que vous ayez pu faire avant que vous pourriez faire ici ?

Il tint ses mains serrées ensemble entre ses genoux, tentant ainsi de cacher leur tremblement.

– Je n'ai jamais travaillé comme…

Sa voix cassée défaillit en un faible murmure.

– Nous trouverons quelque chose, dit-elle, gentiment, s'efforçant de trouver de l'inspiration.

– Garde, murmura-t-il.

– Quoi ?

Dom avait déjà été garde ? Peut-être qu'il pourrait garder un œil sur les fours, alors, ou faire une autre tâche qui nécessitait peu d'action, mais beaucoup d'attention. Elle cessa de penser quand il leva sa main et pointa son doigt à travers l'arche vers la route au loin.

Le pont inférieur était inondé d'une marée d'uniformes rouge foncé. Un contingent de gardiens de la ville approchait. Quand Risa tourna brusquement la tête, inquiète, elle aperçut les casquettes et les lances d'un autre groupe approchant de la *caza* sur le chemin au-dessus d'elle.

Sa première pensée fut que quelque chose n'allait pas. Ses parents avaient été blessés. Ero était mort et les gardes du palais venaient livrer la mauvaise nouvelle. La panique serra sa poitrine, rendant le passage de l'air dans ses poumons difficile.

Se mettre debout s'avéra un exercice ardu. Ses pas, lourds au début, l'amenèrent de plus en plus près des gardes, mais elle ne trouva pas la force de courir. Finalement, elle s'arrêta et les attendit à l'entrée du pont. Ils marchèrent vers elle d'un pas lourd, le visage grave.

– Que se passe-t-il ? demanda-t-elle à la première d'entre eux, une jeune femme avec une arbalète accrochée à l'épaule.

Elle scruta le visage des autres tandis qu'ils se rassemblaient autour d'elle.

– Quelque chose ne va pas ?

– Vous devez le demander à Tolio, *cazarrina*, dit un jeune homme. Nous ne faisons qu'obéir aux ordres.

– Qui est Tolio ? Où est-il ?

L'homme pointa son doigt en direction du pont supérieur.

– Il doit être arrivé dans la cour.

Comme si ses pieds avaient été libérés de leur carcan, Risa s'échappa du lieu auquel elle était enracinée et courut vers la *caza*.

10

Tout nœud commence comme une simple corde.

— Dicton cassafortéen

Lequel d'entre vous se nomme Tolio ? demanda Risa tandis qu'elle arrivait en courant dans la cour intérieure.

Une foule de gardes de la ville se trouvaient rassemblés dans un paysage cérémonieux. Leurs armes et leurs capes pourpres s'étendaient partout sur les bancs et dans les jardins d'arbres taillés. C'est comme s'ils étaient chez eux, pensa-t-elle tout à coup.

Fredo et Mattio la suivirent dans la cour, accompagnés d'Emil, impressionné. Dans sa course vers la *caza,* Risa s'était arrêtée rapidement pour demander à Mattio de venir avec elle — s'il y avait de mauvaises nouvelles, elle voulait qu'il soit là. Les autres artisans avaient insisté pour venir aussi et tout un groupe de domestiques avaient suivi derrière, leur visage trahissant leur inquiétude.

— Allons, allons, cousine, dit Fredo.

Il avança et croisa sa main sur l'autre.

– Une *cazarrina* peut assurément montrer plus de courtoisie envers de si illustres visiteurs.

Pendant un instant, elle le détesta pour cette remarque. Cousin ou pas, un homme qui n'appartenait pas aux Sept ni aux Trente n'avait aucun droit de lui enseigner les bonnes manières. Elle allait rétorquer quand elle aperçut un visage qui lui sembla familier. Le garçon se tenait légèrement derrière une jeune femme blonde, plus grande que lui, qui était occupée à ordonner à d'autres gardes où empiler les provisions. C'était Milo – un nom plutôt commun pour un garde pas commun – de la veille au soir. Il lui adressa un rapide sourire, puis fit semblant de rien, regardant le ciel et sifflotant, feignant de ne pas l'avoir vue.

– Lequel d'entre vous est Tolio ? répéta Risa, sur un ton toujours aussi ferme, même si elle était étrangement consciente de la présence de Milo.

– Je suis Tolio, *cazarrina,* dit le plus âgé des gardes vêtus d'une cape pourpre.

Le galon sur sa tunique était plus épais que les autres. Comme bon nombre de Cassafortéens dans leur cinquième ou sixième décennie, il avait des cicatrices sur le visage occasionnées lors de la guerre sauvage contre les pirates d'Azurite. Elles convenaient presque à ses traits taillés au couteau et à son expression revêche.

– Mes parents vont bien ? Leur est-il arrivé malheur ?

Sa hâte de formuler ses inquiétudes faisait sortir ses mots de façon hésitante.

– Je suis certain que notre invité, Tolio – le capitaine Tolio, c'est ça ? Quel honneur ! – n'est pas venu avec autant d'hommes et de femmes pour une tâche sans gravité, jeune cousine.

Le sourire de Fredo était assez mielleux pour calmer même les vagues de la marée des deux lunes.

— Le *cazarro* et la *cazarra* Divetri vont bien et sont en bonne santé, dit Tolio tout en saluant Fredo. J'ai un message à livrer de la part de la *cazarra*.

Il brandit une feuille pliée.

— Que les dieux soient loués, murmura Fredo.

Risa était sûre que Milo suivait la conversation de près. Malgré le fait que la jeune femme garde l'ait réapprovisionné avec une pile de lances qui lui tombaient dessus, sa tête était penchée dans sa direction. Quand il rencontra à nouveau le regard de Risa, il siffla et s'attela à sa tâche.

— Est-il absolument nécessaire que quarante gardes se déplacent pour livrer un message ? demanda Risa.

— Nous agissons sur les ordres du prince Berto, commenta Tolio.

Mattio avança.

— J'ai été garde pendant ma jeunesse. Les gardes agissent seulement selon les ordres du roi, pas d'un membre de sa famille.

— Le roi est mort.

Tolio s'arrêta, le temps que la nouvelle fasse son chemin. Tandis que les gardes ne semblaient pas surpris, personne de la *caza* n'avait encore entendu la nouvelle. Il y eut un murmure stupéfait parmi les domestiques. Risa se sentit ahurie et vide. Le roi Alessandro, mort ? Il y avait plusieurs années qu'il ne s'était pas mêlé aux citoyens en raison de sa mauvaise santé. Tous avaient imaginé le pire éventuellement, mais ce fut tout de même un choc d'entendre ces mots de vive voix.

— Que Lena lui accorde sa clémence !

Fredo leva les yeux vers le ciel en prononçant ces mots.

— Muro, donne-lui le repos et la paix !

Tolio avança, indifférent à ses paroles.

— Jusqu'à ce que les Sept aient officiellement offert la couronne d'olivier et le sceptre d'épines au prince Berto, nous agirons selon les ordres de l'héritier présomptif du trône. Et ses ordres sont d'occuper les *cazas* des Sept jusqu'à ce que la transition soit réalisée.

Ainsi, c'était la raison pour laquelle ses parents étaient partis dans leur carrosse la veille au soir. Chaque fois qu'un monarque mourait, les sept *cazarris* devaient se rejoindre au palais pour attribuer les reliques sacrées à l'héritier. Grâce à ses cours d'histoire, Risa savait que les objets enchantés devaient lui être accordés de façon unanime. Le prince Berto ne pouvait pas simplement s'emparer de la couronne et du sceptre ; ils ne pouvaient même pas être touchés par quelqu'un d'autre que le roi légitime approuvé par les Sept. Les Sept étaient la clé qui assurait une transition en douceur entre les dirigeants, réalisa-t-elle — ils étaient le pivot sur lequel reposait le délicat équilibre entre la volonté de la couronne et la volonté du peuple. C'était l'histoire en train de se faire.

— Je suis sincèrement désolée pour le roi Alessandro, dit-elle doucement. Mais ai-je un message ?

Fredo avança immédiatement.

— Peut-être devrais-je le prendre, petite cousine.

Il ajouta à l'attention de Tolio :

— Je suis le seul homme de sang Divetri dans la maison et je crois que mon cousin, le *cazarro*, voudrait que ce soit moi qui me charge de la *caza* en son absence.

L'indignation éclata comme le feu des fournaises dans la poitrine de Risa. Elle fut légèrement calmée par la vue de Milo, qui se tenait sur le côté, se moquant de l'expression supérieure de Fredo en louchant en plus. Par malchance, la garde blonde qui le supervisait aperçut aussi l'imitation. Elle claqua des doigts et ordonna à Milo de reprendre le travail.

– Je suis la seule Divetri de *sang pur* dans cette *caza,* rétorqua Risa, sans se soucier de cacher sa rage.

Pendant un instant, elle pensa voir de la haine dans les yeux de Fredo, mais ce devait être son imagination. Sa contenance était plus suffisante et complaisante que jamais.

– Je dois vraiment insister…

– Mattio, dit Risa, l'ignorant. Envoie un domestique à l'*insula* des Enfants de Muro. Je veux que mon frère Romeldo soit ici en l'absence de mon père, de façon à ce que nous puissions éviter des malentendus futurs.

Elle fut heureuse de voir que son ordre réveilla la vanité de Fredo.

Il dit :

– Je ne suis pas sûr que cela soit tout à fait nécessaire, cousine.

– Je crois que si.

– Ce sera avec plaisir.

Mattio parut grave tandis qu'il baissa vivement la tête et disparut par les portes de la *caza.* Bien qu'il ait toujours été courtois, Risa savait que Mattio ne portait pas son cousin dans son cœur.

Tolio regarda la missive pliée.

– Elle est adressée à la *cazarrina,* dit-il doucement.

Comme si ça résolvait l'affaire, il la tendit à Risa. Elle l'accepta, avec un air de triomphe. Le clin d'œil furtif de Milo la revigora un instant. C'était encourageant de sentir qu'elle avait un allié.

Elle remarqua immédiatement que le message n'avait pas été scellé. Tout le monde dans le personnel du palais pouvait l'avoir lu. À en juger par les traces de doigt sur le bord, quelques-uns au moins l'avaient fait.

Chérie,
Sache que tu me manques à chaque
heure qui passe. Ton père, Ero,
et moi sommes très bien reçus par Sa
Majesté, le prince Berto. J'apprécierais si tu pouvais apporter au
palais un cadeau d'hospitalité.
Profites-tu de la température ?
C'est mon sincère espoir
que nous continuions à avoir de belles journées.
– Giulia[3]

Sentant un mouvement derrière elle, Risa se retourna. Fredo se tenait au-dessus de son épaule, ses lèvres bougeant tandis qu'il lisait.

– Je serais honoré d'apporter un cadeau d'hospitalité au palais, dit-il, d'une voix humble.

Fita, qui s'était essuyé les mains à plusieurs reprises avec son tablier tandis qu'elle se tenait sur le seuil de la *caza*, se parla tout bas. Elle tapa des mains, ordonnant aux domestiques de la cuisine de la suivre pour commencer les préparations.

– J'apporterai le cadeau, dit sèchement Risa. La lettre m'est adressée à *moi*.

– Oui, peut-être que ce serait mieux, riposta Fredo. Tu t'occuperas de cette petite commission. Il vaut mieux que je m'occupe de la maison en l'absence du *cazarro*.

Avant que Risa puisse s'interposer, il ajouta :

3. Dans la version anglaise, la dernière lettre de chaque ligne donne le mot : hostages, qui signifie : otages.

– Jusqu'à ce que le cousin Romeldo arrive, bien sûr.

Elle savait que son père aurait désapprouvé, mais elle devait dire quelque chose.

– Ne me pousse pas à bout, cousin.

Elle était sur le point de rentrer d'un air digne dans la maison quand Tolio tapa dans ses mains.

– Un moment, *cazarrina*. Je dois vous assigner un garde.

– Un garde ?

Elle se tourna et regarda le capitaine, perplexe.

– Je suis sous surveillance ? Je ne suis pas libre d'aller et venir à ma guise ?

– Mes ordres sont que des gardes doivent être placés partout dans les *cazas* et sur leurs ponts, et que d'autres soient assignés aux membres des sept familles, répondit Tolio avec courtoisie. Vous n'êtes pas sous arrestation. Vous êtes libre d'aller et venir à votre guise, pendant le jour. La nuit, vous n'êtes pas autorisée à aller en ville. Pour votre sécurité, expliqua-t-il.

– Je suis heureuse de savoir que je ne suis pas sous arrestation, dit-elle sèchement.

La remarque passa inaperçue. Tolio appelait un volontaire parmi les gardes pour surveiller Risa. Après un moment pendant lequel personne ne répondit, le bras de Milo se leva mollement dans les airs, presque réticent. La garde blonde lui lança un regard perçant.

– Très bien, Sorranto, dit Tolio en faisant un signe de tête.

Risa soupira, incapable de croire à l'absurdité de se voir à la fois assigner un garde et que Milo soit volontaire.

– Très bien, alors. Mais *vous*, dit-elle à Milo, qui avait approché avec un visage feignant l'ennui, restez à dix pas derrière moi.

– Très bien, *cazarrina*, dit-il, d'une voix traînante. À votre guise, *cazarrina*.

11

Oui, je me suis levé sur la Escalier du requérant et j'ai levé les yeux vers la couronne d'olivier et le sceptre d'épines. Leur nom est modeste, oui, mais pas leur apparence, car ils sont faits d'or pur. Je n'ai pas osé lever mon bras pour tester leur poids, toutefois, car j'ai été prévenu que de puissants pouvoirs magiques les protègent du vol. Il paraît que jadis, l'enveloppe brûlée d'un corps qui avait essayé de partir avec eux avait été exposée au public devant le palais. Cette exposition fut si efficace, que depuis, personne ne tenta plus un tel exploit.

— Marcel Cloutier, ambassadeur de Charlemance
à la cour de Cassaforte

Quelque chose dans la lettre de Giulia embêtait Risa, mais elle ne parvenait pas à mettre le doigt dessus. Il était simplement étrange que sa mère écrive sur la température sans dire un mot sur la raison de leur absence prolongée. Il n'y avait pas d'excuses, pas d'instructions. Aucun mot de son père.

– Je ne comprends pas.

Risa sauta de la rampe du balcon. En dessous d'elle, dans les brises de mer de la fin de la matinée battait le drapeau pourpre et brun de Cassaforte. Elle arpenta les carreaux rouges et noirs, lut la lettre de sa mère pour la douzième fois et essaya d'oublier le stress et la tension des dernières 24 heures.

Devant elle, Milo s'éloignait quand elle approchait. Lorsqu'elle reculait vers la rampe, il avançait.

La seule chose qui semblait sincère dans tout ce message était la première phrase. Comme elles ne s'étaient pas vraiment parlé depuis l'Examen, on aurait dit que sa mère si douce lui disait maintenant combien elle lui manquait. Pourtant, il y avait quelque chose de *faux* ici. Était-elle la seule qui le voyait? Oh! où était Romeldo? Était-il trop honteux pour venir, après la colère qu'elle avait piquée il y a une semaine?

C'est avec détermination que Risa reprit sa marche sur le balcon. Mais elle se vit interrompue dans ses pensées par Milo qui s'éloignait d'elle.

– Pourquoi fais-tu toujours ça? dit-elle, s'arrêtant et posant ses mains sur ses hanches.

– Je te demande pardon, mais la *cazarrina* a demandé que je reste à dix pas d'elle.

Une bouffée d'air s'échappa de ses lèvres.

– Tu es exaspérant, s'exclama-t-elle.

Milo sourit.

– Tu as bien besoin de rire un peu.

– Pourquoi penses-tu ça?

Ses yeux verts la regardèrent de haut en bas.

– Ma mère dirait qu'un jour qui ne connaisse pas de rire ne vaut pas la peine d'être vécu.

Risa eut immédiatement une vision de la mère de Milo – une femme forte et maternelle qui restait à la maison à préparer des ragoûts, donnait des conseils et lavait sa tunique pourpre quand il rentrait.

— Tu es le genre qu'elle aimerait, ajouta-t-il.

Le garçon abandonna son attitude de garde rigide et s'appuya contre le mur.

— Le genre qui saute dans un canal après un mendiant. C'est une chose très spéciale que tu as faite. Je ne connais pas beaucoup de gens parmi les Sept ou les Trente, ou même parmi les gens ordinaires comme nous, qui auraient fait une chose aussi folle.

Risa se mit à rire, mais le cœur n'y était pas.

— Je n'ai rien de spécial.

— Ma mère dirait qu'il y a quelque chose de spécial en chacun de nous si on prend soin de le trouver.

— Si je rencontre ta mère, lui dit-elle, je lui prouverai combien je suis ordinaire.

— Ça va être difficile, médita Milo. Parce qu'elle est morte.

Après avoir vu son air bouleversé, il sourit à nouveau.

— Ne t'excuse pas. Tu ne pouvais pas savoir.

Il agita un doigt devant Risa et plissa les yeux, se préparant manifestement à marquer un point.

— Le fait qu'une personne soit morte ne veut pas dire qu'elle avait tort.

Il essayait clairement d'utiliser l'humour pour atténuer la gaffe. Pourtant, elle se sentait mal.

— C'est étrange que je te voie deux fois en deux jours.

Sa réponse fut tout ce qu'il y a de plus enjoué.

— Oh, ça n'est pas étrange du tout ! Quand ils ont assigné des gardes pour les *cazas*, je me suis fait pistonner pour venir ici.

— Pourquoi ?

Elle ne pouvait pas croire que quelqu'un puisse se faire pistonner pour elle.

– Pourquoi ? Pour pouvoir te revoir ! Nous avons sauvé la vie d'un homme ensemble. Je crois que si nous vivions avec les sauvages sur les *insulas* Azur, nous nous serions mariés.

Avant que Risa puisse protester devant cette parole si outrancière, il sourit.

– Mais je me contenterai de l'amitié.

Attendait-il quelque chose d'elle ? Cette simple idée la fit rougir. Peut-être qu'il lui tendait un piège pour l'utiliser dans une de ses blagues.

– Mais pourquoi ?

– Hum... Voyons voir...

Milo tapota son index sur son menton et feignit de penser à la question, bien qu'il délivrât la réponse comme si elle était évidente.

– Parce que je t'aime bien ?

Voyant qu'elle n'allait pas accepter une si simple explication, il pencha la tête.

– Tu es différente. Pour commencer, je ne connais aucune fille qui risquerait sa vie ou une blessure pour un mendiant. Je parle des filles qui ne sont pas des gardes, bien sûr. Elles sont généralement trop délicates. Toi, tu peux te défendre seule !

Risa sourit presque. Après avoir pensé ces derniers temps qu'elle serait pour toujours une tache noire dans la lignée des Divetri, entendre quelqu'un faire l'éloge de son indépendance était une nouveauté rafraîchissante.

– Eh bien, merci.

– Tu devrais fréquenter davantage ceux des Sept et des Trente.

Milo parada, imitant la démarche collet monté d'un vieil homme baissant les yeux vers son nez, une *cazarra* offensée par les odeurs de la rue qui couvre son visage avec un éventail, et une jeune demoiselle mièvre ricanant et se pomponnant devant une vitrine imaginaire. Cachée derrière sa main, Risa riait de ses imitations.

— Mais tu peux prendre de grands airs toi aussi, n'est-ce pas ? ajouta-t-il en lui souriant.

— Excuse-moi ?

Elle avait trouvé que son ton était plus froid.

— Excuse-moi ? dit Milo, l'imitant parfaitement.

Il lui prit la lettre des mains.

— Regarde.

Après avoir reculé de quelques pas, il redressa les épaules et repoussa des cheveux imaginaires.

— Je suis *heureuse* de savoir que je ne suis pas sous *arrestation*.

D'un geste théâtral avec la lettre de sa mère, il pointa son doigt vers la cité.

— Mattio ! Envoie un domestique sur l'*insula* *immédiatement* !

Les yeux de Risa s'agrandirent, et elle sentit une chaleur la traverser tout à coup. Pendant un instant, elle pensa qu'il se moquait sérieusement d'elle, mais la bonne humeur dans ses yeux éloigna ses intentions taquines. Elle commença même à rire un peu.

— Tu es plutôt impressionnante, quand tu fais ça, conclut Milo. Tu fais semblant ou c'est naturel ?

Risa sourit à nouveau, même si la façon dont il manipulait la lettre de Giulia la rendait nerveuse.

— Un peu des deux. Je dois le faire parfois, sinon personne ne me prend au sérieux !

— Surtout ton cousin.

Milo siffla.

— Par rapport à lui, même un citron semblerait sucré !

Il continuait à la faire rire. Sa dernière phrase, cependant, la fit se rappeler les constantes interdictions de son père de taquiner Fredo. Involontairement, elle mit une main sur sa bouche.

— Tu es pire que Petro, dit-elle.

— Qui est-ce ?

— Mon plus jeune frère.

— Où est-il ?

— Sur l'*insula* des Pénitents de Lena.

Ses sourcils s'unirent en signe de confusion.

— Pourquoi n'es-tu pas avec lui ?

Ces mots la transpercèrent comme une flèche en plein cœur. Elle avança sa mâchoire, prit une profonde inspiration et dit assez calmement :

— Ils n'ont pas voulu de moi. Ni sur l'*insula* des Enfants de Muro.

— Oh ! dit-il en haussant les épaules. Ça n'est pas une grande perte.

— *C'est* une grande perte ! s'exclama-t-elle.

Il était ridicule de penser qu'un banal garde de ville puisse comprendre.

— J'ai attendu toute ma vie pour y être admise !

— Tu as bien mieux à faire que de perdre ton temps là-bas.

Le ton de Milo impliquait qu'il savait de quoi il parlait.

— Tout le monde connaît les *insulas*.

— Que connaît-*on* d'elles ? s'écria-t-elle, essayant d'étouffer son désarroi.

— Ce ne sont que des écoles privées pour les riches, n'est-ce pas ? Oh ! on y enseigne les enchantements, je te l'accorde, mais elles ne servent en fait qu'à garder les plus jeunes membres des Sept et des Trente à l'écart. On les garde occupés à gérer des ateliers pour que les fils aînés puissent enfin s'installer avec leur famille dans la *caza* et en hériter sans entrer en compétition avec leurs frères et sœurs. C'est une façon de préserver la paix dans les familles, n'est-ce pas ? On les habille tous de robes de cérémonie sophistiquées pour que ça ait l'air important. Tu n'as pas besoin de toutes ces bêtises.

Risa cligna des yeux sans répondre. Il était vrai que les frères et sœurs ne revivaient jamais dans leur *caza* après avoir quitté les *insulas*. Ils y menaient des recherches ou entraient dans les ordres, ou allaient dans des ateliers dans des villes plus petites ou à la campagne. L'idée qu'une telle tradition fut un moyen de réaliser la succession requise de la *caza* ne lui était toutefois jamais venue à l'esprit.

— Je n'en ai pas besoin ? finit-elle par dire.

Milo secoua la tête.

— Ma sœur et moi avons eu notre propre petit club privé une fois. Il fallait connaître le mot de passe pour pouvoir entrer. Ça nous faisait sentir à part. On s'envoyait des messages codés, on ramassait des cotisations et…

— Oh !

Il avait dit quelque chose qui l'avait abasourdie — sa peau la picota et elle frissonna comme si elle avait été frappée par la foudre. Elle eut du mal à trouver quoi faire en premier.

— Donne-moi la lettre !

— Pourquoi ? demanda-t-il en la lui tendant. Je ne vais pas la déchirer.

— Je sais, je sais !

Elle mit le papier à plat. Pendant un moment, elle l'étudia de près. Quand elle releva les yeux, elle pleurait.

— Milo, dit-elle, ayant du mal à faire sortir les mots. Ma famille a de terribles ennuis, vraiment terribles.

12

Les livres des Catarre rendent le peuple avisé.
Les tours de Portello égratignent le ciel.
Les gens du monde entier sont heureux d'aller
voir les tableaux des Buonochio officiels.
Les Piratimare renforcent les bateaux
de l'avant à l'arrière.
Le travail du verre des Divetri, celui des épées des Dioro.
Et les Cassamagi charment avec les mots de la terre.

— Une vieille comptine

– Doucement, petite Risa. Tu es à bout de nerfs.

L'atelier était rempli de l'odeur âcre du verre détrempant dans les fournaises. Le cousin Fredo lui sourit.

– Nous le sommes tous, bien sûr, avec la mort malheureuse du roi. Peut-être que tu devrais aller t'étendre.

– Mattio, dit-elle, tu vois ce que je vois !

– Il n'y a aucun doute.

Mattio grommela de sa voix grave en lisant le message. Il laissa son doigt parcourir les dernières lettres de chaque mot :

o t a g e s[4]

– Otages, souffla Risa.

Quand le cousin Fredo inspira soudainement, elle ressentit une curieuse satisfaction.

– Elle devait savoir que ce qu'elle écrirait serait contrôlé, alors elle a utilisé le code de Petro, dit doucement Mattio.

– Mais pourquoi écrire alors ? demanda Fredo.

Emil et Mattio le regardèrent.

– Ils ont dû être obligés d'écrire quelque chose pour ne pas qu'on s'inquiète. C'est sûrement le prince qui les détient, raisonna Risa. C'est de lui que les gardes ont reçu des ordres.

Elle regarda Milo pour recevoir une confirmation, puis se souvint qu'il n'était pas aussi convaincu qu'elle du danger. À sa question implicite, toutefois, il acquiesça d'un signe de tête.

– *Cazarrina*, c'est une affaire de famille, dit Fredo, se frottant les mains. Je ne pense pas que ça concerne d'autres personnes que nous quatre – et ton frère, bien sûr. Manifestement…

Il fit un geste de la tête vers le garde.

– Allons, Fredo, ne soyons pas *inhospitaliers* avec nos invités, murmura Risa, malgré son inquiétude.

Elle prit un certain plaisir à voir un sourire moqueur traverser rapidement les lèvres de Milo.

– Vous avez entendu le capitaine Tolio. Je dois être surveillée. Je n'ai pas le choix dans les circonstances.

Elle se retourna vers Mattio.

– As-tu des nouvelles de mon frère ?

4. Hostages dans la version originale anglaise.

— Le serviteur vient juste de partir, dit l'artisan. Votre frère devrait être ici dans l'après-midi.

— J'espère bien, dit une voix de femme sur le seuil.

C'était Fita, qui semblait encore une fois mécontente.

— La moitié des domestiques pleurent dans un coin la mort du roi Alessandro, même ceux qui sont trop jeunes pour se rappeler la dernière fois qu'il s'est aventuré à l'extérieur du palais. L'autre moitié a peur des gardes. Le *cazarro* aurait dû organiser les choses ! Tout le monde respecte le *cazarro* !

— Comme il faudra du temps avant que Romeldo arrive, *cazarrina*, dit Fredo en soupirant, je m'occuperai de cette situation hautement instable.

— Bien ! Au moins, quelqu'un s'en occupe ! dit Fita.

— Non. Vous n'êtes pas du même sang.

Risa sentit son visage rougir.

— En raison du mariage fâcheux de mon père, je ne fais pas partie des Sept ou des Trente, ma petite fille, mais je *suis* assurément du même sang.

Il s'arrêta, la défiant de contester.

— Tu n'as que seize ans. Et tu es du sexe faible. Ton père... ton *père*, insista-t-il tandis que la colère de Risa la pressait de tenter une interruption, serait sûrement plus à l'aise s'il savait que la *caza* Divetri était prise en charge par un homme tel que moi.

— Je sais que je le pourrais !

La gouvernante sembla béate quand Risa émit son opinion.

Elle lança un regard furieux à Fita. Quand elle se retourna et croisa les yeux de Mattio pour lui demander son aide, il secoua la tête. Il était d'accord avec elle en privé, mais il semblait penser qu'il était inutile d'argumenter avec Fredo. Peut-être qu'il avait raison. Son père avait toujours maintenu qu'aucune femme ne gèrerait la *caza* Divetri. Il pourrait même penser qu'elle apporterait le déshonneur à la *caza* si elle persistait. Même Romeldo rirait probablement de ses tentatives de diriger la *caza*. Si seulement ils n'étaient pas si inflexibles et vieux jeu !

D'une voix calme, elle dit à Fredo :

– Je ne prévois pas rester là à ne rien faire pendant que…

Elle baissa la voix pour que Fita ne puisse pas l'entendre.

– … pendant que mes parents sont en danger.

– Nul besoin d'être oisive, petite cousine, dit Fredo soudain tout gai. Tu peux superviser les cuisines et apporter le cadeau d'hospitalité au palais cet après-midi. C'est un travail approprié pour une jeune fille qui a du temps libre. Moi, pendant ce temps, je serai dans le bureau de ton père. Vous deux, retournez au travail !

Emil plissa les yeux devant cet ordre soudain et Mattio souffla distinctement. Leurs mâchoires se relâchèrent quand Fredo sortit majestueusement de la pièce. La colère de Risa lui donnait envie de lancer quelque chose à son cousin rempli de suffisance et de supériorité.

– Il n'a pas le droit ! finit-elle par grommeler.

– Pas avec Romeldo qui arrive, approuva Mattio. Il vient probablement directement à la maison !

– J'ai dit que nous pourrions *utiliser* un homme qui prenne la maison en charge quand le maître est absent, riposta Fita. Qu'il place un simple enfant… sans vouloir vous offenser, mais qu'il vous mette en charge des cuisines, ça me dépasse. Votre mère était toujours trop occupée avec ses magnifiques fenêtres – que Dieu la bénisse –, pour vous apprendre…

– Je vous ordonne de prendre Dom comme domestique en cuisine, et tout de suite, dit Risa, soudain très fatiguée des critiques permanentes de la gouvernante.

Fita laissa échapper un cri rauque.

– Ce vagabond crasseux ? Jamais, *cazarrina*, et c'est mon dernier mot.

– Vous n'avez pas le choix, dit sèchement Risa. Si vous admirez le cousin Fredo tant que ça, vous n'avez pas le choix de m'obéir. Il a fait de moi votre chef. Trouvez quelqu'un pour laver Dom, s'il déplaît à votre nez. Donnez-lui de vieux habits. Je sais que vous *pouvez*. C'est juste que vous ne *voulez* pas.

– Il n'est apte à rien !

– Faites-lui laver les fruits et les légumes, cria Risa, trouvant quelque chose au hasard. Si je pouvais le faire alors que j'étais plus jeune que Petro, c'est une tâche que Dom peut faire aussi.

Les narines de Fita s'évasèrent devant l'arrogance de Risa.

– Très bien ! dit-elle, manifestement contrariée. Si c'est ce que vous voulez, *cazarrina*.

– C'est ce que je veux !

Risa secoua la tête, encore en colère. Il y avait assez d'exclus dans la *caza* Divetri. Si personne ne l'aidait, elle pouvait au moins aider quelqu'un. Quand Romeldo arriverait enfin, il mettrait de l'ordre dans l'affaire – et Risa savait déjà ce qu'elle lui dirait à propos de son cousin.

13

Ma chère ! Ce fut le scandale de l'été quand ce violoniste – tu te souviens, le bel homme ? – fut renvoyé au pays d'Azur. Apparemment, son instrument était un Cassamagi. Du moins, je crois que c'est comme ça qu'on l'appelle, car c'était un nom étranger, mais l'important, c'est qu'il était enchanté. Le violoniste l'avait soi-disant utilisé pour se faire connaître grâce à son charme et devenir maître de concert. Quel dommage, il était si beau, et sa façon de jouer était la seule raison pour laquelle je pouvais supporter la musique de chambre.

— DAMA VANESSA INNSBRUCK, DANS UNE LETTRE À LA TRÈS HONORABLE MONICA CHUBB

– Vous avez besoin d'un garde pour entrer dans la ville, dit Tolio.

Il regarda Risa avec un froid détachement.

– J'ai un garde. J'ai un garde qui m'a suivie toute la matinée, répondit-elle, contrôlant son humeur.

Il était absurde qu'on la surveille à tous les moments de la journée. Ses parents lui manquaient et ils étaient en danger. En plus, elle devait perdre du temps à argumenter avec ce capitaine entêté ! Elle était plutôt contente que ce soit Milo qui ait été désigné jusqu'à présent pour lui tenir compagnie. Son culot lui rappelait Petro. Toutefois, même une compagnie agréable ne pouvait lui faire oublier l'urgence de sa mission.

– Il vous en faut un autre, dit Tolio, à présent ennuyé.

Il se remit à tailler un piquet. Les résidus tombaient en une petite pile sur les carreaux de la cour.

– Qui prendriez-vous pour ce travail, Sorranto ? demanda-t-il tout en plissant les yeux en direction de Milo.

Milo se tenait appuyé nonchalamment sur le mur, à suçoter un long brin d'herbe, semblant à peine prêter attention à ce qui se passait.

– Quoi ? Moi ? Oh ! assurément Eli, Monsieur.

Il sourit à un autre garçon de son âge, qui jouait aux dés dans un coin.

– Eli et moi saurons très bien nous débrouiller.

– Ah bon, vous croyez ? dit Tolio en souriant tandis que Risa saisit que c'était le sourire d'un homme qui tendait un piège.

– Ainsi, vous deux, vous surveilleriez la *cazarrina* de près ?

– Oui, monsieur !

Milo se pencha en avant et baissa la voix.

– Surtout, ne m'envoyez pas là-bas avec Camilla, monsieur. N'importe qui sauf elle.

Tolio lui fit un clin d'œil complice, inclinant la tête vers la jeune femme en question. Risa l'avait remarquée plus tôt dans la journée. Elle se livrait à des exercices d'escrime, du moins d'après ce pensait Risa. Elle semblait être dans son monde. Après s'être assurée que personne n'était dans les environs immédiats, elle avait commencé à agiter son épée autour d'elle dans une sorte de danse. La lame s'enfonçait, se dégageait et tournoyait dans les airs de façon presque hypnotique, brillant au soleil quand elle la faisait virevolter habilement.

– N'importe qui sauf Camilla, hein ? Et pourquoi cela ?

– Vous savez comment elle est, monsieur. Un peu rabat-joie.

Le piège venait de se refermer. Tolio se leva d'un bond.

– Camilla est la meilleure des jeunes gardes que j'aie vue depuis longtemps ! hurla-t-il.

Derrière lui, la garde cessa son jeu d'épée et se retourna, avec défi.

– Vous feriez bien de suivre son exemple ! Pas question que vous alliez au palais avec Eli. Ni maintenant ni jamais ! J'envoie Camilla avec vous pour vous avoir à l'œil !

– Mais, monsieur, protesta Milo, manifestement embarrassé.

– Ça suffit, Sorranto. Camilla ! Vous m'avez entendu ? Remettez vos exercices à plus tard. Emmenez *celui-ci* en ville avec la *cazarrina*. S'il fait la moindre bêtise, je... je... je ferai *quelque chose*, c'est ce que je ferai. En fait, restez avec lui pour le reste de la journée. Non ! dit-il quand Milo protesta. Restez avec lui pour *le reste de notre séjour ici* !

Des morceaux de son piquet volèrent dans toutes les directions quand Tolio recommença à le tailler. La colère de Risa fut si intense pendant un moment qu'elle en oublia ses parents. Milo semblait abasourdi. La blonde Camilla mit l'épée dans sa gaine et ramassa une paire de gants, manifestement irritée. Elle s'éloigna, l'air renfrogné.

– Allons-y, dit-elle.

Risa comprit qu'elle était très mécontente.

Risa les guida à travers la *caza* jusqu'à ce qu'ils atteignent la cour des écuries. Elle avait presque l'impression de ne pas aller assez vite. À l'arrière du chariot attelé aux mules, Fita avait déposé des paniers remplis de nourriture et de vin. Assez pour une semaine, apparemment. Mais ses parents ne resteraient probablement pas absents si longtemps. Ils ne le pouvaient simplement pas.

Ce ne fut qu'une fois en route qu'ils se mirent à parler. Le chariot était en train de traverser bruyamment le pont inférieur Divetri. Camilla, qui tenait les rênes à l'avant, tourna la tête et grommela à Milo :

– Est-ce que tu dois *toujours* faire les choses à ta manière ?

– Pas *toujours,* dit Milo en revêtant un grand sourire. Juste quand ça me convient, c'est tout.

Les roues du chariot vibraient tandis qu'elles roulaient bruyamment sur la place publique. Camilla inclina la tête avec brusquerie devant les gardes aux manteaux pourpres qui bordaient l'entrée du pont. Hors de portée de voix, elle continua :

– Ça te convient tout le temps. C'est ça le problème.

– Je ne pensais pas que ça t'intéresserait, Cam…, répondit Milo. Toutes ces choses ennuyantes qu'il te fait faire. Tu devrais un peu changer d'activité.

– Mère ne t'a donc rien appris ? Toutes ces tâches ennuyeuses apprennent à diriger. Et quand on sait bien diriger, on est promu.

– Je sais, je sais. Mais le métier de garde ne peut pas être juste un travail de gestion.

– Le métier de garde ne consiste pas qu'à fanfaronner non plus, répliqua Camilla.

Risa intervint, étonnée par leur conversation :

– Elle est ta ?…

– Sœur, dit Milo. Tu n'avais pas deviné ? Nous avons le nez des Sorranto.

Assis sur le banc arrière, il se pencha en avant et colla sa tête entre les deux filles pour que son visage se retrouve parallèle à celui de sa sœur. Risa remarqua une similarité particulière dans leur profil. Leur nez, leurs yeux verts et leurs cheveux blonds au cou étaient si identiques qu'ils auraient presque pu être jumeaux. Camilla était plus grande, toutefois, et son expression était plus sévère. De sa main, elle couvrit le visage de son frère et le repoussa. Il atterrit sur le banc arrière avec un bruit sourd.

– Ne sois pas si grognon ! se plaignit Milo. Tu devrais me remercier.

– Pourquoi diable devrais-je te *remercier* ?

– On va pouvoir s'arrêter après et voir Amo, voilà pourquoi.

La bouche de Camilla se tordit en une expression non identifiable, mais elle garda les yeux sur la route en avant et ne dit rien.

– Risa s'en fiche, n'est-ce pas, Risa ?

Les sourcils de Camilla se dressèrent légèrement à ces paroles.

– Je suis sûre que la *cazarrina* préfèrerait qu'on fasse ce qu'on a à faire et retourner chez elle.

La légère insistance qu'elle mit sur le titre de Risa sous-entendait sa désapprobation quant à la familiarité de Milo.

– Ça ne me dérange pas qu'il m'appelle Risa. Même toi. Vraiment, je m'en fiche, dit Risa à Camilla.

– Elle n'est pas guindée, comme la plupart d'entre eux, dit Milo, se penchant en avant. Tu aurais dû la voir dans le canal hier, à essayer de sortir un vieux mendiant de l'eau. C'était incroyable !

– Oh ! dit Camilla. C'est pour elle que tu as fichu en l'air ton uniforme ?

— Ça en valait la peine!

Rougissant légèrement devant les effusions de Milo, Risa les interrompit.

— S'il vous plaît. Nous devons aller au palais.

Pendant presque une seconde, la peur pour ses parents ne l'avait pas tenaillée. Puis, l'anxiété qu'elle ressentait dans son estomac la fit se sentir tendue et amère à nouveau.

— Tout va bien aller, dit Milo pour la douzième fois depuis qu'elle lui avait montré le message caché dans la lettre de Giulia. Si quelqu'un... je ne sais pas... des Vereinigteländers fous ont pris tes parents en otage dans le palais, les gardes le sauraient, non?

En réponse à la question, Camilla hocha la tête.

— Et pourquoi le prince serait-il impliqué? Ses parents ne sont là que pour la succession. Parfois, ça prend du temps, n'est-ce pas?

Camilla acquiesça en silence une nouvelle fois tandis que Risa soupira. Ça avait du sens.

— Je sais que tu es inquiète, mais je suis sûr que tu trouveras une explication logique.

— J'espère que vous avez raison, admit Risa.

— Bien sûr que oui, tu verras. Après, nous rendrons visite à Amo.

Camilla lui lança un regard furieux.

— Ça ne sera pas long! marmonna Milo, qui se rassit et resta calme.

Pendant les quelques minutes de silence qui suivirent, ils roulèrent à travers la ville. Camilla était assise droite et fière, l'uniforme et la casquette impeccables. Elle était la représentation parfaite du garde de ville. Milo était aussi assis en silence, bien droit, mais, chaque fois que Risa se tournait pour le regarder, elle distinguait une vivacité particulière dans ses yeux devant les attractions de la ville. Il semblait hypnotisé par les magasins, les vendeurs de rues et les passants qui se mettaient sur le côté pour laisser le chariot Divetri passer. Elle connaissait ce regard ; elle l'avait souvent elle-même. C'était l'amour de Cassaforte – ses attractions, ses odeurs, ses habitants. Elle s'était souvent sentie ainsi. De temps en temps, quand elle se tournait, son regard affectueux rencontrait le sien.

Tandis qu'ils s'approchaient du centre de la ville, elle aperçut le palais à travers les dédales d'édifices et de ponts. Au début, elle ne pouvait voir que le sommet de ses grandes colonnes rouges et la courbe de son dôme, plusieurs étages au-dessus du sol. Mais, quand ils entrèrent sur la place bondée au centre de la ville, le palais apparut soudainement devant eux. Les architectes de la *caza* Portello avaient conçu la structure pour que les ouvertures aux étages inférieurs soient les plus étroites possibles ; cette construction s'était montrée très précieuse lors des rares fois où Cassaforte avait été assiégée. Entre ces fenêtres nombreuses et étroites se trouvaient des niches avec des statues, l'endroit de repos privilégié des moineaux qui affluaient sur la place pour chercher de la nourriture. Les étages les plus élevés avaient d'élégantes fenêtres à vitraux qui s'ouvraient largement.

Bien que le palais ait apparu serein et beau comme toujours, aujourd'hui, il revêtait un aspect plus inquiétant aux yeux de Risa. Il semblait peser sur la place alors que son ombre se projetait sur la foule grouillante en plein après-midi. Le majestueux dôme était masqué par le soleil. Quelque part dans ce palais se trouvaient ses parents. Pouvaient-ils la voir depuis les fenêtres ou étaient-ils gardés prisonniers dans une minuscule cellule ? Cette simple pensée lui était à peine tolérable.

— Pourquoi n'allons-nous pas à l'entrée ? demanda Risa quand Camilla donna un coup sec sur les rênes pour les emmener vers le mur ouest.

— Personne n'utilise la grande entrée, dit Camilla. Nous déchargerons le chariot derrière.

Pendant un instant, Risa pensa souligner qu'elle avait utilisé la grande entrée chaque fois qu'elle avait accompagné sa mère au palais pour l'installation d'une fenêtre. Mais elle décida de se taire. Après le compliment de Milo, elle ne voulait pas que le frère et la sœur pensent qu'elle était prétentieuse.

Le chariot avança lentement de la place au pont qui traversait le canal jusqu'à la façade ouest du palais. Milo sauta hors du chariot et marcha à côté afin de guider les mules vers une petite cour à l'intérieur des murs du palais. Camilla et lui saluèrent tous deux de la tête le seul garde posté là.

En quelques minutes, les domestiques du palais commencèrent à décharger les paniers du fond du chariot. Risa observait la scène depuis son perchoir dans la calèche tandis que Milo les aidait vigoureusement, faisant descendre les paniers de pains et de fruits ainsi que les boîtes de vin qui s'entrechoquaient avec fracas. Quand les autres domestiques et Milo arrivèrent au dernier panier, Risa cria :

— Faites attention avec celui-ci, s'il vous plaît !

Elle se tourna vers un domestique de la cuisine :

— Ce panier doit être livré directement à ma mère et à mon père. C'est bien compris ?

— Qu'a-t-il de si spécial ? demanda le domestique.

Milo sauta sur le chariot et apporta le panier à Risa.

— C'est juste que ce sont les raisins préférés de ma mère, répondit-elle, en l'ouvrant.

Elle avait préparé les raisins avec quelques poires et d'autres fruits, dans un des bols qu'elle avait fabriqués elle-même — un beau bol d'un bleu soutenu avec des roses rouges sur le bord. Elle l'avait emballé dans un des paniers les plus épais pour le garder au frais.

— S'il vous plaît, amenez-le-lui directement.

Le domestique inspecta les fruits et souleva légèrement le bol comme s'il cherchait une arme cachée. Il ouvrit la note qu'elle y avait jointe et la lut :

Maman
Tout va bien. Je ferai votre
sacrifice au temple plus tard, alors
ne vous inquiétez pas. J'espère que papa
et toi profitez de votre
visite au palais. Fita
vous envoie son affection et
Mattio et moi, vous embrassons.
– Risa[5]

Satisfait qu'il n'y ait rien dans le panier en dehors des fruits et du verre, le domestique replaça le bol et hocha la tête. Risa soupira avec soulagement. Au moins, le bol permettrait à ses parents de savoir qu'elle avait préparé les paniers elle-même et qu'elle pensait à eux.

Quand le dernier domestique disparut, les épaules de Risa s'affaissèrent. Depuis plus d'une semaine, elle se sentait impuissante et morose. La dernière fois qu'elle avait vu son père, ils s'étaient disputés — et sévèrement. Elle savait que si quelque chose leur arrivait, elle ne pourrait jamais se le pardonner.

---

5. Dans la version anglaise, la dernière lettre de chaque ligne donne le mot : courage, qui a la même signification en français.

Milo sauta sur le banc à l'avant du chariot près de sa sœur. Tandis que Camilla poussait les mules à avancer, il se tourna et regarda Risa.

– Tout ira bien, dit-il, essayant par ces mots de lui donner le même courage qu'elle avait souhaité à ses parents. Ça va devenir une de ces choses dont tu riras quand tu réaliseras que tu t'es inquiétée pour rien.

Elle hocha la tête.

– J'espère.

– Je crois que tu as vraiment besoin d'un changement de décor. Faisons plaisir à Camilla et emmenons-la voir son gros et costaud soupirant.

Risa allait protester quand Milo ajouta :

– Oh! ne dis pas non. Ça ne prendra pas plus de vingt minutes. Ils rêvent l'un à l'autre. Il l'embrassera quand il pensera qu'on ne regarde pas, puis toi et moi éclaterons de rire et on s'en ira. Tu as encore envie de rigoler, je suppose. Ouch!

Il frotta l'endroit sur son épaule où Camilla l'avait frappé avec ses jointures.

– Je dois rentrer chez moi, dit Risa, se sentant prise comme dans un étau.

– Pourquoi? dit Milo. Pour pouvoir voir ton cousin se pavaner comme un des paons du roi? Ça va te faire du bien, c'est sûr!

Il baissa la tête et remonta le bout de son nez avec son doigt pour imiter Fredo. Bien qu'elle n'eût pas ri, Risa répondit par une grimace sarcastique avec sa bouche.

– Et ta gouvernante! Ça va te faire du bien d'entendre sa voix perçante dans tes oreilles, c'est sûr!

Il se tourna vers sa sœur.

– On dirait un chat à qui on aurait marché sur la queue.

Risa grommela.

– Pas du tout.

– Si ! affirma Milo. Elle me donne envie de me couper les oreilles avec un poignard pour que je ne puisse plus l'entendre.

Il pivota sur son siège à nouveau, manquant de se retrouver catapulté sur le côté quand le chariot heurta une ornière.

– Ne t'inquiète pas. Je comprends pourquoi tu veux rentrer chez toi au lieu d'emmener Cam voir son gros mâle avec des mains énormes.

– Milo, ne me mêle pas à ça, dit Camilla pas du tout amusée. Tu veux juste voir Ricard et sa bande. Et puis, Amo n'a pas des mains énormes !

– Elles sont comme des grosses… en fait comme des gros gigots de mouton.

Milo chuchota une moquerie sur le banc tout en mesurant la longueur d'une partie de son bras. Camilla tenta de le faire tomber du chariot.

– Tu vois comment elle me traite !

Leurs singeries visaient à égayer son esprit. Risa aurait aimé mieux connaître ses frère et sœurs plus âgés. Les Trente n'avaient jamais le luxe de ce genre de rapprochement. Et Milo avait raison. Il était impossible de dire combien de temps il faudrait à Romeldo pour arriver de l'*insula*. Regarder Fredo se délecter de ses nouvelles fonctions, l'air triomphant, serait cruel.

– Je veux bien faire un détour, dit-elle. Mais un *petit* détour.

S'ils avaient été à pied, Milo aurait fait la roue tellement il était heureux.

– Tu remercieras la *cazarrina*, Camilla.

– Merci, *cazarrina*, répéta Camilla, sans tourner la tête, mais en la hochant rapidement. Et pas de remerciement pour toi, dit-elle à Milo. Il est évident qu'elle serait mieux chez elle que dehors avec des gens comme *nous*.

Elle entendit la jeune femme ajouter d'une voix plus discrète :

– Toutefois, je ne comprends pas toute cette inquiétude à propos de ses parents. Ils sont juste là pour transmettre la couronne au nouveau roi. Ça doit être d'un ennui !

Milo leva les sourcils, puis demanda la permission à Risa. Elle opina et fit semblant de regarder les gondoles passer plus bas.

– Il y a plus que ça, murmura Milo à l'oreille de sa sœur.

14

Je viens juste de voir une pièce écrite entièrement en rimes, intitulée BARNACLE BARABBO : UNE TRAGÉDIE NAUTIQUE EN SEPT ACTES, *écrite (j'emploie le terme librement) par un homme se proclamant « poète du peuple ». La seule tragédie, c'est que je ne puisse plus jamais ravoir cette soirée de ma vie.*

— AMARETTA DI PONTI, DANS UNE LETTRE
À RENALDA SETTECORDI DES TRENTE

– Je ne crois pas que nous devrions entrer alors que nous sommes en service, dit Camilla quand ils s'arrêtèrent devant un édifice vieillot. Ça ne serait pas bien.

– Je vais juste jeter un coup d'œil pour voir qui est là, suggéra Milo, sautant de son siège et atterrissant sur le sol avec grâce. On n'est pas censés entrer. Si un capitaine arrive, dis-lui que nous voulons simplement ramener un pichet de cidre à ton cousin, dit-il à Risa avec un clin d'œil.

– Il plaisante, dit Camilla, qui se retourna légèrement.

— Je sais, répondit Risa tandis que Milo passa sous une arche en baissant la tête, puis disparut dans une ruelle pavée étroite.

Elle ne s'était jamais aventurée auparavant dans ce labyrinthe de petites rues et de canaux vieux de plusieurs siècles avec des murs fissurés où poussaient de la mousse et des herbes. Les rues ici étaient boueuses et les édifices, érodés et biscornus. Deux enfants, les mains et le visage sales, les regardaient depuis l'autre côté de la rue. Quand Risa essaya de leur sourire, ils tournèrent la tête et s'enfuirent, pieds nus.

Camilla s'éclaircit la gorge et regarda directement Risa pour la première fois.

— Je suis désolée que tu t'inquiètes pour tes parents, bégaya-t-elle.

Risa hocha la tête, à la fois apaisée et embarrassée par sa compassion.

— Si Milo en fait trop — comme je le crois —, je sais que tu fais partie des Sept et que nous ne sommes que…

— J'aime bien Milo, dit Risa simplement.

— Tu *es* différente, dit Camilla, semblant surprise. Je ne peux pas imaginer quelqu'un d'autre des Sept ou des Trente dire qu'ils *aiment* bien un garde.

Elle s'arrêta, cherchant le bon mot.

— Nous ne sommes pas le genre habituel de personnes avec qui les gens de ton monde créent des liens, tu sais.

Bien qu'elle ait su que Camilla voulait lui faire un compliment, Risa lui en voulut de la tenir pour responsable des mauvais comportements des autres. Manifestement, les habitants de Cassaforte pensaient que les gens des Sept et des Trente étaient arrogants et distants. Bon nombre l'étaient.

— Ma famille… Nous ne prenons pas part aux fonctions sociales des Trente. Peu de gens des Sept le font, dit-elle. Les

Sept sont des familles d'artisans. Nous travaillons. Plusieurs des Trente sont différents.

Camilla la regarda de biais et opina maladroitement. Pendant un instant, Risa craignit que sa déclaration catégorique des faits l'ait offusquée. Avant qu'elle puisse s'expliquer, un bruit de pas rapides résonna dans la rue fermée, suivi du rire de Milo. Il sortit à toute vitesse de l'arche, respirant difficilement.

– Je t'ai eu, dit-il au garçon qui le suivait.

– Je t'ai laissé gagner, idiot, dit le garçon.

Il avait le même âge que Milo ou un peu plus vieux et portait une tunique officielle aux couleurs vives incrustée de galons jaunes éclatants. C'était un costume créé pour attirer l'œil – le costume des amuseurs de rue. Il s'arrêta net quand il aperçut Camilla, puis Risa, toutes deux encore assises dans le chariot. Son regard se fixa sur Risa, sur sa robe élégante et ses longs cheveux brun rouge étalés sur ses épaules.

– Belle dame, souffla-t-il, la bouche béante d'extase.

Il toucha la mèche de cheveux noirs retombant sur son front et se baissa pour saluer.

– Je mourrais pour vous.

– Oh, non ! gémit Camilla.

Le garçon la foudroya du regard avant de se retourner vers Risa.

– Magnifique, vous êtes, et belle. Un coquelicot qui donne des ailes !

Il s'approcha du chariot, mit ses mains sur le rebord et les regarda, émerveillé.

– Mon cœur bat – que nenni, bat la chamade ! De déposer sur vos lèvres, une accolade !

Consternée, Risa regarda le garçon. Il tourna la tête de côté.

— Milo, chuchota-t-il, tu ne m'avais pas dit que ta dulcinée était si belle.

Risa regarda Milo d'un air implorant. Son visage revêtait une expression qu'elle ne lui avait jamais vue auparavant ; elle pensa que c'était la première fois qu'elle voyait le jeune garde à moitié furieux. Elle finit par trouver les mots.

— Il ne l'a pas fait…, dit-elle.

Quand elle entendit sa voix trembler, elle prit un moment pour respirer avant de continuer.

— Il ne l'a pas fait parce que je ne le suis pas.

— Oh, mademoiselle, mais vous l'*êtes* ! dit le garçon. Un jour, des batailles seront menées en votre honneur. Des hommes se battront ne serait-ce que pour une mèche de vos cheveux. Des empires seront perdus pour l'honneur d'embrasser cette main à la peau si blanche !

— Ricard ! dit Camilla. Ferme-la. C'est à la *cazarrina* Divetri que tu parles, pas à une quelconque domestique, un peu idiote.

— Pauvre Ricard ! Il tombe seulement amoureux de celles qui sont inaccessibles maintenant, Camilla, dit une autre fille.

Elle émergea de la rue, accompagnée d'un grand homme à l'air renfrogné.

— Les servantes ne représentent pas un tel défi.

Le garçon se tourna et fronça les sourcils.

— Le poète du peuple te demande de cesser, sœurette, entonna-t-il froidement.

— Oh, cesse toi-même ! Je déteste quand tu commences avec tes vers blancs. Ça me donne mal aux dents. Bonjour, je m'appelle Tania. La jumelle de Ricard, crois-le ou non.

La jeune fille se pencha par-dessus l'épaule de Ricard et tendit la main pour la saluer.

— Et tu es la *cazarrina*. Milo nous a parlé de ton aventure d'hier.

Risa vit Milo regarder par terre, embarrassé.

— Ignore le poète du peuple, tout simplement, lui conseilla-t-elle. Il tombe facilement amoureux.

Ricard maugréa quelque chose d'inaudible.

— On ne s'est pas déjà vues quelque part ? demanda Risa à Tania.

Depuis que Tania était sortie de l'arche, elle pensait la connaître. Elle avait déjà vu ses cheveux noirs bouclés descendant en cascade sur son dos, ses lèvres pulpeuses et ses yeux rieurs.

— C'est possible, dit Tania. Je suis modèle pour les artistes. Et actrice.

— Oh, bien sûr ! La servante de Lena !

Le gigantesque tableau de Dana Buonochio avait été suspendu dans la grande antichambre du temple de la déesse, l'année passée. Le portrait d'une jeune femme prostrée devant une statue de la déesse de la lune avait été acclamé comme étant le travail le plus délicat de la *cazarra*. Et voilà qu'elle se trouvait devant la servante elle-même, qui n'avait rien de l'image parfaite de l'adoration muette, mais qui était épanouie, pleine de vie et de dynamisme.

— Parmi d'autres, oui. Je suis très heureuse que tu m'aies reconnue ! Salut, Cam. Tu as l'air en forme !

Tandis que Camilla sautait du chariot, Tania lui donna un rapide baiser sur la joue.

Ricard tendit la main, la paume vers le haut, attendant Risa.

— Descendez sur terre, beauté divine. Prenez cette pauvre main et offrez-moi la vôtre, si fine !

Tania fit un bruit incongru.

La pauvre main en question avait les ongles sales, remarqua Risa.

– Ah… Je ne crois pas.

– Arrête, Ricard ! dit Milo rudement, le poussant sur le côté.

– Laisse-la tranquille. Ne fais pas attention à lui, ajouta-t-il en direction de Risa.

Quand Milo lui tendit sa main pour l'aider à descendre, elle accepta, essayant d'ignorer le regard imperturbable de Ricard.

– Voici Amo, murmura Milo, inclinant la tête en direction de sa sœur.

Camilla se tenait près du grand garçon, lui murmurant à l'oreille avec un sourire timide sur le visage. Il ne pouvait détacher ses yeux des siens, et réciproquement. Quand Milo conduisit Risa vers le couple, elle ne put s'empêcher de regarder rapidement la silhouette massive d'Amo.

– Risa, permets-moi de te présenter Amo Stilla. Amo est souffleur de verre, lui aussi.

À en juger par l'expression de Milo, elle réalisa qu'il lui présentait la nouvelle comme une agréable surprise.

– Tu es une Divetri ? demanda-t-il de manière plutôt brutale.

Comme elle opina, il ne dit rien. Manifestement, c'était à son tour de parler.

– Travailles-tu dans un atelier ? demanda-t-elle, baissant les yeux sur ses mains.

Elles étaient bien larges et calleuses en raison du dur labeur, mais pas du tout de la taille d'un jarret de mouton.

– Je souffle le verre pour les Anaplezzi, dit-il, presque sur la défensive. Je travaille assez bien.

Elle n'en avait pas entendu parler et se sentait mal à cause de ça. Il y avait de nombreux verriers pour les usages communs à travers la ville, pourtant elle connaissait peu d'ateliers en dehors de ceux de sa famille et des *insulas*.

– C'est merveilleux, dit-elle avec enthousiasme.

Camilla lança un regard fier à Amo.

– Tu connais tous les enchantements appropriés, alors, dit Amo. Que font-ils aux contenants et aux fenêtres ?

Derrière, elle entendit la voix chantante de Ricard.

– Elle est une experte pour enchanter le cœur des hommes aussi.

– Non. Je n'en ai jamais appris aucun.

Risa regarda les visages étonnés autour d'elle, ce qui l'énerva. Ils ne savaient pas. À part Milo, aucun d'eux ne savait qu'elle était une ratée.

– Je ne les saurai jamais.

Peut-être qu'ils arrêteraient de la questionner à présent.

– Mais tu es une Divetri, dit Amo, qui ne comprenait pas.

Pourquoi ces gens ne la laissaient-ils pas tranquille ? Elle voulait rentrer chez elle.

– Les dieux m'ont fait savoir qu'ils n'avaient pas besoin de moi. Je ne suis pas formée sur une *insula* ni ne le serai jamais.

Elle s'attendait à des regards choqués et consternés, mais tout ce qu'elle vit, ce fut des expressions d'intérêt.

– Ça n'est pas une grosse perte, n'est-ce pas ? finit par dire Tania, dont les dents parfaites brillaient quand elle souriait. Je veux dire, tout le monde sait que les *insulas* existent seulement pour garder les membres sans importance d'une famille occupés avec un métier.

– Les plus jeunes, corrigea Milo, regardant Risa du coin de l'œil. Pas les moins importants.

— Le poète du peuple n'a jamais été formé par un professeur sur une *insula,* s'exclama Ricard.

— Le poète du peuple n'a jamais gagné un *luni,* non plus, répliqua Milo, faisant rire Tania.

Amo secoua la tête.

— Jamais entendu parler d'un Divetri qui n'aurait pas appris sur une *insula,* dit-il. Mais ils ont raison. Il y a plein de bons artisans qui n'ont jamais vu l'intérieur d'une *insula* ni d'un atelier sophistiqué Divetri, sans vouloir t'offenser. Ça n'a rien de grave.

Elle ne pouvait pas en croire ses oreilles. Pas une journée de sa vie ne s'était écoulée sans qu'elle ait rêvé de se retrouver sur une des deux *insulas.* Elle ne pouvait pas concevoir sa vie autrement. Quand Milo lui avait dit que ce n'était pas tout le monde qui voyait les *insulas* comme les lieux les plus convoités au monde, elle avait pensé qu'il essayait de lui remonter le moral de façon maladroite. Pourtant, tous ses amis ici pensaient la même chose, ignorant cet échec comme si ça n'était rien.

Serait-il possible qu'une vie au service des dieux ne soit pas ce qu'elle avait rêvé qu'elle était ? Elle devrait y réfléchir attentivement plus tard.

— On ne voulait pas te faire de mal, ma chère, lui dit Tania.

De nombreux bracelets parsemés de pierres colorées bon marché s'entrechoquèrent autour de son poignet, quand elle caressa un bref instant les cheveux de Risa.

— J'ai connu plusieurs personnes au bon cœur qui venaient des *insulas,* surtout parmi la *caza* Buonochio. Je peux te dire cependant que tu n'aimerais pas te trouver parmi eux. Surtout aujourd'hui !

— Qu'est-ce qui rime avec Divetri ? demanda soudain Ricard, levant les yeux d'un papier plié sur lequel il s'affairait à gribouiller des notes avec un morceau de fusain à pointe fine.

Milo serra ses lèvres et refusa de répondre.

— Pourquoi surtout aujourd'hui ? demanda Risa, qui faisait de son mieux pour ignorer celui qui s'était autoproclamé poète du peuple.

Les bracelets de Tania tintèrent à nouveau quand elle laissa tomber ses mains.

— Tu ne le sais pas ? Les *insulas* sont assiégées.

Trois voix s'exclamèrent à l'unisson.

— Quoi ?

Risa, Milo et Camilla se regardèrent, puis fixèrent Tania.

— Personne n'a le droit d'entrer ou de sortir de l'une ou l'autre des *insulas*. Ça a quelque chose à voir avec les ordres du prince Berto.

Tania était manifestement surprise de leur réaction.

— Je m'en suis rendu compte quand j'ai servi de modèle pour le professeur de dessin des Pénitents et que je suis partie. Il y avait des gardes de la ville postés là, dit-elle à Camilla et à Milo. Vous ne savez pas ce que font les autres gardes ?

— Je n'ai jamais entendu parler de ça ! s'exclama Camilla.

— Les deux derniers jours n'ont été que confusion, dit Milo.

Il regarda Risa.

— Est-ce que ça va ?

Risa se sentait tout sauf bien. Ses jambes tremblaient. Est-ce que sa sommation à Romeldo lui était parvenue avant le début du siège ? Son père lui avait toujours dit que s'il était incapable de réaliser le rite, Romeldo devait être là. Il était son dernier espoir ! Tout était devenu hors de contrôle trop vite.

– Pourquoi les dieux s'acharnent-ils ainsi sur moi ? s'écria-t-elle, exprimant ainsi tout l'effroi et toute l'angoisse qui la tenaillaient.

Les amis de Milo semblèrent perturbés par cette explosion soudaine.

Tania mit à nouveau sa main sur le bras de Risa, mais se faire réconforter par une étrangère était la dernière chose qu'elle souhaitait. Essayant de ne pas avoir l'air brutale, Risa s'éloigna du modèle et retourna dans le chariot, puis prit les rênes dans ses mains.

– Je dois vérifier par moi-même, dit-elle à Milo. Nous devons partir maintenant.

– Je conduirai.

Milo bondit sur le chariot sans hésitation. On aurait presque dit qu'il était désireux de se racheter d'avoir tenté de la rassurer plus tôt.

– Tu as assez de soucis comme ça.

Je n'ai rien d'autre à faire que m'inquiéter, pensa Risa. Ça allait être une très longue chevauchée.

15

Que sont les doux sons des cors au coucher du soleil si ce n'est un rappel quotidien de l'harmonie sur laquelle notre ville a été construite ? La cérémonie offre la preuve vivante non pas d'enchantements grandioses – car ils n'existent pas –, mais du pacte entre le roi et les travailleurs, et de l'équilibre qui doit exister entre eux.

— MARTOLO LE SCEPTIQUE, DANS *LE PRÉTENDU ENCHANTEMENT DISCRÉDITÉ DE CASSAFORTE : MANIFESTE RATIONNEL D'UN PENSEUR*

Quand elle fut érigée il y a des centaines d'années, l'*insula* des Enfants de Muro aux grandes murailles était sereine et tranquille, un vaste champ de fleurs sauvages au nord-ouest de la ville. Deux canaux avaient été construits pour permettre d'y accéder et d'y apporter du ravitaillement. Au fil des siècles, d'innombrables marchés étaient apparus ainsi que des quartiers de maisons respectables, dont beaucoup appartenaient aux membres des Trente. Les deux canaux originaux s'étaient retrouvés perdus au milieu d'un complexe réseau de nouveaux canaux. Aujourd'hui, le quartier ouest de Cassaforte était indiscernable des autres parties de la ville, sauf que les édifices n'étaient pas aussi érodés par le vent et que les ponts des canaux étaient plus luxueusement ornés, dans les styles élaborés en vogue ces dernières décennies.

Milo arrêta le chariot juste à côté du pont du canal de l'*insula* et Camilla et Amo traversèrent rapidement pour parler à quelques-uns des gardes rassemblés devant la porte principale fermée. Davantage de gardes étaient au garde-à-vous autour du périmètre de la structure massive, espacés d'environ six mètres, immobiles et vigilants.

— Tu ne devrais pas t'inquiéter, dit Tania, se penchant pour murmurer dans l'oreille de Risa. Je suis sûre que tout ira bien.

— Pour elle, moi, je m'engagerais de tout mon cœur, et les plis sur son front cèderaient au bonheur, marmonna Ricard pour lui-même en griffonnant à nouveau sur son papier. C'est pas mal, n'est-ce pas ?

— Non, dit sèchement Milo tandis que Tania disait :

— Calme-toi, Ricard.

Sans vraiment les écouter, Ricard recommença à grommeler et à composer des vers. Risa regardait autour d'elle, tendue, tandis que Camilla continuait à parler avec les gardes.

— Tu ne devrais pas t'inquiéter pour ta famille, lui dit Milo. Les *insulas* sont conçues pour résister à un siège. Pendant l'invasion par Azurite, les habitants de l'*insula* des Pénitents de Lena ont réussi à survivre deux ans sans victuailles de l'extérieur, rappelle-toi.

— Je sais, dit-elle, à peine rassurée.

La muraille sans fenêtres qui protégeait les édifices à l'intérieur de l'*insula* était censée résister à la plus brutale des attaques.

— Je n'y peux *rien* ! Chaque fois que je crois que les choses peuvent empirer, ça se produit.

— Tu veux essayer quelque chose ?

Pendant un instant, elle pensa que c'était une autre de ses plaisanteries, mais quand elle regarda les yeux de Milo, elle vit qu'il était tout à fait sérieux.

— Ça n'est pas grand-chose. Parfois, quand je suis nerveux, ça m'aide.

— Toi, nerveux ? dit Tania, à l'écoute.

Elle semblait surprise.

— Tu es le garçon le plus détendu que je connaisse, Milo. Je ne crois pas qu'il y ait quelque chose que tu ne puisses pas faire.

Milo plissa légèrement ses yeux.

— Il y a une chose que je ne peux pas faire, en fait. Et ça ne te regarde pas, ajouta-t-il rapidement quand Tania ouvrit la bouche pour l'interroger.

Quand il regarda Risa à nouveau, ce fut avec des yeux plissés et un sourire.

— Ma mère m'a appris cette technique. Maintenant, ferme tes yeux. Allez !

Sa voix, chaude et douce, l'encourageait. Elle baissa les paupières pour échapper au soleil de la fin d'après-midi.

— Je sais que ce ne sera pas facile, dit-il, mais tu dois t'imaginer dans un endroit où tu es tout à fait confiante et à l'aise. Un endroit où tu te sens le plus toi-même. D'accord ? Où es-tu ?

Risa réfléchit vivement un instant, puis réalisa ce que Milo voulait dire. Essayer d'ignorer la chaleur du soleil et le bruit de la foule était difficile, mais elle se concentra sur une image simple : une image d'elle qui se tenait devant les fours de la *caza*, en train de manier les bâtons pour sortir une de ses œuvres. Elle sortit peu à peu de la chaleur des flammes pour se retrouver au bord du four, et bien que ce fût chaud au toucher, ça refroidit immédiatement au contact de la température de la pièce. Dans son imagination, elle se vit enlever le grand plat. Des gants épais protégeaient ses mains. Elle déposa le disque de verre sur une table, sachant que même si elle était modeste en ce qui a trait à ses talents, elle avait créé quelque chose de beau – et encore plus important, elle avait le talent de recommencer.

– Où es-tu ? répéta Milo.

– Dans l'atelier, murmura-t-elle, se concentrant sur l'image.

À côté d'elle, alors qu'elle semblait plus loin, elle entendit Tania murmurer :

– Sur une scène.

– Saisis ce sentiment que tu as de confiance absolue. Capture-le. Maintenant, imagine que c'est quelque chose de physique. Quelque chose que tu peux toucher. À quoi ça ressemble ?

– À un papillon, souffla Tania.

– À une bille.

Exactement comme les billes avec lesquelles Petro jouait. De belles billes créées directement sur le feu, c'était le passe-temps de Mattio, quand il ne soufflait pas de vases avec son père. Elle vit son favori parmi tous, un globe parfait de verre clair avec des bandes écarlates. Quand elle était plus jeune, elle s'était toujours demandé comment ces rubans de flammes se retrouvaient prisonniers du verre.

– Je veux que tu prennes cet objet et que tu le mettes dans une boîte, continua Milo. Tu la mets ensuite quelque part en sécurité, où tu pourras la retrouver quand tu voudras. Ferme la boîte. Quand tu auras peur ou que tu seras inquiète, tu pourras la sortir, l'ouvrir et regarder la bille. Tu te souviendras de ce sentiment, je te le promets. Ouvre tes yeux.

Quand Risa ouvrit les yeux, l'image de sa bille sembla subsister un instant. Milo la regarda, la tête penchée, le visage interrogateur.

– Alors ? finit-il par dire.

Risa secoua la tête. Elle ressentait encore de l'appréhension, mais elle s'était émoussée. L'excitation nerveuse qui avait fait tordre son estomac et transpirer ses paumes semblait être partie. Elle ne pouvait pas sincèrement prétendre qu'elle était complètement libérée de toute anxiété. Son esprit, toutefois, ne décrivait plus les cercles fous qui l'avaient bouleversée toute la journée.

– Ça marche vraiment ? lui demanda-t-elle.

– Si on se laisse aller.

Pour la première fois depuis plusieurs minutes, Ricard parla depuis l'arrière du chariot.

– Quand pour se reposer la douce Risa dort, mon cœur qui fait mal, se languit et pleure encore…

– Elle ne dormait *pas*, dit sèchement Tania. Franchement, Ricard, si tu dois écrire ton affreuse poésie, écris sur quelqu'un d'autre. Risa va penser qu'on est tous fous à cause de toi.

Dans le privé, Risa considérait déjà Milo et les amis de Camilla, à l'exception peut-être de Ricard, comme les personnes les plus gentilles qu'elle ait jamais rencontrées. En dehors de Petro et de sa plus vieille sœur, Vesta, Risa n'avait pas connu grand monde de son âge. Ces jeunes gens avaient travaillé et planifié ce qu'ils voulaient faire de leur vie, depuis des années maintenant. Elle, elle était restée simplement assise à attendre que la sienne commence. Elle fut surprise de voir combien ils semblaient tous compétents et pleins d'assurance.

Camilla fit un signe de tête aux gardes et quitta le pont du canal pour revenir au chariot. Amo marchait d'un pas lourd derrière elle. L'anxiété s'embrasa en Risa comme des flammes ; ils avaient sûrement des nouvelles. Pour réprimer sa panique, elle pensa à la bille. Elle se souvint du sentiment merveilleux de compétence qu'elle avait ressenti quand Milo lui avait parlé tout bas. Sa respiration était revenue à la normale, quand Camilla les retrouva.

— Ils obéissent aux ordres du prince pour surveiller les deux *insulas*, annonça Camilla sans une pointe d'émotion. Personne n'a le droit de sortir.

— Ni d'entrer, ajouta Amo. Aucun message, aucune livraison. C'est censé être pour leur protection jusqu'à ce que la couronne et le sceptre aient été décernés au prince Berto.

— C'est ridicule, dit Risa.

— Il n'y a rien qu'on puisse faire, lui dit Camilla.

— Vos gardes de ville retiennent les gens en *otage*, riposta Risa.

L'acceptation facile de Camilla la rendait furieuse.

— C'est comme le fait que vous ayez envahi ma *caza*. Il n'y a aucune raison pour ça. Personne n'est en danger, sauf mes parents !

— Nous ne faisons que suivre les ordres, lui dit Milo.

— Je parie que les gardes à l'extérieur de la cellule de mes parents disent la même chose.

— Quoi ? dit Tania, étonnée. Une cellule ?

— Camilla, que se passe-t-il ? demanda Amo, manifestement surpris.

— Plus tard, dit Milo. Et il n'y a pas de cellules dans le palais. N'imagine pas de telles choses !

L'argument ne remplit pas Risa de désespoir, comme il l'aurait fait il y a une heure. Elle se sentait rechargée, dynamique et pleine d'une colère moralisatrice.

— Pas besoin de cellule pour faire une prison. Je le sais mieux que quiconque. Même Tolio a dit que les gardes ne pouvaient recevoir d'ordres de personne d'autre que du roi couronné. Mais regardez ce que vous faites !

Camilla eut la politesse de sembler un peu honteuse.

— Tu as raison pour ça, mais le prince Berto est l'héritier. Il sera roi bientôt. Aucun des capitaines ne veut se retrouver en position de désobéir à celui qui sera roi d'un moment à l'autre.

— *Bientôt* ne le fait pas *encore* roi, souligna Risa. Aucun roi dans l'histoire n'a jamais donné de tels ordres ! C'est comme si…

Réaliser ce qui se passait la saisit comme un seau de glace en plein visage. Elle chancela devant l'énormité de ce qu'elle venait de comprendre — pendant un moment, tout ce qu'elle put entendre, c'était le bruit sourd de son cœur et le cours houleux de son sang à travers ses veines.

— Non ! C'est diabolique !

— Pourrais-tu nous expliquer ce qui se passe ? se plaignit Tania. C'est très intrigant et je dois dire que c'est à des lieues de la dernière scène que j'ai jouée, car je n'ai aucune idée de ce qui se passe.

— Le prince Berto *veut* faire tomber les *cazas*, murmura Risa, se souvenant du regard possessif qu'elle avait vu dans ses yeux le matin de la bénédiction. C'est ce qu'il fait. Il veut qu'elles soient détruites par les démons, une par une.

— C'est impossible, dit Camilla rapidement.

Son visage, toutefois, était devenu livide. Milo la fit taire, écoutant attentivement.

— Pas impossible. Il a kidnappé les *cazarris.*

— Quoi ? s'exclamèrent Amo, Tania et même Ricard, presque à l'unisson.

— Il a fermé les *insulas.* Presque tous les héritiers des *cazas* vivent dans les *insulas.* Même ceux qui travaillent dans les *cazas* quotidiennement vivent ici.

Les yeux de Milo s'écarquillèrent à ces mots. Elle savait que sa logique le persuadait.

— Romeldo n'a jamais reçu ma sommation ce matin. Il ne *sait* probablement même pas que le *cazarro* Divetri est parti et qu'il doit rentrer à la maison.

— Mais, c'est fou, dit Camilla.

— Je ne sais pas pourquoi, mais le prince Berto veut faire tomber les *cazas.*

Ils restèrent silencieux un instant.

— Je n'ai jamais aimé le prince, dit Tania doucement. Je l'ai vu — il regarde les gens comme un serpent devant son dîner.

— Mais, c'est scandaleux ! dit Ricard, pour une fois sans rimer. Il faut être un monstre pour faire de telles choses.

— Ma mère ne l'aimait pas non plus, dit Camilla. Mais je ne peux pas croire…

Risa regarda par-dessus son épaule, paniquée.

— Le soleil se couchera dans moins d'une heure.

Sa gorge devint sèche quand elle prononça ces mots. Nous devons retourner à la *caza.* Maintenant.

Elle pensait qu'elle aurait à argumenter plus énergiquement, mais Milo rassemblait déjà les rênes.

16

Faire confiance est merveilleux. Ne pas faire confiance est parfois plus sage.

– Dicton cassafortéen

– Comme il est agréable que tu te joignes à nous, cousine.

Le cousin Fredo se tenait sur le balcon, paré de la houppelande officielle qui appartenait à son père. Elle était bien trop grande pour lui et avalait presque ses pieds et ses mains tout entiers. Si elle n'avait pas tant manqué de souffle d'avoir couru, Risa aurait répondu à son audace.

– En l'honneur de l'absence de ton père, je suppose que nous ne subirons aucun de tes caprices habituels ce soir, n'est-ce pas ? Ni de la part de tes… petits amis ?

Milo avait fait irruption sur le balcon aux côtés de Risa ; ils avaient sauté du chariot, quand il avait approché du pont supérieur et avaient couru aussi vite que possible. Camilla, Ricard et Tania avaient suivi, les yeux ébahis devant la vaste étendue de la *caza* et son mobilier. Ils se tenaient à présent sur le seuil de la *caza*, haletants.

— Fredo, c'est sérieux ! lui cria Risa.

— Doux… doux ! répondit Fredo, posant ses doigts sur ses tempes.

Ses doigts se tordirent en direction de sa boîte de métal de *tabbaco da fiuto*. Mes nerfs…

— Au diable vos nerfs ! s'écria Risa juste quand le cor du palais souffla depuis le toit en dôme.

Avec ses doigts qui ressemblaient à des couteaux en acier, Fredo saisit l'épaule de Risa et pencha sa tête près de la sienne.

— Je ne te permets pas de prendre un ton insolent avec *moi*, jeune fille, marmonna-t-il. Je suis le *cazarro* en l'absence de ton père. Il ne serait pas heureux de ton impertinence et tu le sais. Tu devras m'*obéir* ou tu en subiras les conséquences.

— Lâchez-la, vociféra Milo, sa voix résonnant plus profondément et de façon plus adulte que ce qu'elle avait entendu avant.

Les griffes de son cousin se relâchèrent, mais leur extrémité était encore bien ancrée dans sa chair.

— Vous n'avez pas à intervenir, dit Fredo d'un ton calme. Je vais en informer votre capitaine.

— Et il vous informera que nous avons pour ordre de protéger la *cazarrina*, clama Milo.

— Même de son cousin, ajouta Camilla avec autorité.

Le son argentin du cor des Cassamagi sembla transpercer l'air entre son cousin et elle. Risa recula en trébuchant tandis qu'il la libérait et Camilla l'empêcha de tomber. Quand elle regarda autour d'elle, elle vit que les gardes, le frère et la sœur, avaient sorti leurs poignards de leurs fourreaux accrochés à leur ceinture. Tous deux regardaient Fredo avec hostilité.

La confrontation avait manifestement choqué les témoins. Quelques domestiques murmuraient nerveusement au pourtour du balcon. Mattio avait l'air de vouloir brandir son propre poignard. Même Fita, qui avait été béate devant l'apparition tardive de Risa, semblait crispée et blême.

— Nous parlerons de ça plus tard, entonna Fredo, qui essayait de calmer tout le monde avec des gestes et une voix rassurante. Nous devons d'abord célébrer le rite. La journée a été angoissante pour tout le monde, mais mon cousin Ero voudrait voir combien vous tous vous comportez bien en son absence. Ça me réchauffe le cœur d'appartenir à cette famille. Sincèrement.

Il tira d'un coup sec sur sa robe pour l'ajuster aux épaules, car elle était bien trop large pour son corps menu.

— Dans mon métier, murmura Tania à l'oreille de Risa, nous avons un nom pour la façon dont joue ton cousin. Cabotin.

Un grondement se fit entendre à l'est, comme le tonnerre au loin. Risa leva les yeux, surprise, car le ciel, ce soir, était sans nuages. Les couleurs du ciel à l'ouest étaient du même rouge et rose purs que le verre de la plus grande qualité.

— J'accepte ceci comme étant mon humble devoir d'agir en tant que *cazarro* durant l'absence de mon cousin.

Fredo déplia les soieries bleues et vertes du drapeau Divetri, qu'il attacha ensuite à la corde, qui, au moment opportun, les enverrait dans le ciel.

— Pendant des années, j'ai travaillé dans les ateliers Divetri sans penser à moi. Ce moment, aussi bref soit-il, sera une belle récompense.

Risa hocha la tête en regardant Tania. Le discours de Fredo semblait répété et peu sincère. Si ses parents revenaient — *quand* ses parents reviendront —, elle était sûre qu'il ne laisserait aucun membre de la famille oublier qu'il avait soufflé dans le cor Divetri ce soir-là.

Pendant un instant, elle pensa que c'était sa colère qui produisait ce grondement qui à nouveau résonna à l'est, mais subitement, elle réalisa que c'était un bruit bien plus menaçant. Il les fit tous vibrer jusqu'aux os.

– Quelque chose se passe à Portello, dit Milo, se penchant derrière elle.

Il pointa vers l'est, vers la *caza* suivante.

– Pourquoi n'ont-ils pas sonné le cor ? demanda Risa.

Elle avait entendu celui des Cassamagi quelques minutes plus tôt.

Tania était bouche bée ; Ricard et Amo coururent vers la balustrade. Il était sûr que quelque chose était arrivé à Portello – toute la *caza* semblait gronder, produisant un tremblement tel le tonnerre que Risa avait entendu il y a un moment à peine. Les deux premières secousses qu'elle avait entendues avaient été faibles et discrètes ; la *caza* Portello semblait à présent possédée par la force d'un tremblement de terre.

– Par les bons Dieux ! entendit-elle Fredo dire.

Quelques-unes des domestiques qui regardaient la scène mirent la main sur leur bouche, étouffant des cris d'horreur. En direction de Mattio, Risa entendit un cri. Un gémissement crût et mourut dans sa propre gorge. Personne ne disait mot, toutefois. Le métal des boucles en fer oubliées sur les drapeaux Divetri frappaient contre le mât creux.

Les tours délicates en pierre qui distinguaient Portello des autres *cazas* se balançaient comme un château de cartes branlant. Souvent, durant le rite de loyauté, Risa avait eu l'impression de ressentir un lien invisible reliant chaque *caza* avec le palais ; à présent, tandis que les tremblements devenaient plus forts, elle sentit la corde invisible se casser net, détachant la *caza* Portello du centre de la ville.

Un portique couvert, qui s'étendait au-delà des extrémités sud de la *caza* Portello et sur sa plage rocheuse, céda. Comme des brindilles, ses gracieuses colonnes se brisèrent l'une après l'autre. Les supports qui les tenaient sur les eaux se désagrégèrent en poussière, projetant toute l'allée dans la mer. Les grandes portes de pierre de Portello, qui avaient fait face à la ville pendant des siècles, se renversèrent, s'écrasant sur le pont qui reliait la *caza* à la ville.

Un grand nombre de domestiques et d'artisans se précipitaient hors de la *caza* Portello, échappant avec difficulté aux énormes pierres qui tombaient. Risa se mordit la lèvre, quand elle vit un homme prendre une toute petite fille dans ses bras, essayant en courant de les propulser tous deux vers un endroit sécuritaire, alors que la première partie du pont s'effondrait dans le canal. Une seconde section suivit et l'homme courait toujours, sans regarder derrière lui. *Courez !* pensa Risa. *Courez !*

Une des tours glissa du toit de la *caza* dans la cour intérieure juste au moment où la troisième section du pont se désagrégea et tomba, se fracassant sur les gondoles vides en dessous. Une femme, qui se tenait à l'extrémité du pont, cria quelque chose à l'homme tandis qu'il courait. Son hurlement était audible, même par-dessus le terrible grondement de la terre. Un moment plus tard, l'homme et la petite fille se trouvaient dans les bras de la femme, sains et saufs sur la place publique de la ville. La dernière section du pont se désagrégea en cailloux. Les restes disparurent doucement sous l'eau.

Le grondement cessa. Il y eut un moment de silence.

Des cris et des pleurs commencèrent à résonner dans les rues et les canaux de Cassaforte. Sur la place Divetri, des femmes et des hommes pleuraient. Une lumière vacillante s'élevait à l'extrémité sud de la *caza* Portello, où se trouvait jadis le portique, léchant les flammes sur les débris de bois. Risa, horrifiée, avait le souffle coupé devant les restes de Portello — une forme irrégulière de rochers et de crevasses se démarquant du ciel au crépuscule. Les architectes, la famille Portello, n'étaient plus. Ils étaient partis en ne laissant presque rien après des siècles de labeur.

Sous ses pieds, Risa sentit un tremblement. Elle baissa les yeux et vit un caillou dansant sur les carreaux rouges et noirs du balcon. Elle le regarda, son esprit comprenant à peine ce qui se passait.

La *caza* Divetri commençait à trembler. On n'avait pas levé le drapeau. On n'avait pas soufflé dans le cor.

Mattio parla en premier :

— Fredo — le drapeau !

Pendant un instant, Risa pensa que son cousin était peut-être malade. Il avait été témoin de la destruction de la *caza* Portello aussi silencieusement que les autres. Elle vit qu'il tremblait.

Les secousses continuaient. C'est un avertissement, pensa Risa, apeurée. Il fallait agir.

— Hissez le drapeau ! crièrent plusieurs domestiques effrayés.

Fredo saisit le mât du drapeau. Les mains tremblantes, il tira d'un coup sec sur la corde. Elle fit un bruit métallique et s'arrêta d'un coup, quand les soieries Divetri atteignirent le sommet. Tout comme le reste de l'assemblée, Risa leva les yeux vers le ciel bleu ardoise tandis que le drapeau battait au vent marin.

Une deuxième secousse secoua la maison, plus forte que la première. Ses vibrations furent si intenses que les genoux de Risa menacèrent de faillir sous elle.

Un grand nombre de domestiques commencèrent à hurler et à courir vers la porte, essayant de s'échapper. Sur le pont inférieur, Risa entendit le cri des gardes et de plusieurs garçons d'écurie qui commençaient frénétiquement à s'enfuir des annexes de la *caza*.

— Le cor, imbécile ! cria Mattio à l'oreille de Fredo.

Son cousin semblait aussi paniqué que le plus effrayé des domestiques de cuisine.

— Je… Je ne sais pas… bégaya-t-il.

Les mots devinrent audibles seulement quand le grondement commença à nouveau à se calmer. Sous eux, sur les ponts, des domestiques et des artisans criaient d'horreur tout en sortant à flots de tous côtés, fuyant la *caza*.

— Souffle dans le foutu cor ! grogna Mattio.

Il lui fallut quatre longues enjambées pour atteindre le piédestal, puis ôter le couvercle de cuivre.

— Souffle avant qu'on soit tous morts !

— Ce sera le verre ! dit Risa, soudain sûre d'elle.

Elle se tourna vers Milo et Camilla, qui la regardaient attentivement.

— Chez les Portello, ce sont les édifices qui ont été détruits. Ils sont architectes. Pour nous, ce sera le verre. Tout le verre.

Bien qu'elle n'ait pas su d'où ça lui venait, elle avait un instinct sûr de la façon dont leur destin se déroulerait. D'abord, les fenêtres Divetri — des siècles de métal et de verre demeurés intacts, même après les tempêtes les plus violentes — exploseraient et s'effondreraient. Même les objets en verre dans la maison voleraient en éclats, envoyant des fragments partout. Le grand dôme au-dessus de l'entrée de la famille se désintègrerait, éclatant et tombant en une pluie mortelle qui transpercerait la peau et les os de la même façon. Les miroirs, les bols, les coupes, les minuscules animaux soufflés à la main de la ménagerie de Petro dans son ancienne chambre, chaque objet dans l'atelier de son père et les centaines de plaques de verres en attente d'être coupées et utilisées dans les magasins – chacune deviendrait une arme mortelle. Libérés de leur enchantement, ils se fractureraient et voleraient dans toutes les directions, détruisant la *caza* et tous ceux qui n'auraient pu échapper au piège mortel.

– Partez ! cria Milo à Amo et Ricard qui étaient seulement à une longueur de bras d'un vitrail, la fenêtre que Petro avait failli briser il y a une semaine.

– Recule ! cria-t-il à Emil qui, choqué, était incapable de bouger.

Camilla semblait aussi comprendre l'avertissement de Risa, car juste au moment où la troisième secousse commença à ébranler les fondations de la *caza*, elle courut pour rassembler les domestiques restants vers la partie la plus éloignée du balcon.

– Couchez-vous ! ordonna-t-elle. Couvrez vos têtes ! Et gardez les yeux fermés !

Les fenêtres commencèrent à vibrer dans leurs cadres. Risa eut l'impression de pouvoir entendre chaque morceau de verre bouger dans les rainures qui les soutenaient. Près du piédestal, elle vit Fredo se débattre avec le cor. Il le porta à ses lèvres comme l'avait fait son père, chaque soir, année après année. Aucun son ne sortit de son pavillon.

Sur les ponts, les cris augmentèrent de volume. La terre commença à trembler de colère. Tania et Ricard se serrèrent dans les bras l'un de l'autre sur le bord du balcon. À nouveau, Fredo plaça ses lèvres contre l'embout étroit du cor. Même rester debout était un effort pour lui, mais moins que de rassembler assez d'air pour souffler.

Risa le regarda avec étonnement et colère quand il s'effondra sur le sol, en boule sur le cor. Elle entendit en dessous d'elle le son d'une vitre éclater. Fredo ne pouvait pas terminer le rite.

Elle sentit la poigne de Milo sur ses épaules.

– Tu es une Divetri ! lui cria-t-il. Tu es plus une Divetri que ton cousin !

– Il est trop tard ! cria-t-elle en retour, la gorge serrée.

– Pas encore !

Ensuite, elle vit quelque chose dans son esprit : une bille de verre striée de rouge. Le terrible grondement enragé de l'*insula* diminua tandis qu'une détermination détendue envahit ses membres.

– Pas encore ! répéta-t-elle, sentant la confiance la pousser à agir. Pas question !

Sautant par-dessus Fredo, elle tenta de soustraire le cor à sa poigne terrifiée.

– On va tous mourir !

Il se débattait, criant des paroles les unes après les autres.

– Pas si je peux agir.

D'un puissant tour de poignet, elle lui arracha l'instrument des mains. Fredo protesta, puis se roula en boule et se tortilla pour s'échapper.

Il n'y avait plus de temps à perdre. Plantant ses jambes fermement sur la terre en colère, elle porta l'instrument à ses lèvres.

Elle souffla.

Un son pur flotta dans la nuit, apaisant l'humeur houleuse du sol. La note devint plus forte, sonnant à travers le chahut. Avec tout juste une hésitation, les tremblements cessèrent. Risa entendit les cris se taire sur le pont et sur la place en dessous d'elle.

Alors, à nouveau, elle ressentit une imperceptible corde voler de la *caza* au centre de la ville, la reliant au palais. Elle se tendait entre eux, maintenant la maison dans sa prise.

Elle souffla jusqu'à ce que ses bras tremblants ne puissent plus tenir le cor et que sa musique s'estompe jusqu'à disparaître. Au loin, au sommet du palais, elle pensa ressentir la frustration, comme si le prince avait voulu que sa *caza* s'effondre et qu'il rageait que ce ne fut pas le cas. Mais, comme son père le lui avait souvent dit, le palais était trop loin. C'était probablement juste son imagination.

Elle l'avait fait. Elle avait complété le rite. Un moment plus tard, elle entendit le son de réponse en provenance des Catarre, mais il était noyé par les soudains hurlements en provenance des ponts en dessous. Risa baissa les yeux pour voir les domestiques Divetri acclamer et applaudir frénétiquement. Il lui fallut à nouveau un moment pour réaliser qu'ils ne célébraient nulle autre qu'elle.

Ricard se leva, aidant Tania sur ses pieds chancelants. Une fois debout, il parla le premier :

— Ce fut le plus bel exploit dont j'ai jamais été témoin. Vous êtes merveilleuse, *cazarrina*.

— *Cazarra*, corrigea Mattio.

Il se tourna vers la rampe du balcon et, de sa voix puissante, se mit à crier dans la nuit :

— Risa, *cazarra* de Divetri !

— Risa ! C*azarra* de Divetri ! répéta en écho Milo.

Il souriait d'une oreille à l'autre. Aussitôt, Camilla le rejoignit dans son cri.

— Risa ! *Cazarra* de Divetri !

Sur les ponts, on entendit résonner :

— *Cazarra ! Cazarra de Divetri !*

– Je savais que tu réussirais, dit Milo dans sa barbe. Je crois que tu peux tout faire.

Elle se tourna, surprise, étonnamment touchée, mais Milo regardait la foule en dessous d'eux. Pendant un moment, son esprit saisit que peut-être elle avait entendu par hasard quelque chose qui n'était pas destiné à ses oreilles. Il rejoignit les acclamations, hurlant son nom à tue-tête.

Au milieu des acclamations et de l'agitation, une main dure comme l'acier lui tapa sur l'épaule.

– Bien joué, cousine, dit Fredo.

Son visage blême rayonna du plus mortuaire des sourires quand il se pencha plus près.

– Mais je doute que ton père soit très content. Tu sais ce qu'il pense des femmes qui accomplissent le travail des hommes. Si j'étais toi, j'espèrerais qu'il ignore ce déshonneur, quand il reviendra.

Il s'éloigna, faisant pivoter furieusement la robe de cérémonie d'Ero.

Son discours avait agi comme une claque. Elle le regarda disparaître par la porte et frissonna une fois qu'il fut parti.

À ce moment, Mattio saisit Risa par la taille. Elle resta le souffle coupé de surprise quand il la hissa sur ses épaules larges et confortables.

– *Cazarra de Divetri !* s'écria-t-il une fois de plus en direction de la foule en dessous d'eux.

Il déposa Risa sur la balustrade du balcon, où elle se trouva illuminée par les lampes qui brûlaient sur les deux côtés des canaux et sur le pont sous elle. Directement au-dessus de sa tête volaient les drapeaux de sa maison. Au-dessus d'eux brillaient les deux lunes, marquant déjà leur course à travers le ciel nocturne.

Chaque visage était levé vers elle, épanoui, aussi loin qu'elle pouvait voir. Les acclamations résonnaient comme si elles ne s'arrêteraient jamais.

– *Risa ! Cazarra !*

Elle aurait dû être comblée de bonheur.

Pourquoi alors ne faisait-elle qu'imaginer le visage de son père se détourner d'elle, déçu ?

Livre deux

—

le bol

—

en verre

17

Je ne ferai pas semblant. Je suis effrayée, Nivolo, d'être devenue si âgée et de ne pas avoir trouvé d'apprenti à qui je puisse transmettre les arts que je suis seule à maîtriser. Mais peu importe. Tu m'as dit une fois que j'étais la réponse à une de tes prières. Espérons que les dieux veuillent répondre à toutes les prières dans l'avenir.

— Allyria Cassamagi au roi Nivolo de Cassaforte, dans une lettre personnelle appartenant aux archives historiques de Cassamagi

— Ne pleure pas ! Tu dois dormir.

Le murmure de l'homme transperça l'obscurité.

— S'il te plaît, ne pleure pas, chérie ! Elle s'en sortira.

— Elle n'est qu'une enfant, dit l'autre voix familière avec une lenteur désespérante. Elle est toute seule.

— Elle n'est pas toute s…

La voix de l'homme fut interrompue par un bruit, puis par l'intrusion d'une autre personne avec une voix sombre et cassante. Elle l'avait aussi déjà entendue.

— Avez-vous réfléchi ? Ou voulez-vous vraiment endurer un autre coucher de soleil comme celui de ce soir ?

Elle entendit un léger rire non amusé.

– Les autres sont prêts à parler.

Quels autres? La question, formée dans ses rêves, la sortit des profondeurs du sommeil. Elle se réveilla et se retrouva entourée de silence.

– Qui est là? murmura-t-elle dans la nuit.

Les voix s'effacèrent. Le seul bruit qui persistait était une symphonie de criquets sur les rives du canal.

Risa écouta attentivement, mais les voix avaient disparu. Lasse, elle pensa se lever de son lit pour voir si quelqu'un pouvait entretenir une conversation sur le canal en dessous. Ses membres étaient toutefois trop lourds et fatigués pour qu'elle puisse bouger. Il devait rester plusieurs heures avant l'aube, et déjà son esprit la ramenait vers le sommeil... Elle ne se rappela même pas son rêve, le lendemain matin.

– Bonjour, *cazarra*, murmura une domestique tout en avançant vers la porte donnant sur la pièce jardin que la famille utilisait pour le petit-déjeuner.

Son entrée fit une certaine sensation. Près de la desserte, plusieurs employés s'affairaient à plier des nappes et à ôter des miettes, mais ils arrêtèrent immédiatement leurs activités et se baissèrent pour la saluer rondement.

– Bonjour, *cazarra*, dirent-ils tous doucement en regardant le sol.

– Ai-je raté le petit-déjeuner? Je suis désolée. J'ai dormi tard.

L'estomac de Risa gargouilla, ce qui la fit grimacer d'embarras. Ils devaient l'avoir entendu.

– Je vais aller me chercher quelque chose à la cuisine, alors.

– S'il vous plaît, dit la première domestique, faisant à nouveau une révérence, il n'est pas approprié pour la *cazarra* de manger là-bas. Je vais aller vous chercher la gouvernante.

Se baissant à nouveau, elle disparut à l'intérieur.

À l'extrémité de la table, un domestique tira le fauteuil sculpté appartenant à son père.

– Non, merci, je vais m'asseoir ici, dit Risa, se dirigeant vers sa place habituelle près du bout de la table.

– S'il vous plaît, *cazarra*.

La supplication du domestique l'arrêta dans sa démarche. Il fit un geste vers le fauteuil et lui lança un regard lourd de sous-entendus. Elle finit par soupirer et par avancer le long de la table jusqu'au siège de son père. La demi-douzaine de domestiques se courbèrent simultanément et quittèrent la pièce. Risa était abasourdie. Jamais auparavant dans sa vie elle n'avait reçu de tels égards ; elle était habituée à une certaine politesse, mais pas à du respect mêlé d'admiration. Les domestiques la traitaient exactement comme ils traitaient son père ou sa mère.

– *Cazzara*.

La gouvernante entra dans la pièce, tête baissée.

– Je suis désolée qu'un plateau n'ait pas été porté dans votre chambre. Nous manquons de personnel depuis les événements de la nuit dernière. Ça n'arrivera plus.

– Oh non ! c'est moi qui ai dormi trop tard.

Risa bâilla et cligna des yeux.

– Pourquoi manquons-nous de personnel ?

– Après ce qui est arrivé aux *cazas* Portello et Dioro…

Tout son engourdissement disparut. Risa se redressa d'un coup.

– Pas les Dioro aussi !

Fita opina gravement.

— Et les Piratimare.

C'était vrai, alors. Le prince voulait anéantir les *cazas*. Trois sur sept avaient été détruites en une nuit. C'était impensable. Le pire était que la *caza* Divetri avait failli s'écrouler elle aussi. Cette simple pensée l'effraya. Elle se souvint immédiatement qu'ils n'avaient pas échoué à réaliser le rite de loyauté. Ils n'échoueraient pas ce soir non plus, ni les prochains. Quand ses parents reviendraient, ils trouveraient la *caza* comme elle l'était avant leur départ.

— Nous avons perdu quelques domestiques, continua Fita. Ils ont peur de travailler ici. Mais j'en trouverai un pour préparer votre repas, *cazarra*.

Elle salua de la tête et se glissa hors de la pièce. Normalement, la vieille domestique n'aimait que commérer et râler, mais aujourd'hui, elle était étrangement brusque.

Risa comprit que c'était à cause de la nuit dernière. Tout le monde la traitait différemment maintenant. Avant, elle était juste Risa. La Risa quelconque, indésirable. Risa, l'enquiquineuse dont les expériences dans les fours étaient un gaspillage de verre et de temps. Risa, la petite fille sans défense, celle qui avait déçu tout le monde. Maintenant, elle était Risa la *cazzara*, la chef de la maisonnée. La protectrice des Divetri et la titulaire du cor.

— Petit déjeuner, *cazarra*, dit la voix d'un vieil homme, quelques instants plus tard.

Dom arriva en trébuchant, traînant ses pieds par timidité. Dans ses mains tremblantes, il portait un bol rempli de fruits et de pain. L'espace d'un instant, Risa faillit se lever d'un bond pour le lui prendre, mais elle remarqua un autre serviteur sur le seuil, observant l'exécution de Dom — et qui très probablement en ferait un rapport à Fita, qui avait des yeux d'aigle. Elle resta assise, retenant sa respiration en espérant qu'il réussisse le test qu'il subissait.

Il avança en chancelant et déposa le bol sur la table en face d'elle. Il atterrit légèrement en déséquilibre. Le domestique n'avait aucunement la grâce invisible qu'elle se voyait accorder par les autres. Le regard de Dom saisit le sien brièvement tandis qu'il s'inclinait pour la saluer. Elle sourit pour l'encourager juste avant que le serviteur eût fait claquer ses doigts. La tête de Dom se baissa vers le sol tandis qu'il s'éloignait, puis il tourna et quitta la pièce en boitillant.

Quand les domestiques la considéraient de petite importance, ils la traitaient comme un être humain normal, voire presque comme une égale. Aujourd'hui, maintenant qu'ils la respectaient, la distance entre elle et eux avait augmenté. Elle n'était pas sûre de préférer ces nouvelles manières.

Des bruits de pas résonnèrent dans le jardin entre les colonnes. Elle se tourna et vit Milo dans son uniforme pourpre.

– *Cazarra,* dit-il d'un ton officiel et morne. Un visiteur vous attend à l'extrémité de votre pont supérieur.

Tenant encore fermement une moitié de brioche dans sa main, Risa se leva de sa chaise. Pourquoi Milo était-il si compassé et réservé ? Il ne lui adressa aucun sourire quand ils marchèrent en direction du visiteur. Pourtant, s'il devait y en avoir un parmi tous qui devrait la traiter différemment, c'était bien lui.

Elle regarda par-dessus son épaule.

– Capitaine Tolio, dit Risa prudemment, comprenant le ton soudainement officiel de son ami. Bonjour.

– Bonjour, *cazarra,* dit le capitaine.

Il était courtois, mais tout juste.

— J'espère que vous avez bien dormi après les événements… pénibles de la nuit dernière.

— Oh oui, plutôt bien, merci, dit-elle.

Son sourire était si mince qu'elle se demanda pourquoi il se fatiguait même à faire semblant.

— Je n'ai pas l'intention de vous empêcher de voir votre visiteur, murmura-t-il en avançant en face de Milo. Je désire seulement vérifier que nos gardes n'ont pas dérangé votre… bonne volonté. Certains gardes, en fait.

Milo affecta une certaine raideur.

— Le fils Sorrento ?

Elle haussa les épaules.

— Oh non ! Il a été très… sérieux.

D'instinct, elle affecta le ton morne et snob utilisé dans bon nombre des familles des Trente.

— Quelqu'un de sa classe ne se permettrait pas d'importuner quelqu'un de la mienne, n'est-ce pas ?

Le capitaine se détendit quelque peu.

— Je voulais simplement l'entendre de vous, *cazarra*.

Elle chassa Tolio de la main.

— Laissez-moi. Je voudrais voir mon visiteur.

Elle avait tellement le même air que les élites dont elle se moquait qu'elle faillit rire.

Avec une rapide révérence respectueuse et un regard noir à Milo, le capitaine sortit de la pièce. À peine fut-il sorti que Milo laissa échapper un profond soupir et sourit.

— Tu *es* capable d'en mettre une sacrée couche ! s'exclama-t-il.

— Ne me sous-estime pas ! dit-elle.

Milo se mit à rire.

— Oh ! crois-moi, je ne m'y risquerais pas.

18

L'histoire affirme que ce sont les enchantements des Piratimare, les prétendus constructeurs de bateaux, qui ont permis à une petite principauté comme Cassaforte de refouler l'invasion des Azurite après deux ans. On dit que les vaisseaux des Piratimare ne peuvent pas couler ni recevoir trop d'eau dans une tempête. J'ai vu les constructeurs de bateaux au travail, toutefois, et en dehors de quelques prières dites à intervalles réguliers, leurs techniques ne sont pas différentes des nôtres.

– COMTE WILLIAM DEVANE, *VOYAGES DIVERS ET VARIÉS AU-DELÀ DU CANAL AZURITE*

L'intérieur de la diligence empestait le musc et la sueur ainsi que la décomposition du vieux velours. Il y avait une autre odeur, un parfum âcre et altéré, qui subsistait dans l'espace au plafond bas comme un murmure. Une fois la porte fermée, chaque bouffée d'air amenait de la chaleur dans les poumons de Risa. Elle remua, embarrassée, sur un des sièges faisant face à l'arrière, espérant que dans la faible lumière, le vieil homme ne puisse pas la voir transpirer. Il ne semblait pas avoir chaud du tout ; s'il se passait quelque chose sous son manteau démodé et ses épaisses couches de vêtements, c'était des frissons.

Ses lunettes avaient des lunettes. Devant chaque épaisse lentille tenant sur son nez avec un fil tordu s'en trouvait une autre, avec un cercle en verre plus petit. Il se mit à la regarder attentivement à travers cette drôle d'installation de lentilles, la fixant sur l'autre siège du carrosse. Ses sourcils gris envahissants se fronçaient tellement il était concentré depuis un moment. Puis, il finit par humidifier ses lèvres et s'efforça de faire sortir des mots de sa bouche.

– Mais tu es une enfant ! s'exclama-t-il.

Sa voix le faisait paraître encore plus vieux que son apparence ridée et frêle. Pour Risa, ça sonna comme le bruissement des feuilles dans la brise, à la fin de l'automne.

Il n'y avait pas de réponse polie possible à ça.

– Vous êtes Ferrer, le *cazarro* des Cassamagi, dit-elle enfin.

Il sembla surpris qu'elle l'ait reconnu.

– Vous êtes déjà venu à la *caza* pour voir mes parents. Mais ça fait longtemps déjà.

– Ero est ton père ?

Il semblait déconcerté par ce lien de parenté.

– Pardonne-moi, jeune fille. Pour quelqu'un de mon âge, tout le monde a l'air d'un enfant.

Il la fixa à travers ses curieuses lunettes une nouvelle fois.

– Et tu as soufflé dans le cor Divetri hier soir ?

Comme elle opina, il dit avec douceur :

– C'est vraiment une chance que tu l'aies fait. Je dois admettre que j'ai eu peur, toutefois. Sept maisons – jadis si résistantes – sont passées à quatre, gardées en vie hier soir seulement par des enfants et des hommes âgés.

À travers la vitre du carrosse, au-delà du pourpre soutenu de la casquette de Camilla qui montait la garde à l'extérieur, Risa pouvait voir après le canal, les ruines lointaines de la *caza* Portello. De la fumée se répandait encore des décombres. Au centre de la résidence, à présent visible à la lumière du jour, le grand dôme au-dessus du centre de la *caza* s'était effondré. Seules quelques ogives s'arquaient encore vers le ciel. Ferrer se pencha et suivit son regard.

– Mon peuple m'a dit que seule la *caza* a souffert. Les autres travaux réalisés par des générations d'artisans Portello ont résisté – la moitié de la ville serait recouverte de poussière si tous les enchantements avaient été détruits. La *caza* n'a pas trop souffert quand le pacte a été rompu. Les Piratimare, eux, ont souffert un peu plus.

– Quel pacte ? demanda Risa.

Pendant un instant, dans sa curiosité, elle oublia la proximité fétide du carrosse.

– Le rite de loyauté est un pacte, ma petite. Tu n'as jamais entendu cette histoire ? Non ? C'est un accord entre la couronne et le peuple, établi il y a huit siècles par une de mes ancêtres. Elle était féroce comme une lionne et tout aussi courageuse. Elle se nommait Allyria Cassamagi.

Il dit son nom de la façon dont il aurait murmuré le nom d'une femme qu'il aurait aimé dans sa jeunesse.

– Parlez-moi du pacte, l'empressa Risa, un peu craintive d'interrompre sa rêverie.

Il sursauta légèrement.

– Ta mère ne t'a jamais raconté cette histoire ? Elle est à moitié Cassamagi. Une femme charmante. En fait, il n'a existé personne comme Allyria avant et depuis, il n'y en a eu aucune autre. Elle avait un pouvoir – le vrai pouvoir des enchantements –, pas les savoirs dérisoires qu'on nous a inculqués. Tu sais, il y a eu une époque où les rois de Cassaforte n'étaient pas aussi bienveillants que ceux que nous avons connus. C'était des hommes fiers et cruels qui tuaient leurs ennemis, même ceux qui faisaient partie de leur famille. Ces tyrans déclaraient constamment la guerre, espérant enrichir leurs coffres d'or. Arriva un temps, cependant, où un homme meilleur occupa le trône. Le roi Nivolo. Il étudia la pauvreté de son peuple et le caractère belliqueux et sauvage de ses ancêtres, et décida que pour que Cassaforte devienne prospère, tous ces abus devaient s'arrêter.

– Allyria ? Comme le pont d'Allyria ?

– Il a été nommé ainsi après elle.

Il s'arrêta, regardant par la fenêtre en direction de Portello une fois encore. Risa, fascinée par cette histoire, lui donna un moment pour respirer avant qu'il continue.

– Nivolo adressa une prière à Muro et à Lena. Ils entendirent sa demande et envoyèrent Allyria l'aider. Elle prit les deux symboles du pouvoir du roi, la couronne d'olivier et le sceptre d'épines. Avec eux, elle créa un formidable enchantement, un enchantement si imposant dans son impact qu'il supplante tous ceux que nous connaissons. Elle a fait de ces simples symboles du pouvoir des objets qui pouvaient protéger et unir la ville – aussi longtemps que vivraient des hommes et des femmes pour la défendre.

– Comment ?

Risa ne pouvait pas contenir son impatience d'entendre le reste de l'histoire, même si elle n'aurait su exprimer pourquoi.

D'une main tremblante, Ferrer ôta ses lunettes de son visage et plissa les yeux en la regardant.

– Penses-tu vraiment que les Cassamagi existent seulement pour enchanter des silex, des jouets et des objets domestiques ? Le *comment* de ceci est ce que ma *caza* a étudié. On a tout tenté pour le découvrir pendant la plus grande partie des huit derniers siècles. Mais, nous ne savons toujours pas le *comment*. Pourtant, nous savons *ce qu'elle* a fait. Elle a enchanté la couronne et le sceptre pour qu'ils accordent au roi une longue vie en santé – à la condition que le dirigeant n'en soit pas séparé pendant une période de temps prolongée. Plus important encore, ces reliques lui accordent le droit de régner, un droit qui ne peut lui être conféré que par les sept familles de Cassaforte.

– Les Sept, murmura Risa.

– Ils sont devenus les Sept, en effet.

Le vieux *cazarro* soupira et remit ses lunettes.

– À l'époque, il s'agissait des familles des artisans les plus réputés. Et ma famille aussi, bien sûr, était connue pour son érudition. Leur responsabilité était de rester loyaux d'abord envers Cassaforte, puis envers leur roi. Eux seuls étaient autorisés à accorder la couronne et le sceptre à l'héritier choisi. Il était même impossible à un aspirant dirigeant de les toucher sans leur consentement unanime. Et si les familles étaient toutes d'accord pour que le roi outrepasse ses pouvoirs, elles avaient aussi le pouvoir de lui ôter son autorité.

Risa était si transportée qu'elle en avait complètement oublié ce qui l'entourait.

– Et le rite de loyauté, c'est Allyria qui l'a créé ?

– Elle a réalisé les sept cors elle-même et leur a octroyé un puissant enchantement. Le rite fait partie du plan de grand équilibre, expliqua le vieil homme. Tu comprendras que les sept familles se sont vu offrir une grave et lourde responsabilité. En retour, toutefois, elles ont reçu deux récompenses. La première fut les sept *insulas* – sur lesquelles elles ont bâti leurs *cazas*. La ville s'est étendue entre le palais et les *cazas* et au-delà.

— Quelle fut la seconde récompense?

— Aussi longtemps que les sept familles complétaient le rite de loyauté tous les soirs, elles seraient capables de réaliser certains petits enchantements dans leur travail d'artisanat — comme les petits enchantements de protection des constructions Portello, ou des vitraux de ta mère, ou les enchantements de connaissance des Catarre, ou des bibelots pour ma propre *caza*. Quand les Trente furent créés parmi les petits-fils et les petites-filles, ce privilège leur a été donné aussi.

— Mais les enchantements ne sont pas si minimes, protesta Risa. Ils sont merveilleux.

Ferrer secoua la tête.

— Beaucoup partagent ton opinion, mais ce sont des trucs simples. Ton père s'occupe de fours, mon enfant. Pense à la maîtrise de l'enchantement d'Allyria devant les flammes gigantesques, vives et chaudes comme le soleil lui-même. Elle pouvait faire des choses extraordinaires. Elle pouvait voir les gens et leur parler à distance et elle pouvait s'élever dans les airs tel un phénix. Elle pouvait fabriquer des cors capables de scruter le cœur de ceux qui tentaient d'en jouer pour que seul le bon homme ou la bonne femme ou encore le roi lui-même puisse leur faire émettre un son. Par rapport à sa splendeur ardente, les enchantements que tu trouves si merveilleux ne sont que les minuscules étincelles d'un feu de camp. Malgré ce que tu as appris sur ton *insula*, ils sont insignifiants dans leurs possibilités.

Risa resta calme un moment. L'intérieur fortement rembourré du carrosse Cassamagi réduisait l'effervescence de la ville à un simple bourdonnement feutré.

— Je n'ai pas appris de telles choses sur une *insula*, *cazarro*.

À sa grande surprise, le vieil homme sourit.

– Oh si ! Tu es celle qui n'a pas été choisie, n'est-ce pas ?

Elle opina et dit avec fermeté :

– Les dieux ont dit qu'on n'avait pas besoin de moi là-bas.

– C'est probablement le cas, répondit-il.

Elle le fixa avec une telle hostilité flagrante qu'il finit par émettre un rire grave.

– Ne sois pas offensée, jeune *cazarra* ! Les *insulas* sont bien pour de nombreuses choses, mais elles n'ont pas été capables de sauver Portello ou Dioro, hier soir.

Immédiatement, elle se sentit honteuse. Ferrer n'avait pas voulu la blesser, c'était évident.

– J'ai des amis, dit-elle non sans hésitation, qui disent que les *insulas* existent simplement pour garder les enfants des Sept et des Trente occupés.

Les coins de la bouche de Ferrer se courbèrent en un sourire.

– Entre nous, tes amis ne sont pas loin de la vérité. Les *insulas* ont leur place – elles éduquent, elles inculquent la morale, elles promeuvent l'indépendance loin des maisons des Sept et des Trente pour que leurs enfants ne développent pas de rivalité pour le contrôle de la maison. Et j'ai perdu trop de paris pendant des années dans leurs tournois de *bocce*. Mais peu de choses importantes s'apprennent entre leurs murs.

Risa resta pensive un moment devant ces nouvelles.

– Nous avons un sujet plus grave dont nous devons discuter, j'en ai peur. Tes parents sont au palais. Mon héritier, qui s'est présenté à ma place, y est aussi. Tous les *cazarris* sont au palais. Je ne veux pas t'alarmer, ma petite, mais je suspecte qu'ils soient détenus contre leur volonté.

– Ce sont des otages, confirma Risa, se sentant étrangement soulagée d'être capable de prononcer ces mots à quelqu'un. Je le sais depuis hier.

Devant l'aspiration étonnée de Ferrer, elle hocha la tête et lui parla du message codé envoyé par sa mère.

– Quelle femme brillante d'avoir envoyé un tel mot dans son message, murmura-t-il.

Un instant après, il ajouta :

– Quelle fille brillante de l'avoir compris !

– Le prince veut faire tomber les *cazas*. Mais pourquoi ?

Risa avait baissé le ton d'instinct, bien qu'elle ait su que personne ne pouvait les entendre à l'extérieur de la structure étouffante de la diligence.

– Parce que les *cazarris*, du moins une partie d'entre eux, ne veulent pas lui accorder la couronne d'olivier, dit Ferrer d'une voix râpeuse. Ils doivent être unanimes dans leur assentiment. Or, ils ne le sont pas, ce qui a rendu le prince furieux. Il attendra que les sept *cazas* soient libérées du pacte d'Allyria, une par une. Puis, il sera libre de nommer sept familles de plus à leur place – sept familles des Trente qui, par gratitude, lui attribueront la couronne et le pouvoir.

– Il est diabolique !

– Ses actions sont abjectes. Ce sont des abus du rite de loyauté et de tout ce qu'il a pour rôle de prévenir.

Des postillons volèrent des lèvres du vieil homme avec son accusation. La diligence resta tranquille un moment.

– Et nous sommes tous en danger, car le prince détruira ceux d'entre nous qui défendront les *cazas*. Ceci, jeune fille, explique pourquoi tu dois adopter une attitude discrète. Est-ce que tout le monde en dehors de la *caza* sait que ton père t'a appris à jouer du cor ?

Le rire qui s'échappa des poumons de Risa fut à peine plus qu'un souffle.

– Mon père ne permettrait jamais à une femme de réaliser le rite, dit-elle. C'est inconcevable pour lui.

– Et pour beaucoup d'autres. Une notion désuète, en fait. Encore une qui tournera à ton avantage. Nous devons tous nous protéger des griffes du prince. Celui qui agit maintenant à titre de *cazarro* chez les Buonochio, Baso, est un jeune garçon qui, exceptionnellement, passait la nuit dans sa *caza* plutôt que dans son *insula*. Les Catarre ont un vieil homme pour jouer de leur cor, l'oncle infirme du *cazarro*. Et chez moi… Je ne suis pas un protecteur, jeune fille. Je suis trop vieux.

L'instinct de Risa lui disait de protester. Mais quand elle regarda le vieil homme frêle assis avec dignité en face d'elle, emmitouflé contre les courants d'air potentiels, elle réalisa qu'il ne disait rien d'autre que la vérité sans aucun artifice.

– Nous sommes tous très fragiles, alors, dit-elle.

– En effet, approuva-t-il. Comme le verre.

Spontanément, il tendit le bras et posa sa main sur les siennes.

– Ils sont nombreux à vouloir nous voir échouer. Trente maisons avides de promotion. Ils ne seront pas tous déloyaux, ajouta-t-il. Non. Il y en aura peu. Mais il ne lui en faut que sept. Sois prudente, jeune fille ! Tu dois être prudente !

19

Chaque objet a sa fonction naturelle et principale. Les bénédictions des dieux peuvent seulement améliorer la fonction naturelle.

— EXTRAIT D'*UNE INTRODUCTION À LA PRIÈRE : MANUEL DE PREMIÈRE ANNÉE POUR LES NOUVEAUX ÉLÈVES DE L'*INSULA

Après la chaleur étouffante de la diligence, la brise qui soufflait de la mer parut comme un bain froid. Les odeurs des rues agressèrent le nez de Risa tandis que les bruits de la foule attaquèrent ses oreilles. Les fleurs et les fruits des vendeurs sur la place, les noyaux cuisant au soleil, les eaux moites du canal — toutes les senteurs effaçaient les arômes âcres et mordants de la voiture. Elle avait à peine posé un pied sur la place que déjà le véhicule de Ferrer s'éloignait, son attelage trottant sur les pavés vers l'est. C'est avec de sincères regrets qu'elle regarda le vieil homme partir — il semblait être un de ses rares véritables alliés.

— *Cazarra,* murmura une voix dans son oreille.

Surprise, Risa réalisa que la main de Camilla se trouvait sur son poignet. Milo se tenait de l'autre côté, silencieux et attentif. Elle avait oublié que ses gardes étaient si près.

– Puis-je te demander un service ?

Camilla semblait habituellement si peu nerveuse que les cheveux sur le cou de Risa, inquiète, se hérissèrent.

– Quelque chose ne va pas ?

– Non, pas du tout. Mon… Amo est ici et il se demande s'il pourrait…

Tandis que Camilla luttait pour trouver ses mots, Risa regarda derrière elle. L'énorme soupirant de la jeune fille se tenait à quelques dizaines de centimètres.

– Oh ! veut-il visiter nos ateliers ? Mattio n'y verra pas d'inconvénient.

Camilla rougit et sembla embarrassée.

– C'est un peu plus que ça, *cazarra*. Amo a été renvoyé quand il n'est pas retourné à son cours, hier soir. Nous étions si affairés à vous ramener ici…

– Oh non ! comprit soudain Risa.

Son renvoi était de sa faute. Amo semblait atterré.

– Je ne veux pas te demander quoi que ce soit, *cazarra*, mais si tu pouvais…

Camilla se mordit la lèvre.

Milo intervint.

– Une *cazarra* a le droit d'employer qui elle veut, tu sais.

Risa sentit une pointe furtive de contrariété. Elle connaissait les droits des *cazarris* sans qu'on les lui rappelle. Elle mit sa main au-dessus de celles de Camilla.

– Je suis redevable à Amo, après son aide d'hier. Présente-le à Mattio. Si Mattio pense qu'il peut être utile, il restera. Mon père parti, ils apprécieront un artisan qualifié.

Amo se courba devant Risa.

— Je ne te décevrai pas, ni les hommes de ton père, *cazarra*, lui dit-il. Je ne demande rien de plus qu'une chance de faire mes preuves.

À sa grande surprise, il sourit.

Camilla sembla soulagée aussi.

— Milo, reste à ses côtés ! Je ne serai pas longue.

Son pas était léger quand elle fit signe à Amo d'approcher et qu'elle le conduisit dans la rue en pente vers le pont inférieur des Divetri.

— Tu as un don pour résoudre les problèmes des gens, commenta Milo une fois qu'ils furent hors de vue.

— Moi ?

Risa était surprise qu'il puisse dire une telle chose.

— Prends Amo. Son travail, c'est sa vie. C'était son choix de venir avec nous hier au lieu de retourner à son atelier. Tu ne lui dois rien du tout.

— Il aura une chance de montrer ses habiletés. Je l'ai fait pour Camilla, autant que pour Amo, admit Risa. Elle sera heureuse de le savoir tout près.

— Les journées passent plus vite quand on est près de la personne qui nous rend heureux.

— Qui d'autre est-ce que je rends heureux ? lui demanda-t-elle, soudain curieuse.

La question le surprit ; ses yeux quittèrent brusquement les siens, puis les retrouvèrent.

— Eh bien ! Dom, bien sûr, dit-il. Et ta *caza*. Elle a de la chance d'être encore là.

Puis, il fit un signe en direction d'une petite foule agglutinée au centre de la place.

— Tu as rendu Ricard très heureux.

— Ricard ?

Une partie de l'esprit de Risa avait remarqué la foule, plus tôt, mais elle n'avait pas vu le poète du peuple à son centre. Il était encore vêtu d'une tunique avec des pièces aux couleurs vives galonnées sur les bords. Une frange pendait à ses poignets. Il était incroyable que ces longues ficelles jaunes ne se mêlent pas à son luth. Les clochettes sur sa casquette multicolore tintaient en rythme avec son instrument à cordes.

La foule avait laissé un espace pour que Ricard puisse faire son spectacle. Risa repéra Tania, ses cheveux bouclés attachés avec des rubans, dansant en marge de la foule et tapant occasionnellement sur un tambour. La foule avait déjà lancé quelques pièces dans son petit tambour et continuait à le faire tandis que Ricard chantait et que Tania dansait. Les pièces s'entrechoquaient et tintaient tandis que Tania rajoutait du bruit en martelant la peau tendue du dessous du tambour.

– Que font-ils ? demanda Risa, le spectacle la distrayant de sa conversation avec Ferrer Cassamagi.

– Il a écrit une nouvelle chanson, dit Milo.

Comme d'habitude, son visage fut traversé par un large sourire.

– Les gens semblent aimer ça, en fait, pour une fois. C'est la troisième fois de suite qu'ils viennent le voir jouer.

Ce Ricard était un personnage légèrement différent du Ricard qui lui avait tourné autour la veille. Des expressions délirantes animaient son visage quand il chantait. Ses yeux semblaient éclairés d'une joie pure de jouer. Elle se rapprocha du périmètre formé par la foule.

– Il est si *vivant*, dit-elle à Milo, émerveillée.

– C'est Ricard, lui murmura-t-il. Il adore le public.

Ricard prit une profonde respiration et se lança dans le couplet suivant de sa chanson.

La caza est si vide, mes frères sont partis.
Aucune sœur vers qui je puisse me tourner !
Des larmes coulent sur ses joues, si douces et si pâles.
Pour les effacer, les hommes se laisseraient brûler.

Le rythme de la chanson était irrésistible. Risa se surprit à sourire. Plusieurs des spectateurs étaient déjà en train de fredonner la mélodie.

– Il est bon ! dit-elle à Milo, surprise.

– Ça n'est pas fini.

Elle se tenait sous les lunes, qui projetaient leurs doux rayons.
Une déesse en blanc, oui, c'est elle qui erre.
– Aucun mal ne sera fait ici. Oh, dieux, entendez mon vœu !
Pleurait Risa, la fille du souffleur de verre.

Son orteil cessa de tapoter le sol au son de son propre nom. Jamais auparavant elle ne l'avait entendu être utilisé en public, encore moins dans une chanson. Même dans le soleil de la fin de la matinée, elle pouvait sentir un frisson de froid dû à une prémonition traverser ses épaules. Quand elle tourna la tête pour regarder Milo, il souriait à son ami et dansait avec la musique. Il lui fallut quelques instants avant que le mélange confus des sons de clochettes, de pièces, de tambour, de chanson et de luth se révèle à nouveau dans un méli-mélo plus compréhensible :

Un tremblement secoua les pauvres Portello qui veillaient.
Les fondations branlaient comme le tonnerre parfois gronde en été.
Et le pauvre cousin et les serviteurs de Risa eurent peur :
La jeune fille parla tandis qu'ils regardaient, bouche bée.

– Je ne laisserai pas ma caza *connaître un si terrible destin !*
Et comme son père le lui avait enseigné, si fier,
Elle souleva le cor. Tout le monde fut étonné
Par la bravoure et l'audace de la fille du souffleur de verre.

Un son fleuri assourdit tout ce qui se trouvait autour
Tandis qu'elle soufflait dans le merveilleux cor.
– Je suis la cazarra *! cria-t-elle tout haut, sans peur,*
Et elle regarda son cousin avec un mépris très fort.

La caza *elle l'a sauvée, cette nuit de sombre destin –*
Chaque brique est restée bien figée dans son mortier de terre.
Et les foules chantèrent tout haut, autour de la belle demoiselle,
Cette histoire de la fille du souffleur de verre !

Il ne pouvait pas y avoir de plus parfait événement pour ce genre de spectacle que le contexte de la *caza* Portello en ruines. La foule fondit en applaudissements frénétiques à la fin de la chanson. Ricard salua plusieurs fois de façon théâtrale, puis plaça son luth sur le sol et bondit pour aider Tania à ramasser les pièces que la foule continuait à lancer. Milo siffla si fort qu'il transperça la clameur.

– Milo ! Risa !

Tania sauta dans les airs en les voyant. Toutefois, quand elle se tourna pour les montrer du doigt à Ricard, Risa se figea, terrifiée. Elle ne voulait pas voir Ricard, ni que lui la voie. C'était *sa* vie qu'il avait chantée – il la lui avait volée.

Trop tard. Le visage de Ricard s'illumina ; il se précipita à travers la foule dans leur direction, levant les mains.

– Du calme ! Du calme ! dit-il. Je suis Ricard, le poète du peuple, mais je ne fais que transmettre les événements. C'est avec grand plaisir que je vous présente à tous ma muse, ma déesse sur terre…

– Oh, par les dieux! souffla Risa.

– … et oh! j'aimerais qu'elle soit plus que ça, si seulement j'osais la courtiser.

La foule s'agita d'un rire amusé. Les lèvres de Milo se serrèrent fermement; pendant un instant, Risa pensa qu'elle se voyait dans le miroir, tant son expression semblait refléter la colère impuissante qu'elle-même ressentait.

– C'est un grand honneur pour moi de vous présenter la fille du souffleur de verre, Risa, la *cazarra* de Divetri!

Pendant un moment, la petite foule sembla agitée à l'idée de voir l'héroïne de la chanson. Quand Ricard l'atteignit, il s'agenouilla à ses pieds. Les applaudissements cédèrent la place au silence.

– Aidez-moi à me lever, belle *cazarra*, dit-il d'une voix qui tentait de se rendre jusqu'au bout de la foule, et je saurai si la chronique de votre triomphe vous a remplie de joie.

Il tendit sa main dans sa direction, attendant visiblement qu'elle la saisisse et le redresse.

Si elle le faisait, la foule serait aux anges et applaudirait. Elle était mortifiée. À ce moment, elle ne ressentit aucune générosité envers le prétendu barde. Le voir se prosterner comme un amoureux lui serrait la poitrine et la rendait furieuse. Avant qu'elle sache ce qu'elle faisait, elle mit son pied sur son épaule. Poussant de toutes ses forces, elle propulsa le poète coloré en arrière. Il s'écroula sur les pierres avec un grognement.

– Ça *ne* me plaît *pas*! dit-elle sèchement.

Les gens se rassemblèrent autour d'elle en silence. Ricard se leva, le visage empreint d'une grande surprise. Un spectateur rit. Puis, un autre. Bientôt d'autres les rejoignirent pour finir par former un gigantesque éclat de rire dans toute la foule. Pendant un instant, Risa ressentit une violente pointe d'excitation.

Ricard parcourut la foule du regard, semblant embarrassé tout en se redressant péniblement. Puis, il commença à rire, lui aussi, comme s'il s'appropriait la plaisanterie.

— Je suis toujours tombé sur des femmes avec de l'esprit !

Il pivota et leva ses mains vers le ciel, avançant à nouveau vers Risa.

Milo bondit du côté de Ricard pour l'éloigner, mais ses virevoltes faisaient en sorte qu'il était difficile de l'approcher. Quand Ricard s'arrêta en face d'elle et qu'il se pencha pour l'embrasser, Risa perdit complètement sa bonne humeur et le gifla. La foule éclata à nouveau de rire, mais Risa comprenait mieux maintenant. Ils ne riaient pas de Ricard. Ils riaient des deux, et de l'illusion qu'ils étaient un couple qui se dispute. Toute tentative de le nier ne ferait qu'empirer les choses.

Alors, tandis que Milo luttait avec le pénible rimailleur, elle se tourna et traversa le pont supérieur aussi vite que ses pieds pouvaient la porter. Elle essaya de maintenir un semblant de dignité, même si son visage la brûlait comme le feu.

20

L'artiste de rue est une sorte de parasite. Il apparaît dans les conditions les plus humides et glauques, se nourrit avidement et, quand on l'écrase, une douzaine d'autres se mettent à grouiller pour prendre sa place.

— CHARLOCO DA SPERANZA, *UNE HISTOIRE DES TRADITIONS THÉÂTRALES*

— Va-t-en ! dit-elle pour la troisième fois. Son image dansait dans les assiettes et les bols exposés autour de sa chambre. Elle remarqua pour la première fois que ses cheveux étaient à nouveau défaits.

— C'est moi… Milo, entendit-elle à travers la porte.

Elle pouvait l'imaginer de l'autre côté, les traits tirés d'inquiétude. Elle n'en voulait pas du tout à Milo, mais il était hors de question qu'il la voie dans un accès de colère.

Et elle se sentait vraiment en colère en ce moment. Le simple fait que les objets de verre tout près étaient ceux qu'elle-même avait créés, l'empêchait de s'en emparer et de les lancer, pour le pur plaisir du bruit et du désordre.

— Va-t-en !

— Je ne partirai pas. Tu dois me laisser entrer.

Sa fureur ne s'atténua pas pendant le moment de silence qui suivit sa demande.

– Il n'y a pas de mal à pleurer, si c'est ça qui t'inquiète.

– Je ne pleure pas ! s'écria-t-elle.

Sa colère était trop intense et ses émotions trop confuses pour pleurer. Son visage était rouge écarlate, mais jusqu'à présent, elle n'avait versé aucune larme.

– Je veux juste qu'on me laisse tranquille !

– Il faut que je t'explique pour Ricard, dit-il. S'il te plaît, laisse-moi entrer.

Il était vain de prétendre qu'elle était en colère contre Milo aussi, alors qu'il y a seulement quelques minutes, il avait tenté de la défendre contre les excès de Ricard.

– Je ne peux pas te laisser entrer dans ma chambre sans chaperon, lui dit-elle, cherchant une excuse pour qu'il parte. Ce ne serait pas convenable.

– Camilla est avec moi.

Risa entendit la voix de sa sœur grommeler dans le couloir.

– Je me suis éloignée seulement dix minutes. Dix minutes ! Je ne comprends pas comment tu as pu laisser cela arriver. Franchement !

Manifestement, ils étaient déterminés à entrer. Ce ne fut pas long avant que la porte s'ouvre.

– Avant que vous me posiez encore la question, les avertit Risa, je ne pleure pas, je suis juste en colère.

– Et je te comprends !

Camilla la suivit dans la chambre et ferma la porte derrière elle. Elle paraissait fâchée.

– Ricard l'ennuie depuis hier, Milo. Pourquoi l'encourages-tu ?

– Je ne l'ai pas encouragé ! Tu sais comment il est !

– Quand même !

Camilla s'assit sur le canapé près de Risa. Bien qu'elle ait manifestement été fâchée, sa voix était étonnamment douce – bien plus que d'habitude.

– Ricard est un peu *intense* pour la plupart des gens.

– Il a chanté sa nouvelle chanson, et ça l'a contrariée, expliqua Milo.

Camilla sembla confuse un moment.

– La stupide à propos d'une femme pirate ?

– Non, la stupide à propos de *moi*, dit Risa avec véhémence. À propos de la brave et audacieuse fille du souffleur de verre, une déesse en blanc.

Camilla eut la courtoisie de sembler estomaquée.

– Non. Vraiment ? Oh, par les dieux ! Milo ! C'est suffisant pour contrarier n'importe qui.

– Il est venu avec Amo ! Je ne l'ai pas invité ici !

Milo semblait sur la défensive.

– Tu étais avec nous quand il a commencé à l'écrire !

– Je ne prête pas attention à ce garçon ou à ses chansons.

C'était l'opinion la plus mauvaise que Risa avait entendue de la bouche de Camilla.

– Et tu ne devrais pas non plus, dit-elle plus doucement. Il est vraiment stupide.

– Je déteste la façon dont il me regarde. Il agit comme s'il était amoureux !

– Ça n'*est* qu'un jeu, lui assura Camilla.

– Qu'y a-t-il de mal à ce qu'il te regarde ?

La voix de Milo était énervée.

– Ceux qui ne font pas partie des précieux Sept ou Trente ne sont pas autorisés à lever les yeux sur une Divetri ?

– Ça n'est pas ça du tout. Tu sais ce que je veux dire, rétorqua Risa, fâchée qu'il puisse penser une telle chose.

— Je ne pense simplement pas qu'une *cazarra* devrait agir de façon si... distante.

— Milo, dit Camilla en signe d'avertissement.

— Je suis désolé que Ricard ait contrarié Risa, sincèrement. Mais il ne fait que l'admirer comme une héroïne.

— Je *ne* suis *pas* une héroïne !

Pendant un moment, Risa pensa presque frapper Milo. Elle ressentit à nouveau de la frustration quand il lui parla du comportement que devraient adopter les Sept.

— Trois *cazas* ont été détruites, la nuit dernière. Des gens ont été blessés ! Mes parents ont été kidnappés ! Ça, c'est la vraie vie. C'est affreux et laid, et tout ce que Ricard fait, ce sont de mauvaises rimes à ce sujet — de mauvaises rimes sur *moi* !

Elle martela sa poitrine pour insister.

— Il m'utilise *moi* pour ramasser des pièces. Ça n'est pas juste !

— Tu *es* une héroïne, protesta Milo, levant la voix. Tu as sauvé cette *caza,* hier soir. Que tu le veuilles ou non, les dieux t'ont choisie !

— C'est *faux* ! Les dieux n'ont pas voulu de moi dans les *insulas.* Mes créations en verre sont sans valeur. Mon père s'est détourné de moi... Et maintenant, il est parti et je suis ici... imitée. Il n'y a rien en moi qui soit vaguement utile.

Milo criait à présent.

— Si tu arrêtais d'agir comme une enfant vexée et que tu commençais à penser comme une *cazarra,* tu *comprendrais.* Si les prêtres t'ont dit que tu n'étais pas nécessaire dans les *insulas,* c'est parce que les dieux savaient que tu étais nécessaire *ici.*

Son visage habituellement amical était devenu rouge de frustration.

— Tu *es* nécessaire, Risa. Tout le monde dans cette *caza* a eu besoin de toi la nuit dernière ! Tu penses que le frère et la sœur lunes ne savaient pas ce que le prince Berto ferait ? Il n'y a que toi qui pouvais souffler dans le cor de la famille hier. *Que toi* ! Ton cousin était complètement inutile. Si tu avais été choisie pendant le festival, tu aurais été emprisonnée dans une des *insulas*, la nuit dernière, et cette *caza* n'existerait plus. Ta famille n'aurait plus sa place parmi les Sept !

Son discours la frappa comme un coup violent. Elle chancela et s'assit dans un fauteuil tandis que des larmes s'écoulaient de ses yeux. Tandis qu'elle respirait, quelque chose s'agita dans sa poitrine. C'était une pure lueur d'espoir, présente pour la première fois. Presque sans le réaliser, elle prit un de ses bols sur la table à côté d'elle et commença à en tapoter la surface, laissant la douceur du verre l'apaiser. Il n'avait pas le droit de lui faire la leçon… et pourtant, elle voulait désespérément le croire.

— Milo.

La voix de Camilla était basse, comme si elle l'avertissait de quelque chose.

— J'ai quelque chose à lui dire.

— Nous en avons discuté, la nuit dernière.

Milo se tint droit, défiant.

— Je connais les limites, ici, sœurette, dit-il.

Risa se sentit comme si elle écoutait une conversation qu'elle n'était pas censée entendre. Camilla recula et croisa ses bras tandis qu'il continua.

— Risa, je suis désolé d'être direct, mais tu sais que j'ai raison. Je n'ai jamais connu de fille aussi bénie des dieux que toi. Tu as pu te convaincre que tu étais inutile, mais tous ceux qui sont en vie dans cette *caza* aujourd'hui témoigneraient autrement. J'espère que tu les crois. Par les dieux, j'espère que tu vas croire en toi-même ! C'est tout ce que j'ai à dire.

Au cours de la dernière partie de son discours, la voix de Milo avait repris son ton doux et normal. L'émotion l'avait rendu légèrement enroué. Il quitta Risa des yeux pour regarder sa sœur, les excuses écrites clairement sur son visage. Ses épaules s'affaissèrent.

Je ne peux pas en supporter plus.

Dans le lourd silence qui planait dans la chambre après la déclaration de Milo, le souffle de la jeune femme était à peine audible. Risa vit la tête de Milo pivoter brusquement. Camilla semblait tout aussi surprise que lui.

Quand est-ce que ça va s'arrêter ?

— Qui est-ce ? demanda Milo.

Il avança en direction du balcon. Camilla mit une main sur le poignard qu'elle gardait gainé à sa taille et se dirigea vers la porte.

Une voix grave répondit en premier, mais tout aussi faible :

— *... aussi longtemps qu'il faudra.*

C'était la voix de son père.

– *Je sais que je dois être fort. Je le sais, ma chérie, mais je m'inquiète tant...*

– Où sont-ils ? cria Risa, angoissée.

Pendant un moment, elle pensa avoir imaginé les voix, mais comme Milo et Camilla les avaient aussi entendues, elle sut qu'elles étaient réelles.

— C'est ma mère et mon père ! Où sont-ils ?

— Chut ! dit Camilla, interrompant les pleurs de Risa d'un geste.

— *... bien. Elle va bien, dit à nouveau la voix d'Ero. Ne lève pas la voix. Les autres pourraient entendre.*

— *Je n'arrive pas à croire que ces Dioro nous pressent d'accorder à Berto la couronne d'olivier contre la promesse du prince de retrouver leur* caza *!*

— *Tu sais que je n'accepterai jamais,* dit Ero. *Au moins, Urbano Portello est de notre côté, même après la nuit dernière. Il ne cèdera pas.*

— C'est là !

Milo pointa en direction de Risa. Encore sous le choc, elle pensa qu'il l'accusait de produire les voix elle-même. Mais il montrait l'objet sur ses genoux — le plus récent bol de Risa, celui qu'elle avait montré à Pascal, le propriétaire de la boutique, il y a seulement quelques jours.

— Attention ! l'avertit Camilla tandis qu'il traversait la pièce pour prendre le fragile objet.

Je suis désolée. Giulia semblait éloignée, mais ses mots étaient clairs.

— *Mais je suspecte que le roi a été inhumé trop rapidement. Jamais auparavant dans l'histoire de notre pays un enterrement ne s'est déroulé sans cérémonie.*

— *Je loue Muro pour Fredo,* dit son père. *S'il n'avait pas été présent la nuit dernière pour réaliser le rite…*

À ces mots, les cheveux se dressèrent dans le cou de Risa, mais elle fut distraite par Milo, agenouillé devant elle.

— C'est lui, c'est sûr.

Avec Risa, il scruta le bol de verre bleu, l'inclinant à l'envers, puis à l'endroit, pour saisir la lumière.

— Regarde !

Frustrée que sa voix voile celle à peine audible de ses parents, Risa souhaita un instant que Milo se taise. La lumière de la pièce formait une auréole dans le fond du bol, se déplaçant sur les bords inclinés quand Milo l'ajustait.

— … *peut survivre dans les murs de l'*insula. *Mais Risa ?*

Quand elle lui prit le bol des mains, les ombres se dirigèrent sur les bords très fins. Dans les auréoles de lumière, elle ne vit pas son propre reflet, mais celui de ses parents. Elle les regarda par en dessous, comme s'ils étaient suspendus au-dessus d'elle. Les fines narines de Giulia s'évasèrent quand elle lui posa sa question.

À côté d'elle, le bras autour de son épaule et la bouche près de son oreille, Ero soupira.

— *Tu t'inquiètes trop. Notre petite tigresse va bien, mon amour.*

La main de Giulia se tendit vers eux, ce qui coupa le souffle de Risa. Milo et Camilla continuèrent à observer les ombres sur son épaule.

— Vous voyez aussi ce que je vois ? souffla Risa.

— C'est stupéfiant, murmura Camilla.

— *Mais je m'inquiète pour elle. Elle est toute seule.*

Les doigts de Giulia obscurcirent la majorité de l'image quand elle traça un cercle au milieu du bol.

— *Fredo prendra soin d'elle, tout comme il prendra soin du reste de la* caza.

— Comment fais-tu ça ? demanda Milo. Est-ce un enchantement Divetri ?

— *Nous ne savons pas si c'est Fredo qui a réalisé le rite, hier soir,* entendit Risa de la part de sa mère qui murmurait.

— Ce doit être un de mes parents qui a fait ça, dit Risa. Ce n'est pas moi.

— *Qui d'autre ?*

L'image vacilla et s'éteignit. Seuls une tache de lumière blanche et leurs propres reflets restèrent.

— Revenez ! s'écria-t-elle, secouant le bol.

Le désespoir remonta dans sa poitrine. Il était trop tard.

— Que s'est-il passé ?

Camilla prit à son tour le bol par le bord.

– Comment pouvons-nous les voir de si loin ?

– Je ne sais pas, dit Risa.

Deux émotions la tenaillaient. La joie d'avoir vu ses parents, d'avoir entendu leurs voix, de les savoir ensemble et vivants, et la déception mêlée d'angoisse de les avoir si soudainement perdus.

– Je ne sais absolument pas. Ferrer Cassamagi a dit que c'est son ancêtre qui pouvait créer de tels enchantements, mais que mes parents ne pouvaient pas.

– C'est merveilleux, dit Milo. Tu as vu la *cazarra* et le *cazarro* Et tu crois encore que tu n'as pas les faveurs des dieux ?

– Les dieux doivent être inconstants, dit Risa avec une certaine amertume. Ils me montrent ma mère et mon père penser que je ne peux pas prendre soin de moi et encore moins de la *caza*.

Camilla dit d'un ton réprobateur :

– Ils n'ont pas dit une telle chose.

Camilla pensait-elle, elle aussi, qu'elle était une enfant qu'on peut réprimander ? Le goût aigre que Risa avait sur la langue ne diminua pas.

– Mon père préfèrerait mourir plutôt que voir une femme poser ses lèvres sur le cor Divetri. J'aimerais qu'*il* entende la chanson de Ricard… Oh non !

Risa mit une main devant sa bouche.

– Ricard !

– Qu'y a-t-il ? demanda Milo.

– Sa chanson ! Ferrer Cassamagi m'a avertie d'être prudente et de rester discrète – si une personne des Trente qui est du côté du prince entend cette fichue chanson, je deviendrais une cible.

Milo siffla.

— Que les dieux nous gardent que le prince l'entende !

Risa le regarda les yeux écarquillés.

Camilla ne perdit pas de temps en spéculations. En quelques rapides enjambées, elle traversa la pièce, puis se rendit dans le couloir pour mettre sa tête à la fenêtre qui donnait au nord. En à peine quelques secondes, elle revint, secouant la tête.

— Aucun signe de Tania et de Ricard sur la place. Tu as dû le faire fuir, *cazarra*.

— Je vais le chercher, dit Milo. Il cherche probablement un endroit pour déjeuner.

— Ou il a passé les chaudes heures de la matinée à dormir, répondit Camilla. Tolio ne te laissera jamais partir comme ça. Moi, je n'ai pas à demander la permission, étant donné mon grade. J'irai.

Elle toucha légèrement son épée, comme pour s'assurer qu'elle était encore à ses côtés, puis dit à Risa d'une voix douce :

— Ne t'inquiète pas ! Reste ici et *ne* quitte *pas* la *caza* ! Et toi… dit-elle plus brusquement à Milo, arrange-toi pour rester à ses côtés tout le temps.

— Dis à Ricard qu'il doit arrêter de chanter cette chanson !

Il y avait une insistance dans la voix de Milo.

— Compte sur moi, dit Camilla avec un sourire sans joie. J'ai toute une liste de choses que je prévois dire à Ricard.

21

Pendant des siècles, on a pensé que l'état-ville de Cassaforte allait lancer ses flèches sur les insulas Azurite, tant son emprise sur la côte la plus au nord de la mer Azure était forte. Mais la peur de nos nobles armées ou le manque d'ambition de ses habitants, les ont toutefois gardés sur la baie.

– ANONYME, *UNE BRÈVE ET COMPLÈTE HISTOIRE DE LA VILLE DE CASSAFORTE*

– Tu l'as remis à sa place et il est resté tranquille tout l'après-midi.

Mattio pencha son corps massif plus près et inclina la tête en direction de Fredo.

– Mais ton cousin continue à agir comme s'*il était* le chef artisan ici, ces temps-ci.

Risa faisait semblant de vérifier les notes d'inventaire de son père, écrites en italique. Ça ne faisait que quelques jours qu'elle avait été témoin de sa main dansant sur la page. La dernière ligne finissait par un gribouillage ; Ero avait abandonné sa plume à l'annonce de la mort du roi ? Que faisait-il maintenant ? Son bol bleu marine était posé sur le vieux bureau à côté d'elle. Seul son visage apparaissait sur la surface réfléchissante. Celui de son père n'était plus apparu depuis qu'elle l'avait vu dans sa chambre. Elle voulait demander à Mattio s'il avait déjà vu son père réaliser un tel enchantement dans le verre, mais elle savait que sa réponse serait un non surpris. Elle posa alors une autre question :

– Comment travaille Amo ?

– C'est un bon travailleur, admit Mattio.

Risa savait que c'était son vœu le plus cher.

– Techniquement, je dirais qu'il est meilleur qu'Emil et qu'il n'est pas trop noble ni trop puissant pour ne pas se salir les mains, contrairement à ton cousin, parfois.

– Peut-il rester ici ?

– Jusqu'à ce que ton père rentre, c'est toi qui décides, dit Mattio. Je ne vois aucun problème à ce qu'un artisan de plus travaille en l'absence d'Ero.

Risa saisit un sourire en provenance de Milo. Assis à côté du bureau sur un tabouret, il écoutait chaque mot qu'ils disaient – bien que, pour une fois, il se retenait d'émettre son opinion.

– Mais quand ton père reviendra comme *cazarro*, la décision lui reviendra. Ça me fait penser à quelque chose, ajouta-t-il, le visage blême.

Il avait suivi la direction du regard de Risa.

– Laisse-moi te montrer quelque chose.

Passant un de ses bras autour de son épaule, Mattio escorta Risa dans la pièce vers les casiers où ils gardaient les plaques de verre en position verticale.

– On revient, mon garçon. Pas besoin de t'inquiéter, assura-t-il à Milo.

Le garde se détendit légèrement, bien qu'il soit resté assis sur son tabouret, vigilant.

— Quelque chose ne va pas ? demanda Risa.

— C'est ce que je voudrais *te* demander.

Mattio fit un geste vers une collection de plaques de verre clair.

— Faisons comme si nous parlions de l'inventaire. Est-ce que tout va bien entre ce garçon et toi ?

Un rougissement commença à envahir le visage de Risa.

— Que veux-tu dire ?

— Il semble un peu plus inquiet à propos de toi qu'un garde en service est censé l'être.

La voix rauque de Mattio se baissa pour que personne ne puisse entendre.

— Il s'intéresse à toi, voilà ce que je veux dire.

— C'est un ami, répliqua immédiatement Risa. C'est tout. Les garçons ne pensent pas à moi comme ça.

Son visage rougit à nouveau quand elle se souvint des déclarations amoureuses de Ricard il y a seulement quelques heures. Si c'était de l'amour, elle n'en voulait pas.

C'était différent avec Milo. Sa présence ne lui inspirait pas de poèmes ni ne le rendait frénétique au point d'en faire une chanson. Il ne vivait pas sa vie comme s'il était sur la scène d'une quelconque pièce imaginaire, parfois un peu trop direct, mais toujours honnête. Il n'avait pas peur de lui montrer ses erreurs, mais il ne l'embarrassait pas en public. Il ne la tourmentait pas, comme un frère. Il était juste… à l'aise avec elle. C'était comme si elle l'avait connu et aimé longtemps avant qu'ils se rencontrent.

Au bout de la pièce, Milo regardait avec un intérêt évident, comme s'il était très curieux de l'atelier et de son équipement. C'est avec respect qu'il regardait Amo faire tourner un petit bout de verre incandescent avec une lourde paire de pinces en métal. Milo aimait apprendre des choses. Il ne se contentait pas de simplement les fabriquer, comme Ricard.

– Tu as l'âge, jeune fille. Les garçons vont commencer à s'intéresser à toi très bientôt, si ce n'est déjà fait.

– On dirait papa. Tu vas me dire que je ne suis bonne qu'à enchanter le cœur des hommes.

– Ton père est un peu aveugle quant à tout ce que les femmes peuvent faire, dit Mattio. Tu as des années devant toi et beaucoup à apprendre ici avant de former ta propre famille. Tu es une Divetri. Le verre est dans ton sang.

Si ce que Milo avait suggéré était vrai, les dieux avaient prévu que Risa serait nécessaire dans la *caza* Divetri pendant cette crise. Mais quand ce serait fini – si ça finissait un jour –, à quoi serait-elle bonne, alors ? D'ici la prochaine fête des deux lunes, elle aurait 22 ans. Trop vieille pour subir l'Examen et entrer dans une *insula* pour la première fois. Est-ce que sauver la *caza* signifiait avoir à apprendre les enchantements du métier familial ?

Bien que Ferrer Cassamagi ait traité ces enchantements d'insignifiants, une partie d'elle se répandait en injures contre l'injustice d'avoir été privée d'eux. Elle était la première Divetri à être rejetée, sans avoir eu le choix ou quoi que ce soit à dire – et elle en avait été accablée. Puis, de son propre chef, elle s'était retrouvée à faire le travail d'une *cazarra* sans en avoir aucun des avantages.

Elle pouvait choisir de quitter la *caza*. Elle pouvait partir en ce moment même et se cacher jusqu'à ce que tout soit terminé. La *caza* s'effondrerait et sa famille perdrait ses petits enchantements, mais elle ne serait pas pire qu'avant. Pendant un instant, elle se sentit vindicative. Que les autres comprennent ce que ça fait de se retrouver sans rien !

Dans son cœur toutefois, Risa savait qu'elle ne pourrait jamais faire une telle chose. Elle défendrait la *caza* Divetri du mieux qu'elle le pourrait et hisserait les drapeaux haut dans le ciel chaque soir. Le cor de sa famille sonnerait à ses lèvres. Sacrifier la formation des *insulas*, voilà le prix qu'elle devait payer pour que sa famille puisse continuer son artisanat et ses responsabilités.

– Parfois, je pense que j'ai été punie, dit-elle à Mattio lentement, pesant chaque mot. Pourquoi est-ce que tout doit être si dur pour moi ?

Il l'étreignit jusqu'à ce qu'elle ne puisse plus respirer, comme il l'avait fait un grand nombre de fois quand elle était enfant.

– Je crois que tu vas emprunter une route différente du reste d'entre nous à présent, dit-il. Une route plus cahoteuse, c'est sûr. Mais parfois, les dieux nous confrontent à un chemin difficile pour que nous puissions davantage apprécier la destination quand nous y arrivons. Tu dois juste avancer, jeune fille, peu importe combien c'est difficile. Tu comprends ?

À l'autre bout de la salle, on entendit des cris.

– Au nom de Muro, que pensez-vous être en train de faire, *imbécile* ! cria Amo.

Risa et Mattio se tournèrent et traversèrent la pièce à la hâte.

– C'est toi l'idiot ! dit Fredo sur un ton non moins animé.

Dans ses mains, il tenait encore la longue tige de métal sur laquelle était suspendu le verre qu'ils travaillaient. Déjà, le verre incandescent semi-solide à son extrémité prenait forme.

– Un vrai artisan ne réagirait pas de façon excessive

– Un vrai artisan ! Vous pensez être un vrai artisan ? Si je n'avais pas bougé, vous auriez brûlé mon visage !

Amo était manifestement furieux. Il tenait ses poignets serrés.

– Là où je travaillais, mes professeurs vous auraient écorché vif pour un truc si idiot !

Bouillant de colère, les épaisses narines de Fredo s'évasèrent.

– Ceci est *mon* atelier. Celui de *ma* famille ! Pas *le tien*, enfant de basse classe, de parents...

– Fredo ! dit Mattio en élevant la voix en signe d'avertissement.

Amo toucha prudemment le point rougeoyant sur son front, où il semblait avoir été brûlé par le soleil. Ce n'était pas boursouflé, mais ça semblait douloureux.

– Je suis déçu de voir que dans les célèbres ateliers Divetri, un artisan puisse être si négligent pour...

– *Tu ne fais pas partie de ces ateliers !*

La voix de Fredo se cassait quand il crachait son venin. Il brandit le verre chaud vers Amo. Le jeune homme recula, leva les mains, manifestement prêt à se défendre. Milo se rua vers lui. Derrière Fredo, Emil se tenait immobile.

Le silence s'installa. D'une voix basse et furieuse, Risa parla la première.

– Cousin, mon père ne traiterait jamais un invité avec tant d'irrespect !

C'est avec de grands yeux que Fredo se tourna pour lui faire face. Le morceau de verre pendant du bout du bâton avait foncé en refroidissant, mais il était encore assez chaud pour défigurer tout objet ou toute chair qu'il touchait.

– Oui, *cazarra*, finit-il par dire, sans bouger.

Les mots sortaient difficilement, comme s'il les prononçait à contrecœur.

– Bien sûr, *cazarra*.

Il ne fallut que trois pas à Mattio pour vaincre sa rage et se retrouver à côté de Fredo.

– Ça suffit, dit-il, clairement contrarié par tout ce cirque dans son atelier.

Il mit une paire de gants et s'empara de la tige de métal. Il la tendit à Emil, qui s'empressa de la replonger dans le trou sur la paroi du four dans lequel le verre en fusion frémissait.

– Enlève ton tablier et calme-toi ! Nous nous passerons de toi jusqu'à demain.

La réprimande eut pour effet de faire écarquiller les yeux à Fredo. Il regarda Risa, cherchant son aide, mais elle ne fit qu'incliner la tête. Pendant un instant, elle craignit qu'il éclate en larmes ; la pensée de quelqu'un d'aussi réservé et distant que son cousin en train de pleurer comme un bébé la rendait mal à l'aise.

– Prends ton après-midi de congé, cousin, finit-elle par dire, essayant de feindre un sourire. Essaie de te détendre. Nous sommes tous perturbés aujourd'hui.

– Toutes mes excuses, *cazarra*, finit par dire Fredo.

Sa voix était basse et tremblait d'émotion.

– Cet atelier est tout pour moi. Je ne saurais que faire s'il disparaissait.

Tout le monde poussa un soupir collectif de soulagement quand Fredo ôta ses habits de protection et les suspendit au crochet sur la porte. Sans un mot de plus ni même un regard par-dessus son épaule, il sortit de la pièce. Emil et Milo commencèrent immédiatement à se parler, essayant d'attirer l'attention de Mattio.

Emil s'excusa.

– Je suis sûr que c'était un accident. Fredo n'aurait jamais, jamais…

– Je l'ai vu ! dit Milo. Il a *délibérément*…

Mattio posa les yeux sur Amo.

– Que fais-tu, jeune homme ? demanda-t-il tandis que l'artisan ôtait ses gants et son lourd tablier.

– Je rentre chez moi.

– Pourquoi ?

C'était une question que Risa se posait aussi.

– Je ne suis plus le bienvenu ici, après tout ça.

Le large visage d'Amo reflétait la déception quand il passa la ganse du cou par-dessus sa tête.

– C'est à la *cazarra* et à moi de décider, mon garçon. Remets tes habits ! On a du travail.

Milo sembla soulagé que son ami ne soit pas renvoyé. Toute tentative de défense d'Amo quitta ses lèvres. Mattio lui fit un clin d'œil.

Emil courut aux côtés de Risa.

– Je crois vraiment que Fredo n'a pas voulu le brûler, *cazarrina,* dit-il.

Puis, il ajouta précipitamment :

– Je veux dire, *Cazarra.*

– Je suis sûre que c'était un accident, dit Risa.

Elle avait elle-même des doutes. Fredo avait agi comme le *cazarro* de la maison et elle lui avait ravi cette position. Qui pouvait prévoir sa réaction, quand, à peine quelques heures plus tard, il avait senti que sa place dans l'atelier était sur un sol aussi précaire ?

– Ça doit avoir été accidentel. C'est *sûrement* ça. Il a été très perturbé, tu sais.

– Je sais, dit Risa.

Perturbé était un mot trop léger pour décrire l'air sur le visage de son cousin il y a quelques instants.

– Ne t'inquiète pas !

– Il aurait dû être le *cazarro,* laissa échapper Emil.

Risa resta un instant bouche bée, ce qui fit revenir Emil en arrière.

– C'est ce qu'il pense, je veux dire. Pardonne-moi, *Cazarra*, mais ton père aurait pensé comme ça aussi.

– Je comprends.

Risa ne pensait pas qu'Emil ait été délibérément méchant dans sa déclaration, mais elle se sentait comme s'il l'avait giflée. Il était parfaitement vrai que son père aurait préféré un homme. Combien d'autres étaient d'accord avec lui ?

– Garde ta langue ! aboya Mattio contre le jeune homme nerveux.

Le maître artisan prit un air renfrogné. Son regard vers Risa signifiait d'excuser l'incident, mais déjà elle avait tourné le dos pour cacher la mine sombre qui déformait sa bouche.

22

Quand tout le reste est sombre, laisse le travail être ton réconfort !
Le travail quotidien des mains, le dos courbé et la sueur sur le front,
voici le salut.

— Extrait du *Livre de prière de l'insula des Pénitents de Lena*

— Cazarra ?

Le chuchotement était timide et à peine audible. Risa s'arrêta, le cœur battant la chamade. Son dos la faisait souffrir d'avoir déplacé de grandes boîtes de plaques de verre tout l'après-midi ; même avec l'aide de Milo, elles étaient lourdes et embarrassantes. Jusqu'à ce moment, en sueur et fatiguée, elle n'avait voulu rien d'autre que retourner dans sa chambre et se plonger dans une baignoire remplie d'eau fraîche.

— Qui est là ? demanda-t-elle.

Derrière elle, elle sentit Milo se crisper.

Une silhouette sortit doucement en clopinant d'une niche obscure. C'était un homme frêle, avec la peau ridée collée aux os. Dans la lumière mouchetée projetée par les plantes grimpantes au-dessus de lui, il paraissait presque squelettique.

— Dom ? demanda Risa.

Son pouls battait toujours rapidement. Le vieux mendiant lui faisait peur.

Sa main tremblait tandis qu'il tenait ses poings serrés ensemble. Pendant un moment, elle fut frappée par la façon dont sa posture, de profil, ressemblait à un « S » majuscule. Ses genoux étaient pliés vers l'avant, comme s'il chancelait sous le poids qu'il transportait, et sa tête était projetée en avant. On aurait dit qu'il se voûtait sous un plafond trop bas. Les yeux de Dom étaient fixés sur Risa comme un homme affamé sur un festin.

— Qu'y a-t-il, Dom ?

— *Cazarra,* dit Milo d'un ton poli et sérieux. Vous devriez retourner dans votre chambre.

— C'est juste Dom, lui dit-elle, légèrement de mauvaise humeur à cause de son intervention.

Puis, d'une voix plus basse, elle ajouta :

— Qu'est-ce qui ne va pas ?

Il secoua la tête et murmura à son tour :

— Quelque chose semble aller de travers ici. Je l'ai senti toute la journée.

— C'est toi qui m'as suggéré d'accueillir ce pauvre homme, lui rappela Risa.

— Je sais, acquiesça Milo. Mais…

— Il est inoffensif, lui dit-elle presque en riant.

Après tout ce qu'elle avait traversé les dernières 24 heures, la soudaine apparition d'un vieux domestique aurait dû être l'événement le moins effrayant de la journée.

— Qu'avez-vous dans vos mains ? demanda-t-elle à Dom avec gentillesse.

La main de l'homme tremblait tandis qu'il tendit à nouveau ses poignets retournés.

– C'est pour moi ?

Dom opina, puis ouvrit la bouche. Un souffle s'en échappa.

– Pour toi.

Une légère brise en provenance de la mer ébouriffa des mèches de cheveux blancs autour de sa tête comme un nuage.

Ses doigts se déplièrent autour d'un objet rond. Dans ses mains flétries reposait un fruit avec une peau rouge vin.

– Oh, une grenade ! Comme c'est gentil ! Merci, Dom. C'est tout à fait ce que je voulais.

Une étincelle d'électricité statique passa de sa main aux doigts de Risa quand elle prit le fruit mûr. La sensation la surprit pendant un moment, mais elle sourit. Derrière elle, Milo s'éclaircit la gorge.

– *Cazarra*...

Une fois que le vieil homme eût disparu dans l'obscurité et que Milo et elle se fussent dirigés dans la résidence, elle se remit à parler.

– Milo, qu'est-ce qui ne va pas ?

– C'est juste que je n'aime pas les gens qui traînent dans des endroits sombres autour de toi, dit-il.

À la façon dont il lâchait les mots, elle pouvait dire que sa bonne humeur habituelle avait été remplacée par l'anxiété.

– C'est seulement Dom, répéta-t-elle. Personne ne va me faire de mal dans ma propre *caza*.

– On ne sait jamais, dit-il avant de poser une main sur son épaule pour l'arrêter. C'est sérieux, Risa. Nous, les gardes, n'avons pas d'ordres d'empêcher les gens d'entrer dans la *caza*, sauf le soir. Tout le monde peut prétendre être un ami ou un ouvrier et franchir ces ponts dans le but de te faire du mal.

– Tu deviens ridicule.

Elle reprit la direction de sa chambre.

– Je ne veux plus d'« incidents » comme celui de l'atelier. Ça aurait pu être toi avec un visage brûlé. C'est mon devoir de te protéger.

– Tu réagis de façon excessive.

Même si elle le réprimandait, Risa sentait des frissons dans ses os. Il avait raison. Elle était menacée.

– Peut-être que oui, peut-être que non. Mais promets-moi que tu ne seras pas imprudente, Risa. Il vaut mieux que tu ne t'éloignes pas de moi pendant les prochains jours.

– Mattio pensera que tu dis ça juste parce que tu m'aimes bien, plaisanta-t-elle.

Son visage demeura complètement dénué d'expression à sa remarque. Pendant un instant, elle paniqua à l'idée qu'elle pouvait l'avoir offensé ou repoussé.

– Je suis désolée. Je te le promets, finit-elle par dire.

Elle avait atteint sa chambre au dernier étage. Elle prit la poignée dans sa main et ouvrit la porte.

– Voudrais-tu inspecter ma chambre au cas où il y aurait des assassins ?

Milo resta silencieux. Il semblait prendre sa question au sérieux et ça l'effraya un peu. Elle le regarda entrer dans la chambre, la main sur le fourreau de son épée. Il examina la petite pièce carrelée où elle se lavait. Puis, il jeta un œil sous son lit et scruta la grande armoire qui contenait ses habits. Il inspecta bon nombre d'objets posés sur une table. Même s'il ne trouva rien qui sorte de l'ordinaire, il continua à avoir l'air méfiant.

– Suis-je en sécurité ? finit-elle par demander, impatiente de s'asseoir après plusieurs heures passées debout et voûtée.

Elle lança la grenade en l'air et la récupéra.

— Je ne veux pas te presser, mais je suis fatiguée.

— Je comprends, dit Milo visiblement avec réticence. Devrais-je demander qu'on t'apporte un plateau pour ton dîner ? Tu as l'air affamée.

Secouer la tête aurait trop fatigué ses muscles.

— Je vais manger ça pour l'instant, dit-elle, montrant le fruit. Après le rite de ce soir, je mangerai autre chose. Mais maintenant, je veux me reposer, d'accord ?

— Je ne quitterai pas le couloir, lui annonça-t-il. Si tu as besoin de quelque chose, appelle !

Silencieusement, il lui prit la grenade des mains, entailla sa peau épaisse avec son couteau, puis la lui rendit.

— Je suis désolée pour ce que j'ai dit. Sur le fait que tu m'aimes...

— Ne le sois pas, dit-il brusquement tout en fermant la porte. Repose-toi bien, *cazarra*.

Traversant lentement la chambre, Risa plongea ses ongles dans la peau entaillée et commença à déchirer la membrane à l'intérieur du fruit. Le jus se répandit des grains charnus sur ses mains, les mouillant de leur liquide collant. Elle ôta quelques poches pleines de jus du fruit et les enfonça dans sa bouche en aspirant la douce pulpe. L'arrière-goût astringent du fruit la rafraîchit. Pendant quelques instants, elle se sentit presque ranimée.

Près de son balcon, sur une table basse posée devant le canapé, elle remarqua plusieurs petits cadeaux. Beaucoup étaient décorés de rubans et de papier brillant. Il y avait un paquet d'oranges attaché avec un ruban et une boîte de fèves de *cioccolato* moulues qui pouvaient être trempées dans une boisson chaude amère et odorante. Une petite poterie, une fois ouverte, révélait un mélange épicé d'olives, d'ail et d'huiles. Il y avait aussi de petits raisins sucrés et un pot de figues farcies. À quelques-uns de ces mets étaient attachés des petits mots. *Merci beaucoup, de la part de Natella,* se trouvait sur un petit morceau de papier attaché à une compote de fruits des bois, donnée par une des domestiques de la cuisine. Si elle avait faim, elle pouvait se sustenter avec tout un festin sans quitter sa chambre.

Vous nous avez tous sauvés. Soyez bénie. Marcello, se trouvait sur une note de la part d'un des jardiniers. Elle était roulée entre les jambes d'un adorable petit chien sculpté dans un morceau de bois. Une charmante boîte à musique se trouvait à côté ; quand Risa ouvrit le couvercle, son délicat mécanisme commença à jouer un air folklorique des montagnes. Elle le connaissait bien et sourit en l'écoutant.

Elle s'affala profondément dans les coussins du canapé, ses muscles se détendant contre leur douceur duveteuse, et elle écouta la mélodie de la boîte à musique. Ces petits présents la touchaient. Du chien en bois fait à la main à l'extravagant *cioccolato* moulu – une concoction si rare qu'elle n'en avait goûté qu'une fois dans sa vie –, en passant par la simple grenade donnée par Dom, l'étalage de ces petits présents la transportait sincèrement.

Elle se releva paresseusement du canapé et s'offrit d'autres poches juteuses de la grenade, puis d'autres encore. La douce chanson des montagnes lui fit baisser les paupières de plus en plus. Tout à coup, elle réalisa qu'elle ne devait pas dormir... Elle était assez fatiguée pour dormir toute la nuit si elle fermait les yeux.

Non, elle devait juste se détendre et profiter de la brise qui soufflait du balcon et penser... Elle se demanda ce que Milo faisait, dehors dans le couloir. Et où était Camilla ? Avait-elle trouvé Ricard ? Elle était partie avant midi.

Un bâillement étira la mâchoire de Risa aussi loin qu'elle pouvait aller. Des larmes se formèrent tandis que ses yeux s'étrécissaient. Elle cligna des yeux plusieurs fois, mais trouva difficile de les garder ouverts. La musique était si douce et apaisante…

Son visage la brûlait, comme s'il était en feu.

— Arrêtez ! se surprit-elle à crier.

Une main plongea sur son épaule tandis qu'une autre la secoua vigoureusement. Quand elle ouvrit les yeux, ses paupières étaient lourdes et couvertes de croûtes. Risa cria encore en signe de protestation, incapable de comprendre ce qui se passait.

Milo se tenait au-dessus d'elle. Sa main s'était levée pour la brusquer à nouveau.

— Laissez-moi ! insista-t-elle.

On aurait dit que sa voix était faible, qu'elle avait peu servi.

— Elle est enfin réveillée, dit Camilla. Laisse-lui de l'espace !

Sur le sol à côté d'elle reposaient les restes écrasés de la grenade, son jus rouge rubis tachant le tapis. Ses mains, son visage et sa robe étaient couleur sang à cause de la sève séchée et poisseuse.

— Est-ce qu'elle va bien ? demanda une autre voix.

— Mattio ? Est-ce qu'elle… ?

Amo était là aussi, hésitant sur le pas de la porte, tout comme un certain nombre de domestiques. Même Fita se tenait sur le côté, ses mains tordant son tablier en faisant des plis moites.

— Que s'est-il passé ?

C'était comme si sa gorge avait été soudée. Elle toussa, grimaçant tellement sa poitrine lui faisait mal.

Elle n'avait jamais vu la peau claire de Milo si rouge ni son air si furieux.

– Tu ne te réveillais pas.

Il crachait les mots à contrecœur.

– On a essayé et essayé encore, mais tu ne te réveillais pas.

– Est-ce que je me suis endormie ? Je suis désolée. J'étais si fatiguée…

Milo s'agenouilla près d'elle.

– Est-ce que ça va ?

Mattio indiqua avec dégoût des morceaux de la boîte à musique éparpillés sur le tapis.

– Tu n'as pas ouvert tes yeux jusqu'à ce qu'on *la* lance sur le sol et qu'elle se brise en morceaux. Je crois que ça a été fait par les Cassamagi. Je n'en ai jamais vues des comme ça auparavant. Ce fichu truc a failli nous coûté la *caza* !

Camilla rassembla les morceaux.

– Qui te l'a donnée ?

– Je ne sais pas… souffla-t-elle. C'était là, sur la table.

– On essaie de te réveiller depuis presque une heure. Peux-tu te lever ?

Milo avait encore un air renfrogné, mais sa colère s'atténuait.

– Dois-je ?

Sur le côté de la chambre, une des domestiques éclata en larmes. Fita se mit instantanément à la faire taire. Surprise de tant d'attention, Risa demanda :

– Combien de temps ai-je dormi ?

– Assez longtemps, dit Mattio.

Sa voix semblait aussi rauque et tendue.

– Tu dois réaliser le rite. *Maintenant*.

De l'eau glacée sembla soudain parcourir ses veines. Les yeux écarquillés, elle regarda les portes du balcon. Au-delà de la *caza* Catarre, le ciel de l'ouest était sombre. Le soleil oscillait juste au-dessus de l'horizon. Elle ne pouvait pas avoir dormi si longtemps !

Au loin, au centre de la ville, elle entendit le son caractéristique du cor du palais.

— Aidez-moi, s'écria-t-elle, soudain craintive.

L'escalier vers le balcon le plus élevé de la résidence était juste au bout du couloir, mais ses membres étaient tellement lourds qu'il lui paraissait être à un kilomètre. Milo et Camilla la hissèrent sur ses pieds et la transportèrent tout le long. Ses bras se cramponnaient à leurs cous et ses pieds touchaient à peine le sol.

Bien qu'elle se soit sentie encore faible et étrangement dans la lune depuis son sommeil inhabituel, le son du cor des Cassamagi sonnant depuis le point le plus à l'est de la ville la ranima. Elle n'avait pas le temps de réfléchir ou de traîner. Mattio était déjà en train d'attacher le drapeau vert et bleu de la *caza* aux crochets du mât. C'est avec son aide qu'elle le hissa dans le ciel, la corde montant si vite qu'elle menaça de lui brûler les mains.

Milo et Camilla ôtèrent le couvercle de cuivre du piédestal, dévoilant le cor Divetri. Un faible rayon de soleil éclaira son pavillon. Pendant un moment, Risa craignit ne pas avoir la force de lever le lourd instrument.

Elle n'avait pas à s'inquiéter. Quand elle posa une main sur l'embout, un étrange accès de pouvoir la parcourut. C'était comme une averse revigorante un après-midi d'été ; c'était comme le rire, la joie dans un moment solennel. Le cor semblait presque la reconnaître. Risa eut le souffle coupé tant sa résonance faisait frissonner tout son corps. Était-ce ce que son père ressentait chaque soir quand il saisissait l'instrument en cuivre ?

Au-dessus d'elle, les œillets de métal du drapeau s'entrechoquaient contre le mât au gré des légers vents marins. Elle leva le cor et souffla.

C'était la première fois qu'elle était vraiment capable de savourer les sensations procurées par le cor qui résonna à travers les toits de Cassaforte. Ce son était un pur enchantement — elle le sentait maintenant d'une façon qu'elle n'avait jamais connue dans son enfance. Bien qu'il ait existé depuis des siècles, il brillait comme s'il avait été neuf. Elle ne pouvait pas voir les traces du son, mais une partie d'elle pouvait discerner sa présence dans la périphérie de sa vision. C'était si délicat que ça disparaîtrait si elle le regardait directement. Pourtant, il était si durable que toute une ville avait été construite sur ses fondations. Il donna à Risa sa force.

Pendant un moment, elle sentit qu'elle vivrait éternellement.

Tous les artisans et les domestiques restaient silencieux. Le son du cor s'évanouit dans l'obscurité croissante. Il n'y eut aucune acclamation comme la nuit précédente ; une humeur sombre planait au-dessus du balcon Divetri. Certes, ils étaient en sécurité pour une autre nuit. Mais, pendant combien d'autres pourraient-ils résister à la menace du prince ?

Ce ne fut pas avant qu'elle ait entendu le son d'un faible grondement que Risa réalisa combien de temps elle était restée endormie. Il résonnait comme d'énormes tambours, secouant chacun de ses os.

— Non, chuchota-t-elle tout en tenant fermement le cor Divetri.

Elle avança en trébuchant vers le bord du balcon, où elle put entendre les cris et les hurlements de la *caza* de l'ouest. Chaque secousse et chaque tremblement qu'elle subissait se profilait sur le soleil couchant.

– Pas les Catarre !

23

Pourquoi te parler à toi, mon ami – mon roi – est-il plus facile que de parler à ma propre famille ? Je crains qu'ils me trouvent étrange.

– Allyria Cassamagi au roi Nivolo de Cassaforte dans une lettre personnelle appartenant aux archives historiques de Cassamagi

– Cet uniforme est serré.

– Il va assez bien à Camilla. C'est sa tenue de rechange.

Milo regardait attentivement autour d'eux dans l'obscurité. Des lanternes illuminaient les rues en dessous d'eux, mais un peu de cette précieuse lumière se répandait dans le canal tandis qu'ils naviguaient vers le nord.

– Elle a des muscles à des endroits où je n'en ai pas.

À en juger par un certain manque au niveau de la poitrine, Camilla avait assurément d'autres atouts dont Risa manquait.

Milo dirigea la gondole sous un pont, puis dans une large zone où plusieurs canaux de la ville se croisaient. Les lumières de la rivière, leurs piliers ancrés profondément dans le canal boueux, projetaient les traits de Milo comme une silhouette anguleuse. Il semblait renfrogné et soucieux.

Ils devaient trouver Ricard. Ils devaient l'empêcher de continuer à faire circuler sa chanson. Risa l'avait déjà échappé belle avec la boîte à musique enchantée et elle ne pouvait pas se permettre un autre incident. Mais il avait été difficile de persuader Milo de s'engager dans ce plan. Quand Risa avait fini par permettre à Milo de l'éloigner de la vue des ruines de la *caza* Catarre — jonchée de papiers, de livres reliés en cuir et du bois et du verre qui les avaient jadis contenus —, Camilla leur avait dit qu'elle n'avait pas été capable de trouver le poète du peuple dans aucun de ses repaires habituels. Ils l'avaient trouvée assise seule, à soigner les cloques qu'elle avait accumulées au cours de sa pénible randonnée autour de la ville.

— J'espère vraiment que Ricard n'a pas chanté sa chanson partout, avait marmonné Milo. Mais il sera sans aucun doute chez Mina ce soir. Il ne nous reste plus qu'à le surprendre là-bas.

Bien que Camilla ait simplement frictionné la plante de ses pieds endoloris et opiné, Risa avait remarqué un éclair de douleur et de lassitude traverser son visage, et elle dit rapidement :

— Non, elle est épuisée. Je vais y aller.

— Je ne suis pas fatiguée, avait protesté Camilla, mais faiblement.

— Risa, ce n'est pas sécuritaire pour toi non plus de sortir en ville, l'avait avertie Milo.

— Ce n'est pas sécuritaire pour moi de rester dans ma chambre non plus ! avait-elle répliqué. Tu as dit toi-même que je devrais rester avec toi.

Milo était resté immobile, entêté et inflexible.

— Tolio ne te laissera jamais sortir de la *caza* après la tombée de la nuit.

À la fin, c'est Camilla qui avait conçu le plan d'habiller Risa avec son uniforme de garde de rechange. Dans l'obscurité, personne ne penserait à regarder de près les deux gardes quitter la *caza* pour un repas tardif après une longue période de travail. Camilla se reposerait dans la chambre de Risa, la porte fermée ; elle se soignerait les pieds et les plongerait dans de l'eau salée.

Tandis que Risa regardait à présent les eaux scintillantes, elle vit qu'elles étaient jonchées de papiers — des pages de livres.

— Tant d'enchantements à apprendre, gaspillés.

Elle se pencha et sortit un morceau de papier du canal dont elle regarda attentivement l'encre qui coulait. Quel que soit ce qui avait déjà été inscrit à l'encre indélébile sur cette page, c'était à présent illisible.

— As-tu déjà lu un livre des Catarre ?

Milo hocha la tête.

— Ça aurait pu être pire. Ça aurait pu être comme les Portello, ou les…

Le reste de ses mots ne sortit pas, mais elle savait ce qu'il pensait. *Ou ce qui aurait pu arriver à la* caza *Divetri.* Elle eut à nouveau la prémonition du verre explosant dans toute leur île Les ateliers, les cuisines, les fenêtres de la résidence — transperçant indifféremment le bois, les os et la chair.

Comme Milo restait silencieux, Risa reprit la parole.

— Tu es inquiet que Tolio découvre ce que nous faisons et que Camilla ait des problèmes si on se faisait prendre.

Milo continua à faire remonter le canal à la gondole.

— On ne se fera pas prendre, un point c'est tout.

Des bruits de pas qui courent résonnaient dans les rues au-dessus de leur tête. Risa se tourna, inquiète de cette agitation soudaine. Comme le bruit des bottes s'éloigna, elle se détendit. Milo ne semblait pas du tout perturbé. Il ralentit quand ils approchèrent d'une autre jonction et commença à manœuvrer la gondole pour tourner le coin afin de les diriger vers l'est.

— J'ai lu un livre des Catarre, une fois. Sur l'escrime. C'était à ma mère.

Il sembla presque perdu dans ses pensées. Risa eut une autre vision de sa défunte mère, les cheveux blancs, bien portante et maternelle, s'occupant de son jeune fils, Milo, avec un livre sur l'art de manier l'épée tandis qu'elle coupait ses boucles blondes.

— Je n'en ai jamais oublié une page.

— C'est la beauté des enchantements Catarre, dit Risa. C'*était* leur beauté, en fait.

Elle ne put s'attarder sur cette perte, car ça ne faisait que l'effrayer. Elle changea de sujet.

— Quel est ce Chez Mina où nous allons ?

— Oh ! tu vas aimer Chez Mina, dit Milo, décontracté. C'est une *taverna* un peu miteuse pour les artistes. Nous y mangeons presque tous les soirs.

— Vous ne mangez pas chez vous ?

Sauf en dehors de rares repas dans une autre *caza* ou dans une maison des Trente, Risa n'avait presque jamais mangé un repas préparé hors de la *caza* Divetri. Elle était encore moins entrée dans une *taverna*.

Milo rit.

— Camilla et moi n'avons pas de cuisine comme les Divetri. Pas de domestiques, non plus. Bien que nous en ayons eu une quand nous vivions à *via* Dioro.

Étant donné l'expression de surprise de Risa, il ajouta rapidement :

– Ce n'était pas une de ces grosses maisons ! Juste quelques chambres au-dessus d'un des magasins. Nous avions une domestique, quand même. C'était avant la mort de maman. Maintenant, nous mangeons nos repas Chez Mina.

Il haussa les épaules.

– C'est plus facile.

Tandis qu'ils passaient le centre de la ville, les canaux s'élargissaient et devenaient plus vastes et plus bas. Des rives entières de grands immeubles sombres bordaient directement les eaux, leurs portes longées d'escaliers en pierre qui descendaient directement dans le canal. Dans les secteurs plus riches de Cassaforte, les maisons avaient été construites il y a longtemps avec des mouillages et des petits quais où les familles et les domestiques pouvaient amarrer leurs gondoles. Ici, le canal était jonché de longs bateaux sur les côtés, entassés autour des portes. Il pouvait parfois y avoir de cinq à six largeurs de bateaux. Dans le faible éclairage de la lanterne de la gondole, Risa vit quelqu'un passer d'un bateau à l'autre pour atteindre une des entrées.

– Qui vit dans ces endroits ? demanda-t-elle tandis que Milo naviguait avec précaution dans les canaux.

L'abondance de bateaux amarrés de façon désordonnée le long des murs sur les berges du canal laissait seulement un étroit passage pour naviguer. Depuis les balcons au-dessus d'eux, on entendait le bruit de familles discutant pendant le dîner, de pleurs de bébés, de rires et de cris. Derrière une mansarde, une flûte jouait son air mélancolique dans la nuit. Au-dessus de leurs têtes, de longues cordes étaient suspendues avec des chandails. Des odeurs de lessives bouillantes et de déchets humains mêlées de poisson et de chou, la firent boucher son nez.

Milo haussa les épaules.

– Des familles vivent ici. Des ouvriers. Des domestiques.

Il y avait quelque chose d'étrange dans la nonchalance avec laquelle il parlait. Risa réalisa un peu tard que Camilla et lui avaient probablement vécu dans un de ces édifices effrités, à l'étroit, dans une même chambre. Cela devait être considéré comme un échec pour quiconque avait déjà connu les chambres au-dessus de *via* Dioro.

– Ça semble confortable, dit-elle, essayant de se montrer gaie.

Il ne répondit pas. Elle se sentit abominable ; malgré l'odeur et la saleté repoussantes, elle avait eu l'arrogance d'oublier que de bonnes personnes vivaient dans ces foyers. Elle ne voulait pas paraître comme bon nombre des Trente, pleine de suffisance et de préjugés. Et pourtant, elle s'était débrouillée pour l'offenser.

Ils terminèrent leur voyage en silence. Parler aurait été presque impossible de toute façon dans certaines zones dans lesquelles ils passaient, car elles étaient souvent bruyantes et bondées. Sur un pont éclairé par un feu au-dessus d'eux, des enfants et des adultes étaient assis sur le bord du mur de briques à crier tandis que deux hommes avec des tuniques courtes étaient engagés dans un match de lutte ; les acclamations pouvaient s'entendre des deux rues de chaque côté. En provenance des auberges, on entendait des bruits de chansons et de danses, tandis qu'aux étages supérieurs, des femmes en tenue fantaisie se penchaient aux fenêtres et flirtaient avec des hommes dans les bateaux en dessous d'elles.

Milo continua à gouverner le bateau vers le nord et l'est à travers cette vieille section délabrée de la ville jusqu'à ce qu'ils arrivent à une zone où le courant aurait pu transporter le bateau vers le sud s'il n'avait pas poussé de tout son poids contre la rame.

– Les portes de la rivière sont juste en face, expliqua-t-il, déviant vers le nord.

Puis, le canal est-ouest s'élargissait tandis que Milo éloignait le bateau des immeubles exigus. La lumière du frère et de la sœur lunes brillait légèrement de l'autre côté des eaux ondulantes.

– C'est un peu plus délicat ici.

Il semblait se diriger vers une petite île dans le canal – ou une péninsule, qui se projetait du mur de la rivière créé par les Portello et qui contrôlait le flux de l'eau dans le complexe réseau des canaux de Cassaforte. Chaque centimètre de terre sur la péninsule était couvert des mêmes édifices vétustes, mais elle vit que la bâtisse la plus au sud arborait fièrement une longue jetée qui faisait saillie dans le canal. Un doux éclairage jaune brillait aux fenêtres, mêlé à la lumière blanche et pure des lunes sur l'eau.

– C'est Chez Mina, lui dit Milo.

En provenance de la porte principale de la *taverna* venaient des sons d'hommes et de femmes chantant sur les accords d'une harpe et sur les battements des tambours. Grimpant sur la jetée, Risa défroissa l'uniforme de garde qu'elle avait emprunté tandis que Milo attachait la gondole. L'anxiété saisit tout à coup son estomac. Serait-elle capable de convaincre les autres qu'elle était une garde ? Elle vérifia sa posture pour s'assurer d'être aussi droite que possible.

– Ne t'inquiète pas, dit Milo tout en grimpant à l'échelle pour la rejoindre. Tu es avec moi. Nous sommes juste deux gardes ici pour le dîner. Tu seras parfaite.

Elle le regarda un instant. Elle voulait se détendre, mais trouvait la clameur intimidante.

C'est par-dessus son épaule qu'elle eut d'abord un aperçu de l'intérieur de la *taverna*. La lumière se répandait des cheminées à chaque extrémité de la salle et, des lanternes à l'huile étaient suspendues aux chevrons qui reliaient les épaisses poutres. Des odeurs de fumée, de bois brûlé, de ragoût de poisson et de vin emplirent son nez, tout comme les parfums, la sueur et l'odeur d'humidité de l'eau du canal s'infiltrant par les portes. Tout le monde semblait heureux et souriant, ce qui la réconforta. La harpiste finit sa pièce dans une salve d'applaudissements bruyants qui furent couverts par des cris et des rires en provenance de groupes d'hommes et de femmes jouant à un jeu compliqué avec des tuiles sur quelques-unes des tables en bois.

– Milo !

À peine avaient-ils commencé à traverser la salle qu'un homme aux cheveux gris tapa sur les épaules du garde et le secoua.

– Heureux de te voir, mon garçon !

– C'est Milo ! s'exclama une des serveuses de la *taverna* arrivant avec un plateau plein de grandes chopes et d'olives fourrées.

Risa regarda autour d'elle, perplexe. Tout le monde semblait connaître son ami. La plupart le saluaient par son nom, se détournant de leur repas ou de leur énorme chope de vin pour lui donner une tape dans le dos ou pour lui tapoter les épaules. Bon nombre d'hommes et de femmes étaient vraiment affectueux ; une femme aux airs de matrone l'étreignit fermement et émit un commentaire selon lequel il était trop mince, ce qui entraîna des rires en provenance du reste de la table.

Milo ne la présenta à personne, ni n'attira l'attention sur elle. Risa en était heureuse. Si quelqu'un devait la questionner sur son uniforme, elle aurait bien peu à leur dire. La plupart la saluèrent quand ils se frayèrent un chemin parmi les rangées de tables. Il y avait bien longtemps qu'elle n'avait pas vu autant de sourires. Tandis qu'elle commençait à se détendre, son sentiment de tension quitta son estomac.

— Milo !

Une femme corpulente âgée de quelques décennies posa un plateau pour pouvoir serrer la tête du garde entre ses mains. Avec ses lèvres maquillées, elle imprima un baiser sur son front, puis humecta la paume de sa main et commença immédiatement à nettoyer la marque.

— Edmundo s'est tellement inquiété pour toi, dit-elle, le tirant de force tout en parlant et en essuyant son front. Tu sais comment il est. Il te considère comme l'un de ses fils. Tu ne devrais pas t'éloigner si longtemps sans écrire un mot ! Vilain garçon ! Va dire bonjour !

Elle rit bruyamment et avec une vraie bonne humeur.

— Milo Sorranto ! cria un homme plus âgé assis à une des tables du fond près de la scène.

Il avala le reste de son vin avant de se lever. Risa commençait à se demander si tout le monde Chez Mina connaissait le nom de Milo.

— Edmundo ! répondit Milo en faisant des signes.

Son visage était resté jovial tout le temps qu'ils s'étaient frayés un chemin jusqu'au bout de la salle, mais maintenant, il semblait véritablement plein d'affection à la vue de l'homme.

— Je lui disais justement combien tu t'étais inquiété, dit la femme corpulente, ôtant de la poussière imaginaire de ses jupes.

— Assis ! Assis ! Nous vous avons gardé des sièges à Camilla et à toi, même si vous n'êtes pas venus ici depuis deux nuits… Ah ! mais ça n'est pas ta sœur, n'est-ce pas ?

Bien qu'il ait été étonné, Edmundo salua poliment dans la direction de Risa.

— Voici Muriella, dit Milo, utilisant le faux nom sur lequel ils s'étaient mis d'accord. Et voici Edmundo, avec ses filles Charla et Missa.

Les filles devaient être de l'âge de Milo ; elles battirent des paupières et rirent bêtement en le voyant, mais regardèrent à peine en direction de Risa.

— Mina, voici mon amie Muriella.

Milo mit sa main sur le large dos de la femme. Elle était occupée à parler à un des autres hommes à la table, mais arrêta la conversation pour lever les yeux.

— Ça alors, bonsoir… Heu… Muriella, c'est ça ?

Elle regarda Risa droit dans les yeux, les cligna et posa sa main sur les siennes.

— Tiens, Muriella !

Risa craignit ne pas avoir trompé la propriétaire de la *taverna* ne serait-ce qu'un instant, mais la femme revêtit un large sourire et lui serra la main affectueusement.

— Toujours heureuse d'accueillir les gardes du roi Chez Mina. Tu viens quand tu veux !

Milo continua à présenter les gens autour de la table, qui semblaient tous être des membres de la grande famille d'Edmundo. Il finit par tendre la main vers un homme costaud complètement plongé dans son ragoût. Le sang de Risa se glaça dans ses veines. Il y avait une personne qui pouvait la reconnaître instantanément.

— Et voici Amo, dit-il d'un ton neutre. Un ami de Camilla.

Le souffleur de verre tendit automatiquement une de ses mains colossales en signe de salutation tout en utilisant l'autre pour déchirer un morceau de croûton de pain. Ce n'est que lorsque leur peau se toucha qu'il la regarda, en fait. Cessant de mâcher sa nourriture, Amo cligna des yeux devant Risa et son uniforme emprunté, puis regarda Milo avec un air renfrogné, comme s'il allait demander quelle plaisanterie il essayait de faire.

– Muriella, répéta Milo. Une garde.

Amo hésita. Après un long silence, il salua d'un signe de tête, se leva de son banc et indiqua à Risa de s'asseoir. Edmundo se leva aussi et émit gentiment des ordres à ses filles ; elles s'écartèrent pour que Milo puisse pendre place parmi elles. Bien qu'elles aient gardé leurs visages tournés vers la scène, depuis l'autre bout de la table, Risa les aperçut regarder discrètement en direction de Milo. *Idiotes !* se dit-elle. Elle regarda leurs cheveux aux boucles soignées attachés dans le dos avec des *retas* assortis ; leur teint pâle de porcelaine ; et leurs boucles d'oreilles. Elles ne faisaient pas partie des Trente, mais elles singeaient leur mode.

Elle sortit de ses pensées en s'excusant quand elle réalisa qu'Edmundo lui parlait.

– Je disais que je ne crois pas vous avoir déjà vue en mission dans la ville, répéta-t-il.

– Je…

– Elle est nouvelle, dit Milo.

– Je l'ai déjà vue, dit Amo en même temps.

Milo et lui se regardèrent, horrifiés de leur contradiction. Amo continua, toujours en mâchant son ragoût.

– En poste devant une des places publiques près de la digue, n'est-ce pas ?

Risa opina avec gratitude.

— Alors, comme ça, tu as vu tous les gardes de la ville, Mundo ? s'enquit Mina. Tu dois avoir plus de temps que moi !

— Allons donc ! dit Edmundo qui secoua la tête.

— Ce sont des moments terribles, en fait. On dit que le prince est un fou, dit-il à Milo, incluant Risa dans la conversation avec un signe de tête. C'est un moment terrible pour être garde, mon garçon, je te le dis. Que se passera-t-il si le prince te dit de commencer à assassiner des innocents, comme les mauvais rois d'autrefois ?

Tandis qu'il parlait, Edmundo servait à tous les deux à la louche des portions de ragoût qui se trouvait dans un récipient commun au centre de la table. Il coupa des morceaux de pain, puis poussa la nourriture vers les deux nouveaux.

— Nous ne recevons pas d'ordres du prince, dit Milo, acceptant avec gratitude le ragoût.

Il mit la cuillère dans sa bouche.

— Les gardes obéissent seulement à l'homme ou à la femme qui porte la couronne d'olivier. Les capitaines prennent les suggestions du prince comme des conseils.

— C'est ce que tu dis maintenant, mais il y a des moyens d'installer de nouveaux capitaines qui danseraient avec plaisir au rythme choisi par le prince.

Edmundo inclina la tête vers la plateforme surélevée à côté d'eux, où une femme avec de nombreux jupons sautillait au rythme d'un gros tambour au son grave.

— Tu ferais mieux de partir avant qu'on te demande de faire quelque chose contre ta nature.

— Être un garde *est* dans ma nature, dit Milo.

Une des filles — Charla, d'après Risa — ricana et apposa quelques-uns de ses doigts délicats devant sa bouche. Milo se tourna et lui fit un clin d'œil tout en mâchant sa nourriture.

Pendant un instant, Risa lutta contre l'envie irrationnelle de la gifler. Depuis toujours, elle ne savait pas pourquoi, mais elle n'avait aucune patience avec les *filles* sans cervelle, pleines de fioritures et minaudières qui n'exerçaient aucun art et ne faisaient rien d'autre que répéter leurs trémoussements et leur rire dans l'espoir de faire un bon mariage. À la place, elle détourna son attention sur le ragoût. Bien que le bol fendu dans lequel il reposait n'ait ressemblé en rien à la vaisselle délicate de la *caza*, il sentait très bon. Elle le goûta avec empressement.

— Sa mère était une garde, tu sais, dit Mina à Risa. Et sa mère et son père aussi avant. Oh ! nous aimions tous Tara. Elle était comme ma fille. Ma vraie fille !

Des larmes scintillaient dans ses yeux quand elle parlait. Elle retira un mouchoir de sa corpulente poitrine et souffla dedans avec son nez.

Avant qu'elle puisse s'arrêter, Risa se détourna du spectacle émotif et laissa échapper à Milo :

— Ta mère était une *garde* ?

Elle ferma la bouche, consciente de son idiotie.

— Tu ne savais pas ? Pas juste n'importe quelle garde ! dit Amo, les joues boursouflées par des morceaux de viande. Elle était la garde personnelle du roi. C'était sa garde du corps.

Le regard de Risa, stupéfaite, passa d'Amo à Milo. Pendant des jours, elle avait visualisé la mère de Milo comme une veille femme enjouée qui préparait des petits plats pour sa famille. Le fait qu'elle ait été la garde du roi signifiait qu'elle avait été une des combattantes les plus fortes et les plus puissantes de tout Cassaforte — pas étonnant qu'on lui ait fait cadeau d'un livre catarréen sur l'escrime !

— Mais…

– Oh ! Tara était la meilleure de tous, lui dit Edmundo. Elle rôdait comme un couguar lorsque c'était nécessaire et bondissait tout aussi gracieusement. Elle a été décorée quatre fois pour son courage ! Quatre fois ! Plus que n'importe quel autre garde du roi !

Milo refusait tout contact avec ses yeux. Il continuait à manger son repas tandis qu'elle le regardait.

– Tu seras décoré un jour, Milo, dit Charla, ricanant à nouveau. Je suis sûre que tu es tout aussi brave.

– Je suis sûre que tu es plus brave ! dit Missa, se rapprochant pour saisir le haut du bras de Milo. Tu as *toujours* été si fort !

Elle serra son biceps.

Risa regarda les filles avec dégoût.

C'est à ce moment-là que des applaudissements se produisirent dans la foule. Dans l'agitation soudaine des mains levées qui applaudissaient, Risa perdit un instant de vue le visage de Milo. Quand elle le retrouva, il la regardait et il prit une gorgée de son broc. Elle se demanda si elle le voyait différemment maintenant qu'elle en savait plus sur lui. Comment pouvait-elle dire qu'il semblait plus important, maintenant qu'elle savait que sa mère avait été une des gardes les plus respectés du pays ? Il était juste Milo. Parfois drôle, parfois sérieux, parfois le Milo souriant. Il était impossible de ne pas l'aimer, peu importe qui lui avait donné naissance.

– C'est Ricard que vous cherchez, n'est-ce pas ? murmura Amo à l'oreille de Risa quand les applaudissements commencèrent à se calmer. Elle opina et il montra la scène. Ricard était déjà dessus, tendant la main pour aider Tania à monter à côté de lui. Son costume était considérablement plus raffiné que les morceaux de tissus qu'il avait portés les deux derniers jours. Bien qu'ils aient été toujours aussi colorés, les tissus semblaient plus riches et la coupe, plus chic. Tania semblait aussi porter de nouveaux habits qui mettaient en valeur ses cheveux bouclés brillants.

– Ça va être le prochain, continua Amo. Vous devriez l'arrêter avant qu'il commence. La foule ici devient furieuse si les saltimbanques ne vont pas jusqu'au bout.

Risa regarda à l'autre bout de la table. Milo était déjà debout. Tandis qu'il s'apprêtait à se diriger vers la scène, Charla et Missa lui attrapèrent les mains.

– Tu viens juste d'arriver ! dit l'une.

– Oh, Milo, tu ne peux pas partir *maintenant !* dit l'autre.

Le son nasillard du luth de Ricard calma la foule. Risa le vit se pencher dans un léger salut, ses doigts ne quittant jamais l'instrument. Derrière lui, Tania tapotait un rythme sur le tambour tandis qu'il commençait à chanter.

Des cris de souffrance résonnent dans la nuit calme.
Le silence de la ville fait du tort.
En haut du palais, un roi dans sa robe
Repose calme et tranquille : il est mort.

– Missa, je ne peux pas rester, lui dit Milo.

Il essaya d'e retirer son bras de la prise de la jeune fille, mais elle le maintint fermement.

Risa se leva et fit le tour de la table. Elle avait remarqué que certaines personnes de la *taverna* étaient déjà en train de fredonner la chanson. Bien qu'elle ne l'ait entendue que ce matin, la chanson était si simple et mémorable qu'elle constata à regret qu'elle aurait pu la chanter elle-même.

Un roulement de sabots martèle le pont –
Résonnant sur l'eau et sur la terre.

— Laisse-le ! Nous devons nous occuper des affaires de la ville, dit-elle sèchement à Missa.

Elle fut très surprise de la façon dont la jeune fille lui obéit immédiatement, semblant même légèrement désolée. À ce moment, elle dut admettre qu'il y avait un certain pouvoir séduisant dans l'uniforme de garde de la ville. Milo, pendant ce temps, s'éloigna rapidement de la table vers la scène.

Oh père, ne me quitte pas ! retentit en une douce plainte —
La plainte de la fille du souffleur…

Peu importe la plainte que la fille du souffleur de verre avait prévu d'émettre par la suite, on ne l'entendit pas, car — d'un mouvement athlétique —, Milo couvrit la bouche de Ricard d'une main et le tira de la scène de l'autre. Les cordes du luth du poète tintèrent de façon inquiétante.

Tania se tourna pour se voir seule sur la scène ; elle continua à taper sur son tambour distraitement tout en regardant le garde tirer Ricard à travers la *taverna*. Les pieds du poète touchaient à peine le sol. Quand Tania finit par bondir pour les suivre, Risa saisit son bras et la tira vers elle. Les yeux de Tania s'écarquillèrent d'inquiétude à la vue de l'uniforme de Risa, mais quand elle vit qui l'éloignait, ils sortirent presque de leurs orbites.

La foule était déjà en train de protester. Certains criaient et montraient les poings. D'autres s'étaient levés, hurlant dans sa direction.

— C'est une affaire officielle ! s'écria vivement Risa, mais elle savait qu'elle ne pourrait se faire entendre dans tout ce chahut. Ceci est une affaire officielle qui concerne la couronne !

Un rire fracassant transperça la clameur. C'était la propriétaire, qui se levait sur un des bancs près de la table d'Edmundo.

— Et voici ce qui arrive, s'écria-t-elle, quand on ose chanter faux Chez Mina !

Tout le monde rit. Comme la marée basse lors de la double lune, la tension de la pièce déclina. La propriétaire de la *taverna* à la poitrine généreuse claqua des doigts et la harpiste revint sur la scène et commença à jouer.

Ricard et Milo étaient déjà en train de discuter dehors. Dans la lumière filtrant de la porte principale ouverte de la *taverna*, on voyait bien leurs visages rouges et furieux.

— Tu me demandes l'impossible ! cria Ricard.

Des postillons volaient de sa bouche.

— Que diable se passe-t-il ? voulut savoir Tania. Honnêtement Milo, je suis la dernière personne à refuser un accès de drame, mais habituellement, je préfère connaître le script d'avance !

Elle se tenait les mains sur les hanches dans une attitude d'affrontement.

— Il veut que nous arrêtions de chanter la nouvelle ballade ! lui dit Ricard avec rage.

— Quoi ? J'adore cette chanson ! Elle est merveilleuse !

— Je suis à mon apogée ! approuva Ricard.

— Elle est dangereuse, dit Milo. Chaque fois que tu la chantes, tu mets Risa en danger.

Ils regardèrent Risa.

— Tu sais, finit par dire Tania, le pourpre te va vraiment bien. Ça fait ressortir tes yeux.

— Tu n'as pas compris, dit Milo, la frustration colorant sa voix.

— Ce que Milo veut dire, dit une voix douce et affectueuse, c'est que ta précieuse chanson d'amour attire beaucoup l'attention sur quelqu'un qui n'a vraiment pas besoin de publicité en ce moment.

Mina apparut de nulle part. Elle mit ses bras à la fois autour de Tania et de Ricard, souriant de l'un à l'autre.

— C'est probablement une jeune fille ordinaire — comme Muriella ici — qui veut juste faire son travail sans que son nom soit chanté dans toute la ville. Tu détesterais ça si tu étais à sa place, n'est-ce pas, ma petite ?

La femme potelée regarda directement Risa. Elle opina et saisit le sourire complice de Mina. Elle savait. Elle avait toujours su, d'une manière ou d'une autre. Risa hocha la tête en signe d'accord et de gratitude.

— Maintenant, vous comprenez ? dit Mina.

— C'est ma meilleure chanson ! Les gens l'*aiment* vraiment ! continua à argumenter Ricard.

Risa se sentit obligée de parler :

— C'est une bonne chanson. Si tu as pu écrire une si bonne chanson, la prochaine sera encore meilleure. S'il te plaît, Ricard.

— Il est dangereux de la chanter, dit Milo sur un ton affectueux, inspiré par celui de Risa. Le prince va essayer de découvrir qui sonne le cor des *cazas* restantes. Tous ceux qui visent à promouvoir leurs familles pourraient essayer de leur nuire. Quelqu'un a déjà attaqué Risa.

Tania resta bouche bée tandis que les paroles de Milo faisaient leur chemin.

— Les dieux savent qu'il y a assez de gens dans cette *taverna* qui vendraient leur mère pour un *luni* ! dit Mina en haussant les épaules de dédain. Écoute Milo, mon garçon !

Ricard regarda Milo, puis Risa et revint à Milo, la lèvre inférieure avancée en signe de moue. Même Tania semblait renfrognée.

– Penses-tu vraiment que je peux écrire une meilleure chanson ? finit-il par dire.

Risa prit la main libre de Ricard dans la sienne.

– Je sais que tu le peux. Mais avant que tout soit fini… arrête. Je t'en supplie.

– Dans combien d'endroits l'as-tu chantée aujourd'hui ? s'enquit Milo.

Ricard et Tania se regardèrent d'un air coupable.

– C'est dur à dire, finit par avouer Tania. On a commencé à la *caza* Divetri et on a tourné de place en place.

– Et on a fait toutes les *tavernas,* dit Ricard.

Il sembla légèrement mal à l'aise.

Tania opina doucement, semblant également troublée.

– On a joué peut-être une quarantaine…

– Une cinquantaine de fois, peut-être ?

Le petit groupe se tint silencieux devant ces nouvelles.

– Ce n'est pas tant que ça, finit par dire Mina. Si ? Des petits groupes de spectateurs à chaque fois…

– Pas des petits groupes.

Tania avait un air affligé.

– Certains étaient assez importants.

– Eh bien, au moins, ce n'est pas comme si elle avait été vendue pour être imprimée ! dit Mina allègrement.

Puis, voyant le visage paniqué de Ricard, elle secoua la tête et ajouta :

– Ricard, mon garçon, ne me dis pas que tu l'as fait !

Ricard opina.

— Dimarco l'imprimeur l'a achetée. Il doit utiliser la même gravure que pour *La fille du pirate*. Quand nous sommes partis, il commençait à l'imprimer.

— Arrêtons-le ! dit Mina.

— Il voudra de l'argent. Je ne peux pas lui demander de simplement arrêter. Il m'a payé tout un *lundri* pour ça ! Tout un *lundri*, Milo !

Abandonnant tous les faux-semblants qui faisaient d'elle la garde Muriella, Risa dit impérieusement :

— J'ai un sac de *lundri* pour le verre que j'ai vendu pour mon père. Je t'en donnerai autant qu'il t'en faut pour acheter chaque copie de ce feuillet qui sort de chez l'imprimeur.

Son esprit était plein d'une vision cauchemardesque du nombre de papiers qui pouvaient exister. Les feuillets des chansons et des ballades les plus populaires circulaient largement à travers la ville. Des milliers de personnes les conservaient ; même Giulia avait une partition avec de beaux vers pressée entre deux plaquettes dans sa chambre. Si ne serait-ce qu'un feuillet tombait entre les mains d'un des Trente, il se retrouverait rapidement chez le prince.

— Et un *lundri* pour l'effort, dit le poète avec un tel empressement que Risa le suspecta d'avoir préparé cette requête pendant qu'elle parlait.

— Ricard ! s'écria Tania qui sembla dégoûté de l'intérêt de son frère.

— D'accord, dit Risa avant qu'il change d'avis.

Elle fouilla dans sa bourse cachée dans sa tunique à la recherche de pièces.

Ricard sourit quand il mordit dans une des pièces pour vérifier sa pureté. Satisfait, il les empocha.

— Très bien alors, *cazarra*. Chacun de vos souhaits seront exaucés ! Viens, ma sœur, partons accomplir notre mission de rédemption !

Ricard joua doucement de son luth tout en s'éloignant d'un pas nonchalant dans l'obscurité et fit signe à sa sœur de le suivre.

Tania s'attarda un instant et prit les mains de Risa.

— Je suis désolée, dit-elle, puis elle l'embrassa sur les joues. Je vais m'assurer qu'il fasse bien les choses.

— C'est très bien, dit Risa pour la réconforter avant de la laisser partir.

— Une mission de rédemption, ronchonna Milo. La seule *rédemption*, c'est qu'il n'ait pas demandé plus qu'un seul *lundri* pour tous les problèmes qu'il a causés.

— Ah ! les enfants, gloussa Mina.

Elle repoussa son tablier et se tourna pour retourner dans sa tanière de lumière et de musique.

— Ne sous-estimez pas le pouvoir de l'or ! Certains hommes feraient n'importe quoi pour ça !

24

Quand la maison brûle, pourquoi ne pas se réchauffer les mains ?

— Dicton cassafortéen

Les chandelles qui illuminaient le couloir en haut de la résidence avaient coulé depuis longtemps. Les seules lumières provenaient du reflet des lunes sur les canaux et des torches au loin qui brûlaient sur la place Divetri. Au début, Risa fut surprise de la tranquillité apparente du couloir. Puis, elle se rappela qu'elle était la seule habitante de cette aile de la maison, qui était réservée aux enfants Divetri.

— Penses-tu que Camilla dort ? demanda-t-elle à Milo, qui avançait lentement sur le sol de pierre devant elle.

— D'après ce que je connais de Camilla, non. Pas quand elle est en service, murmura-t-il. Pas même fatiguée comme elle est.

Il devait être trois heures du matin. Risa ne pouvait même pas s'imaginer rester éveillée si tard après avoir parcouru la ville toute la journée.

— Tu vas voir, dit Milo à voix basse tandis qu'il tournait la poignée de la porte de sa chambre. Elle sera encore réveillée.

Il entra dans la chambre.

Ce fut comme si plusieurs choses se produisirent en même temps. D'abord, on entendit le bruit de quelqu'un qui court, puis un énorme grognement en provenance d'une femme. Risa sentit des corps s'écrouler près d'elle et s'écraser contre le mur du couloir opposé à sa porte. Dans la quasi-obscurité, elle discerna des ombres s'attraper et entendit des grondements tandis que Milo et son agresseur inconnu luttaient. Grognant férocement comme des animaux, les corps retombèrent dans sa chambre.

Paniquée, Risa se souvint qu'il y avait de l'amadou dans une des niches. L'obscurité faisait penser à une couverture masquant ses mouvements timides loin de la mêlée. Elle devait trouver les pierres pour créer de la lumière — la pensée d'un agresseur dans le noir lui était presque insupportable. Elle croyait que les pierres étaient dans l'alcôve à chandelles la plus près de sa chambre, mais quand ses doigts tâtonnèrent l'étagère peu profonde, elle ne trouva rien sauf un bout de cire.

Un bruit résonna à l'intérieur de la chambre, le bruit de quelque chose en bois qui était tombé et avait ricoché sur le sol. Elle retint sa respiration. Son bol en verre était dans la chambre, posé sur une table. Une secousse suffirait à le faire tomber. C'était le seul moyen de communication qu'elle avait, même peu sûr, avec ses parents.

De ses mains désespérées, elle avança à tâtons le long du mur. Les bords en verre et les coins de la mosaïque rugueuse lui coupaient la peau. Mais l'amadou était là, dans la niche suivante, deux silex plats taillés par les Cassamagi. Elle entendit quelque chose d'autre tomber sur le plancher de sa chambre – pas du verre. Mais rien ne garantissait que son bol ne serait pas le prochain.

Elle retourna précipitamment dans sa chambre.

– *Illuminisi !* ordonna-t-elle tandis qu'elle frottait les silex.

La lumière s'embrasa des silex ; une flamme unique qui brûlait autour de chaque bord. Les deux silhouettes s'empoignaient l'une l'autre près de son balcon, trop éloignées pour qu'elle puisse voir ce qui se passait. L'enchantement de la pierre s'émoussa, puis mourut.

– *Illuminisi !* ordonna-t-elle, les frottant à nouveau tandis qu'elle approchait.

Le frère et la sœur gardes tentaient tous deux de s'étrangler, le visage marqué par la rage. À la lumière de l'amadou, leurs yeux s'illuminèrent de surprise à la vue inattendue de l'autre. Tandis que l'enchantement s'atténuait et s'achevait, elle les vit tous deux relâcher leur prise et s'efforcer de retrouver leur équilibre. Camilla tendit la main juste au moment où la lumière s'éteignit.

– Ne bougez pas ! ordonna Risa, retrouvant soudain la voix.

Elle frotta une nouvelle fois les pierres ensemble.

– *Illuminisi !*

À la faible lueur de la lumière, ils regardèrent tous là où indiquait Risa – la main de Camilla n'était qu'à quelques centimètres de renverser le bol en verre.

– Je croyais qu'il était revenu, expliqua Camilla, quelques minutes plus tard.

Même si elle s'était calmée, ses yeux semblaient écarquillés et effrayés à la lumière des chandelles.

– Je me suis fait attaquer, plus tôt.

– Tu as l'air très éprouvée, dit Milo. Je suis vraiment désolé…

Risa remarqua la mince entaille fendant la lèvre de Camilla, entourée de sang séché coagulé. Sa joue était violet foncé, comme si elle avait reçu un coup.

– Ne te flatte pas pour ça, mon frère. Ça n'est pas toi, dit-elle, montrant son visage. C'est lui.

– Qui ?

Camilla soupira d'exaspération.

– Je n'ai pas vu son visage. Après votre départ, j'ai passé un long moment assise ici dans le noir. Vous n'avez aucune idée de combien j'étais fatiguée ! J'ai fait les choses que maman nous a apprises pour rester réveillée. J'ai chanté des chansons dans ma tête, compté les étoiles, fait des calculs.

Sa voix s'adoucit.

– Je me suis quand même endormie.

– Oh, Cam !

– Je n'ai pas pu m'en empêcher !

– Je ne te blâme pas. Je sais que tu dois t'en vouloir.

– Pourtant, je ne devrais pas. Peu importe, j'étais couchée quand c'est arrivé. Je me suis réveillée et il y avait une main sur mon visage, Milo.

La voix de Camilla sembla se glacer de peur à ce souvenir. La froideur dans sa voix fit frissonner Risa.

– Quelqu'un était entré dans la chambre.

Ils lui laissèrent un moment pour se reprendre.

– Il m'a immobilisée sur le lit et il a essayé d'enfoncer un tissu dans ma bouche. Alors, je lui ai donné un coup de pied entre les jambes.

Milo grimaça légèrement à ces paroles, mais le mot qui sortit de sa bouche fut :

– Parfait !

– Ça ne l'a pas mis K.O., mais ça a suffi à lui faire perdre l'équilibre. J'en ai profité pour lui donner un coup de genou dans l'estomac. Quand il s'est penché, je lui ai asséné un coup de poing sur le nez. Je crois que je le lui ai cassé.

– Tu l'as vu ?

– Non ! Il faisait trop sombre. Tout ce que je sais, c'est qu'il sentait très mauvais. C'était dégoûtant.

Camilla toucha sa joue et grimaça.

– J'ai essayé de découvrir où j'étais dans la chambre quand il a enjambé le balcon. J'ai entendu un plongeon dans le canal. Quand j'ai fini par y arriver, il nageait au loin.

La glace céda la place au feu.

– Je lui aurais fait pire si j'en avais eu la chance !

– Pourquoi ne l'as-tu pas poursuivi ? Tu aurais dû appeler à l'aide !

– Milo ! Comment pouvais-je ? J'aurai dû laisser les autres savoir que tu étais sorti avec la *cazarra* ? Nous aurions tous les deux été accusés d'insubordination. Elle n'est pas censée sortir après la tombée de la nuit ! Je me demandais justement quoi faire quand tu as ouvert la porte. J'ai cru qu'il était revenu, lui ou un de ses amis.

Tandis qu'elle écoutait la liste de blessures que Camilla avait infligées à son assaillant, Risa regardait la chambre. En dehors du passage où Camilla et Milo avaient lutté sur le sol, le reste de la pièce était intact. Des plis sur les couvertures trahissaient l'endroit où Camilla s'était blottie. Le bol en verre se trouvait à présent dans une des vitrines par sécurité, sa surface restant sombre et immobile alors que le frère et la sœur murmuraient.

– Il est venu pour moi, finit par l'interrompre Risa.

Les gardes arrêtèrent leur conversation et se regardèrent l'un l'autre attentivement, ne voulant manifestement pas admettre la justesse de l'affirmation de Risa.

– Vous êtes bien gentils de ne pas l'évoquer, mais il s'attendait à me trouver dans ce lit.

– Je ne crois pas… commença à dire Camilla.

Milo la fit taire et opina.

– Tu as probablement raison.

Au son de la discrète affirmation de Milo, la mâchoire de Risa commença à frémir. C'était trop pour elle.

– Qui serait assez désespéré pour vouloir me faire du mal ?

– N'importe qui voulant voir s'effondrer la *caza*, dit Camilla.

– Une famille des Trente aspirant au pouvoir, un ennemi des Divetri, le prince… Tu connais les suspects.

Milo s'assit à côté d'elle.

– Je n'ai rien demandé de tout ça ! Deux attaques en une journée ! Et à cause de moi, Camilla…

Risa fit un geste vers la pommette contusionnée de la garde, qui la faisait se sentir profondément coupable.

– S'il te plaît, pardonne-moi !

Camilla sourit, mais avant qu'elle puisse parler, Milo intervint.

– Une *cazarra* ne doit pas demander pardon à un garde qui fait son travail.

Risa protesta, mais Milo prit le dessus.

– C'est le travail des gardes. C'est le *travail* des gardes !

– Je peux m'excuser !

– Tu dois arrêter de raisonner comme une enfant, Risa ! Une *cazarra* doit avoir une vision plus large. Elle doit penser à l'avenir. Si les Divetri n'avaient pas de *cazarra*, que se passerait-il demain ? Quelles seraient les conséquences pour Cassaforte ?

Il semblait étonnamment tendu et irritable après la bataille dans le noir.

— Arrête de me sermonner ! Je pense à tout ça !

— Alors, après cette nuit, que vas-tu faire pour te protéger ?

Elle réfléchit avant de parler.

— Il est trop tard pour que j'apprenne à me battre comme vous deux. Je veux que vous restiez à mes côtés toute la journée et je veux des gardes postés devant ma chambre et devant toutes les entrées de la résidence, demain soir. Ceux qui n'habitent pas ici ne devraient plus pouvoir entrer.

Il hocha la tête.

— Là, tu parles comme une *cazarra*.

Elle aurait dû être heureuse du compliment, mais à nouveau, elle sentit une pointe d'agacement. Pourquoi semblait-il en ce moment aussi irrité que gentil avec elle ?

Ce n'est pas avant qu'ils l'aient laissée seule dans la chambre qu'elle comprit, ce qui donna encore plus de poids à l'obscurité. La résidence principale de la *caza* avait trois étages. Le haut était réservé aux Divetri. Leur isolation dans l'étage le plus élevé de l'édifice rendait trop facile d'oublier que d'autres vivaient dans la maison aussi. Le premier étage était surtout occupé par des pièces réservées à la famille, mais tout au bout des ailes se trouvaient des pièces pour les artisans et leurs familles. À l'étage au niveau du canal habitaient un grand nombre de domestiques comme Fita, qui n'avaient pas de maison en ville.

Et si son agresseur ne venait pas de l'extérieur de la résidence ?

25

Il y a plus de canaux que de résidences à Cassaforte, du moins on dirait. C'est une ville d'eau avec des édifices suspendus par des ponts plus légers que l'air. Parmi toutes les merveilles du monde, aucune ne témoigne plus de la nature de ses habitants.

— Extrait du journal intime d'un artiste moissophant

— C'est absurde ! Tu ne peux pas partir.

Les bras croisés, Risa fixait Emil sans cligner une fois des yeux. C'était une technique que son père utilisait quand il était de mauvaise humeur.

Au moins, l'artisan avait la décence de sembler déconcerté.

— Je suis désolé, *cazarrina*…

— *Cazarra*, le reprit Milo vivement.

Risa réprima un soupir d'exaspération devant eux deux.

— Je refuse ta démission.

Elle espérait avoir l'air ferme, mais calme.

Son humeur s'était détériorée au fil de la matinée. La *caza* était en désordre. Des chandelles consumées n'avaient pas été changées. Les drapeaux du jour en haut de la résidence étaient enroulés et emmêlés par le vent. Certains foyers n'avaient pas été nettoyés depuis l'arrivée des gardes. Des mauvaises herbes apparaissaient dans les jardins. Quelqu'un avait laissé les fours de cuisson sans surveillance, ce qui les avait fait refroidir jusqu'à un point critique. Bon nombre des domestiques avaient, semble-t-il, abandonné la maison. Fita était au bord des larmes quand Risa l'avait rencontrée et rien ne pouvait la consoler.

— La sécurité de la *caza* est si incertaine, dit Emil, tordant ses mains nerveusement. Je ne *veux* pas travailler ailleurs… Je pourrais revenir quand votre père reviendra.

— Qui a dit que je te laisserais faire ?

Le visage de Mattio était noir de colère.

Il cracha ses mots comme des projectiles de verre incandescent.

— Je ne veux pas d'ouvriers seulement quand ça va bien ici. Si tu pars, je te garantis que tu ne reviendras pas !

Risa tenta une approche plus raisonnable.

— Si tu pars, Mattio n'aura plus que mon cousin Fredo. Amo y a goûté !

Amo se trouvait dans le coin de l'atelier à arranger le matériel de la journée. Au son de son nom, il leva les yeux et secoua la tête en la regardant, comme pour lui demander de le tenir à l'écart de cette discussion.

— Il n'y a plus de Fredo, continua Mattio avec son air renfrogné. Il est parti aussi.

— Quoi ? dit Risa.

Autant elle n'aimait pas son cousin, autant elle savait qu'avec l'absence de son père, Fredo était vital pour continuer la production à l'atelier.

— C'est impossible.

– C'est tout à fait possible. Il m'a laissé un mot. Il n'a pas été capable de me le dire en personne, répondit Mattio, qui semblait furieux. Le lâche.

– Je l'ai vu avant qu'il parte, tôt hier matin.

Emil avait du mal à rendre sa voix timide audible dans les gargouillements et les grondements des fournaises. Ses mains tordaient sa casquette rongée par les mites.

Risa fut sous le choc quand la réalité la frappa.

– Tu pars à cause de Fredo !

Sa poitrine devint chaude avec son humeur qui agissait comme des soufflets mettant le feu à l'intérieur.

– Tu voulais que ce soit *lui* le *cazarro.* Tu crois que j'amène de la honte sur cette maison, n'est-ce pas ? Tu l'as dit hier !

– S'il… s'il vous plaît… bégaya-t-il.

– Va-t-en, alors ! Va-t-en ! Pars avec Fredo ! Abandonne le navire avec les autres rats !

À ses cris et ses gestes théâtraux, le jeune garçon tout mince se recroquevilla devant elle et recula. Elle savait qu'il devait se sentir mal, lui comme les autres.

– Pars, je te dis. *Pars !*

Filant de côté comme un crabe, Emil s'enfuit de la pièce en apportant sa casquette et un sac d'outils. La porte menant à la cour se ferma derrière lui. Moins d'une seconde passa avant que Risa avance vivement vers la porte et l'ouvrit.

– *Tu ne remettras plus jamais les pieds dans la* caza *Divetri !* hurla-t-elle derrière lui avant de refermer la porte.

– Risa !

Mattio semblait choqué.

– Je ne veux rien entendre ! dit-elle sèchement. Nous serons bien mieux sans lui. Sans eux !

La porte s'ouvrit à nouveau quand un domestique entra. Elle se tourna.

Milo revêtait la même expression réprobatrice.

– Cet accès de colère n'est pas digne d'une *cazarra*, lui dit-il en aparté.

– Que connais-tu aux *cazarras* ? cria-t-elle.

Sa patience avait été poussée au-delà de ses limites.

– Pourquoi me rappelles-tu *constamment* comment doit se comporter une *cazarra* ? De quel droit ?

Pendant un instant, elle fut étonnée de sa véhémence. Une immense satisfaction s'ancra profondément en elle. Elle fut terrifiée de constater qu'il était si facile de s'en prendre à lui – à Milo et à tous les autres. Mais elle était furieuse. Furieuse envers Emil, furieuse envers Fredo pour être parti furtivement dans la nuit. Furieuse envers Milo qui se comportait comme son père.

– Tous les citoyens de Cassaforte savent exactement comment doivent se comporter les *cazarris* – tout comme nous savons comment notre roi *ne* doit *pas* se comporter.

– Tu me compares au prince maintenant ? s'écria Risa. Suis-je un tyran ? Un ogre ?

Normalement, devant les autres membres de la maison, Milo assumait son rôle de garde inexpressif. Mais devant Amo et Mattio, il abandonnait tout faux-semblant.

– Ce n'est pas ce que j'ai dit.

– C'est ce que tu *voulais dire* !

Il leva les mains.

– Je ne veux pas me battre.

– S'il vous plaît, dit une voix calme derrière tout le monde.

Elle était à peine audible dans les bruits de l'atelier. Tous se tournèrent, Risa en dernier, pour trouver Dom, le vieux serviteur. En face de lui, sur une table de travail, se trouvait un bol rempli de figues, de poires et d'autres fruits, manifestement envoyés par Fita pour s'excuser du petit-déjeuner inadéquat plus tôt.

– Qu'y a-t-il, Dom?

La voix de Risa tremblait encore de colère, se modulant sous ses efforts.

– Est-ce que... Est-ce que quelque chose ne va pas?

– Tout va bien, mentit Risa tout en continuant à regarder Milo avec défi. Nous ne faisons que discuter.

– Vous ne devriez pas...

On aurait bien dit que le vieil homme allait lui aussi lui donner un conseil.

– Je suis *fatiguée* que tout le monde me dise quoi faire et ne pas faire!

Ils conspiraient tous pour l'exaspérer! Ses lèvres se serrèrent et Risa traversa l'atelier d'un pas lourd jusqu'à la porte, les laissant tous derrière elle.

Une Camilla fatiguée se tenait de garde dehors. Risa n'osa pas la regarder pour voir ce qu'elle avait entendu de la dispute. Tandis que Camilla se mit tout à coup au garde-à-vous et commença à marcher derrière elle, Risa se dirigea promptement dans la cour jusqu'à la résidence.

– Où allez-vous, *cazarra*?

– Dans ma chambre!

Elle entendit la porte de l'atelier se fermer à nouveau au loin. Ce devait être Milo. Ou Mattio. Ou les deux, la pourchassant pour lui dire de ne pas être si impétueuse. Mais elle n'entendit aucun mot, ni aucun cri d'excuses.

Sans regarder par-dessus son épaule, elle poursuivit son chemin en passant devant les statues ancestrales dans leur coin honorifique à l'extrémité sud de la résidence et marcha sous l'arche de marbre dans la cour inférieure. Elle avait fait une retraite humiliante sur cette route, il n'y a même pas deux semaines, se dit-elle. Cette fois, elle cherchait le sanctuaire de sa chambre pour s'éloigner de ceux qui voulaient s'occuper de ses affaires et contrôler ses décisions.

Ce ne fut pas avant qu'elle ait atteint le couloir supérieur que Milo et Camilla la rattrapèrent. Elle les vit dans le reflet du miroir au bout du couloir. Elle entra dans sa chambre et se retourna.

– Laissez-moi tranquille, ordonna-t-elle avant que Milo ait pu parler.

Puis, elle claqua la porte.

Risa ne ferma pas le loquet qui les aurait retenus à l'extérieur. Après les événements de la nuit passée, les deux gardes auraient fait un scandale s'ils avaient entendu ce bruit révélateur. Honnêtement, elle se fichait de les empêcher d'entrer. Elle voulait que Milo s'excuse. Il lui devait des excuses. Elle s'assit sur le canapé et déploya ses jupes. Elle attendit pendant une demi-heure, s'attendant à ce que Milo entre et lui demande pardon.

Il n'en fit rien.

Tu lui as demandé de te laisser seule, se dit Risa, austère. En réponse, une partie angoissée d'elle-même rejeta ce reproche. *Je ne voulais pas dire ça !*

Elle ne voulait pas qu'il reste à l'extérieur. Elle voulait qu'il l'implore de rester son amie, qu'il essaie de s'amender. Elle voulait l'attention de Milo. Elle avait besoin de son amitié, mais sa crise de colère avait fait en sorte qu'il lui était impossible de la satisfaire. Pour épater la galerie, elle avait explosé plutôt que d'admettre son mauvais comportement. Si elle n'avait pas réagi de façon excessive…

Bien sûr qu'il ne l'avait pas comparée au prince. Si elle devait être absolument sincère envers elle-même, elle aurait compris ce qu'il essayait de lui dire, même dans la chaleur blanche de la dispute. Tout le monde savait comment un membre de la famille royale devait et ne devait pas agir, tout comme elle connaissait les devoirs et les responsabilités d'un garde.

Depuis les fenêtres et le balcon filtraient les bruits des activités du midi sur la place publique. Des voix issues de conversations amicales résonnaient, alors qu'elles n'étaient pas si fortes ni joviales les jours précédant la chute des *cazas* juste à l'est et à l'ouest. De l'eau clapotait sur les murs du canal. Le cri aigu d'une mouette rompit le brouhaha. C'était des bruits apaisants et Risa tenta de les laisser emporter les bords tranchants de sa mauvaise humeur.

Enfant, elle avait aimé ces bruits. Elle s'ennuyait de son enfance, de cette vie sans danger, sans risques et sans confrontation. Mais plus que tout, elle s'ennuyait d'être heureuse et de profiter de sa maison et de sa famille.

La pensée de Dom s'imposa — le plus frêle et dépendant de tous les domestiques. Risa s'était montrée brusque avec lui. Ce souvenir occasionna le froncement de son front. Milo avait raison : elle ne s'était pas comportée comme une *cazarra,* mais comme une enfant.

Que pouvait-elle faire ? Si elle faisait comme si rien ne s'était passé, peut-être que tout le drame de ce matin serait simplement oublié. La Risa austère essaya d'insister sur les excuses d'abord, mais c'était encore trop difficile, même à elle-même, d'admettre avoir eu tort — et encore plus de le dire tout haut.

Elle regarda la chambre, se sentant triste et incompétente, jusqu'à ce que ses yeux tombent sur le bol de verre. Elle avança doucement sur le sol de pierre et sur le tapis pour qu'on n'entende pas ses pas de l'autre côté de la porte. Le bol était sali par des traces de doigts qui étaient invisibles dans la pâleur de la nuit dernière, mais qui voilaient complètement son reflet au grand jour. Elle se servit d'un tissu doux en cuir et de l'humidité de son souffle pour faire partir le gras, puis elle scruta l'intérieur de la surface courbe à la lumière. Pourquoi ses parents ne tentaient-ils plus de communiquer avec elle ? Elle donnerait tous les *lundri* possibles pour être capable de les voir en face d'elle à l'instant et entendre leurs conseils.

Risa sortit de sa rêverie à la vue d'un visage dans les profondeurs bleu-vert du bol. Ses yeux se concentrèrent sur l'image et virent que ce n'était que la sienne. Mais il était clair qu'elle était troublée. Le stress des jours précédents avait rendu ses traits tirés. Elle crut que le visage appartenait à quelqu'un de plus vieux – quelqu'un de vieux et d'usé, de l'âge de Ferrer Cassamagi.

Pourquoi n'avait-elle pas pensé à lui depuis sa visite ?

Immédiatement, Risa ouvrit la porte de sa chambre. Milo et Camilla regardèrent le large sourire qui transformait son visage, la faisant passer d'un être découragé à un être plein d'entrain.

– Je viens d'avoir l'idée la plus géniale ! s'exclama-t-elle, son cœur s'emballant devant leurs visages étonnés. Nous allons à la *caza* Cassamagi.

Ni Milo ni sa sœur ne semblèrent ravis à son annonce.

– Pourquoi ? dit Milo.

Risa eut du mal à décoder son expression. Il semblait réservé et prudent.

– La femme qui a fondé sa *caza* a utilisé de nombreux enchantements que les Sept n'accomplissent plus, expliqua-t-elle. Elle pouvait voir les gens et leur parler à distance. C'est ce que Ferrer Cassamagi m'a dit hier. Il devrait être capable de me parler de mon bol, Milo. Il devrait être capable de le faire fonctionner à nouveau.

Ils se regardèrent l'un l'autre.

– C'est une bonne idée, Risa, mais en ce moment, je pense surtout à ta sécurité.

Camilla semblait grave quand elle prononça ses mots.

– Quelqu'un a vraiment essayé de te faire du mal, hier soir.

– C'est hors de question, finit par lui dire Milo.

– C'est ridicule, dit-elle catégoriquement, mais le frère et la sœur restèrent de marbre. J'insiste.

– On ne peut pas prendre de risques avec ta vie, expliqua Milo.

– N'importe qui peut essayer de te tuer dans la rue, ajouta Camilla. Quelqu'un a déjà essayé deux fois.

– Nous irons après la tombée de la nuit, dit-elle. Comme hier soir.

Sa remarque provoqua une toux sèche dans le rire de Milo.

– Non, nous n'irons pas.

– C'est pour ton bien, ajouta Camilla sur un ton qui se voulait réconfortant.

– C'est pour mon bien que nous irons voir Ferrer Cassamagi *aujourd'hui*, dit-elle, surprise par la férocité dans sa voix.

Il y a peu de temps, elle se serait sentie coupable pour la façon dont elle traitait Milo, mais à présent, elle se demandait si son instinct avait été juste. Il était un obstacle.

– On croit qu'il vaut mieux te limiter à la *caza*, dit Camilla doucement.

Milo opina. Ils avaient manifestement déjà discuté de ce problème.

– Et si j'insiste pour partir ?

— Alors, nous nous sommes entendus pour parler à Tolio de l'attaque de la nuit passée, dit Camilla. Il voulait te limiter au domaine de la *caza* depuis que nous sommes arrivés.

— Vos serez réprimandés ! Vous perdrez votre travail !

Elle était stupéfiée par la tournure des événements.

— Mais, tu seras en sécurité, souligna Milo. Te garder en sécurité, c'est notre devoir. Nous trouverons d'autres emplois s'il le faut.

Il était impossible de discuter avec lui.

— Je croyais qu'on était amis, dit-elle à Milo. Tu ne peux pas prendre de décisions pour moi comme si j'étais une enfant. Tu n'es pas mon père !

Milo fit un pas vers elle, tout aussi énervé qu'elle.

— Un de ces jours, quand tu arrêteras de faire le *bébé*, tu comprendras que ton père n'est pas la seule personne au monde qui se soucie de ce qui t'arrive !

Sa voix résonna dans le couloir et l'écho s'attarda dans la cage d'escalier. Il se tut soudainement.

— Je te déteste.

À ce moment-là, elle en pensait chaque mot.

D'une main, il ajusta sa casquette pourpre sur ses fines boucles blondes et la regarda dans les yeux.

— À partir de maintenant, je ne suis plus ton ami.

— Milo !

Camilla laissa tomber tout faux-semblant du détachement des gardes. Elle semblait vraiment bouleversée devant ces cris.

— Risa, s'il te plaît…

La porte se claqua, mettant fin à toute réconciliation que Camilla aurait pu proposer. Furieuse, Risa arpenta la chambre et finit par se jeter sur son lit. Un bébé ! Il l'avait traitée de *bébé* ! C'était lui l'entêté qui avait refusé d'écouter ses arguments. S'ils étaient allés à la *caza* Cassamagi, elle aurait pu résoudre leurs problèmes avant le crépuscule. Elle *n'*était *pas* un bébé !

Un sourire déforma ses lèvres. L'uniforme de rechange de Camilla était encore suspendu dans son armoire. Un *bébé* n'aurait pas pu concevoir le plan qui animait son imagination à ce moment même.

Elle montrerait à Milo combien elle pouvait être brillante.

26

Des cris de souffrance résonnent dans la nuit calme.
Le silence de la ville du tort.
En haut du palais, un roi dans sa robe
Repose calme et tranquille : il est mort.

Un roulement de sabots martèle le pont –
Résonnant sur l'eau et sur la terre.
Oh père, ne me quitte pas ! retentit en une douce plainte –
La plainte de la fille du souffleur de verre.

– Je *déteste* cette chanson ! se dit Risa en marmonnant.

Cette chanson n'était pas tout à fait finie non plus. Sa voix éraillée la fit s'ennuyer de Ricard pour la première fois. Les gens dans la petite *taverna,* toutefois, criaient leur approbation si fort que les vitres vibraient. Ils chantaient vigoureusement avec le chanteur, tapant leurs grandes tasses sur les tables en rythme, inconscients du siège à l'extérieur des portes de la *taverna*.

L'obscurité le long de l'allée de la *taverna* lui permit de se cacher un moment. Elle ajusta son sac par-dessus son épaule, faisant attention de ne pas le cogner contre le mur. Il contenait l'objet le plus précieux au monde pour elle — son bol en verre bleu-vert et les phénomènes que Ferrer Cassamagi lui expliquerait sans doute.

Il lui fallut seulement un petit effort pour regarder au-delà du coin de l'édifice, vers l'endroit où le pont menant à l'entrée principale de la *caza* Cassamagi s'étendait dans la lumière des deux lunes. Une lumière argentée étincelait depuis les lames de deux épées dressées.

Jusqu'à présent, tout s'était déroulé facilement. Risa avait passé la plupart des heures de la journée enfermée dans sa chambre à refuser toute compagnie. Elle n'avait ouvert sa porte que pour accepter un plateau-repas et plus tard, pour réaliser le rite. À quelques reprises, quand elle l'avait surpris en train de la regarder, elle avait pensé que Milo pouvait vouloir lui parler ; comme il ne le fit pas, elle s'était encore plus fâchée contre lui.

Une corde de *retas* tressées et nouées avec des ceintures appartenant à ses robes, voilà tout ce qui lui avait été nécessaire pour s'échapper après le coucher du soleil. Elle avait attendu que tout soit tranquille dans le couloir, puis elle avait attaché la corde improvisée à la solide grille de fer de son balcon. Il était vraiment ridicule de constater à quel point il avait été facile de descendre jusqu'à l'une des gondoles attachées au quai des domestiques.

Tout s'était déroulé exactement comme prévu. Personne ne l'avait vue s'enfuir ni ne l'avait questionnée quand elle avait ramé sur le canal longeant Cassaforte. Ce ne fut que lorsqu'elle approcha de Cassamagi qu'elle rencontra des problèmes. Elle avait planifié se mêler aux gardes qui campaient sur le pont, attirer un peu l'attention sur elle jusqu'à ce qu'elle puisse entrer dans la résidence. Mais il y eut une agitation à son arrivée qui la fit se précipiter dans l'obscurité. À peine eut-elle escaladé les vieilles marches en pierre menant de la rive du canal à *via* Torto, la rue qui menait à un labyrinthe de maisons et de magasins dans la vieille partie de la ville, qu'elle entendit la clameur des boucliers et des épées qui s'entrechoquaient. Des gardes de la ville arrivèrent en courant de toutes les directions pour se retrouver au milieu du pont, leurs épées dégainées. Risa vérifia bien l'attache de son sac rembourré contenant son bol et courut dans l'obscurité jusqu'à la *taverna* avant que les gardes — les vrais gardes — la trouvent.

— Il se passe quelque chose à la *caza*, murmura quelqu'un.

Risa vit qu'une poignée de personnes s'étaient rassemblées dans la ruelle étroite avec elle. Elle baissa à la hâte sa casquette sur sa tête et pria pour que son uniforme soit invisible dans le noir.

— Nous vivons une sombre période, vous ne croyez pas ? demanda un vieil homme à la silhouette encapuchonnée à côté de lui.

La silhouette ne répondit pas.

Tandis qu'elle regardait la scène, un escadron sur deux rangées afflua des portes de la *caza*, leur démarche cadencée et rapide tandis qu'ils avançaient avec une diligence entre eux. Certains des gardes rassemblés sur le pont se placèrent en tête tandis que les autres attendirent que la procession soit passée et prirent place derrière. Tandis que le rassemblement traversait le pont, Risa put voir qu'ils entouraient une diligence — la diligence de couleur cuivre dans laquelle elle avait rencontré Ferrer Cassamagi il y a deux jours. Ferrer était-il à l'intérieur ? Où diable allaient-ils, si tard dans la nuit ?

D'instinct, elle recula quand le régiment se répandit du pont à *via* Torto, tournant vers l'ouest et passant devant elle. Les quatre ou cinq autres qui observaient le spectacle avec elle attendirent que la diligence et les derniers gardes soient passés avant de se rendre dans la rue éclairée par la lune. Tandis que le bruit s'évanouit, tout sauf la silhouette avec le capuchon disparut.

Des questions assaillirent Risa, qui n'avait pas plus de pouvoir d'y répondre que les papillons de nuit qui se heurtaient aux fenêtres éclairées au-dessus d'elle. Elle se rendit sur la rue pour apercevoir les formes qui s'éloignaient. Devait-elle suivre la diligence ? Le *cazarro* s'y trouvait-il ? Ou était-il encore dans la *caza* ?

– Plutôt tard pour être encore dehors, non ?

Elle fut surprise d'entendre une voix s'adressant à elle ; elle lui fut immédiatement familière, pourtant, dans sa confusion, elle ne put immédiatement l'identifier. Elle était grasse, doucereuse et rayonnait d'une suavité aussi infecte que l'odeur du clou de girofle, de l'huile de pin et des feuilles de tabac qui l'accompagnait.

– Pourquoi es-tu si loin de la maison… cousine ?

Comprendre que le capuchon dissimulait son cousin Fredo lui coupa le souffle et elle trébucha en arrière.

– Que fais-tu ici ? demanda-t-elle d'une voix étouffée.

– Ça n'a rien de si étonnant.

À travers le tissu épais de sa cape à capuchon se dissimulaient ses yeux, la lumière de la lune saisissant ses lèvres et soulignant son menton avec un relief pointu. Il sourit.

– Je traversais la place Divetri quand j'ai remarqué quelqu'un suspendu à ton balcon. Naturellement, après les événements de la nuit dernière, je me suis inquiété. Alors, j'ai mis ça sur moi pour préserver ma sécurité.

Il s'approcha d'elle et mit sa main sur son épaule. Risa recula contre le mur de la *taverna*. Les ongles de Fredo commencèrent à fouiller dans l'épais tissu de son uniforme et lui pincèrent la peau.

– Tu m'as suivie, l'accusa-t-elle, essayant d'échapper à sa prise. Arrête !

– Je t'ai suivie pour les bonnes raisons, ma chérie. Laisse-moi te soulager de ton fardeau pour que je puisse te raccompagner à la maison, d'accord ?

Avant qu'elle puisse protester, il avait décroché le sac rembourré de son épaule et l'avait mis sur la sienne.

– Rends-le-moi ! protesta-t-elle.

Fredo ne résista pas quand, avec une secousse, elle reprit son trésor en verre. Mais sa prise sur son épaule s'intensifia ; sa pincée lui donnait l'impression que son sang allait sortir. Ce fut la violence de sa prise qui l'avertit, plus que n'importe quoi d'autre, que Fredo n'avait aucune intention de la voir en sécurité chez elle.

– Tu ne peux pas avoir su pour la nuit dernière, dit-elle, comprenant enfin.

Camilla lui avait dit que son agresseur sentait très mauvais. Elle avait probablement eu des bouffées de son *tabacco da fiuto*.

– Sauf si tu y étais.

Un sourire en coin à demi-voilé s'échappa des lèvres de Fredo. Il secoua la tête de sorte que le capuchon tomba sur ses épaules, dévoilant un visage identique à celui d'une goule. Il lui fallut quelques secondes pour réaliser que les marques noires autour de ses yeux n'étaient pas des cernes – c'était les bleus qui s'étaient formés après que Camilla lui ait cassé la figure la nuit dernière.

– Peut-être que j'y étais. Tu dois te croire brillante !

– Tu es mon cousin ! lui rappela-t-elle, se débattant de toutes ses forces pour s'échapper.

Fredo rit et lui serra fortement la main, lui brûlant le poignet. Le sac rembourré tomba sur le sol, le bol en verre s'écrasant sur les pavés de la rue. Risa poussa un cri en entendant le bruit.

– J'y *étais*, petite garce.

La voix de Fredo était énergique et furieuse. Ses bras l'entouraient par derrière à présent, l'empêchant de respirer. Les jambes de Risa se débattaient, essayant de toucher ses genoux ou ses aines.

– Bien sûr que c'était moi, forcé d'entrer et de sortir sournoisement comme un criminel ! Un étranger dans ma propre *caza* ! Tu ne peux pas savoir ce que c'est, n'est-ce pas, *cazarrina* ?

Malgré ses tentatives désespérées de se libérer, Risa apprécia l'ironie de cette remarque. Au lieu de répondre toutefois, elle enfonça ses dents dans les mains de son cousin, le mordant si fort qu'elle l'entendit crier de douleur.

Elle sentit un coup sur le côté de sa tête qui sembla presque faire pivoter son cou jusqu'à le rompre. Il la tirailla et la frappa, étourdissant Risa pour qu'elle cesse de donner des coups de pied et de se débattre.

– Tu n'auras plus jamais la chance de me battre, maudit chat sauvage !

Quoique la substance qui avait imbibé le tissu qu'il mit brusquement sous son nez ait eu une odeur sucrée, sa puanteur âcre la fit pleurer. Une douleur traversa son omoplate quand il la secoua violemment, la forçant à respirer.

Sa gorge cessa de fonctionner. Elle semblait obstruée et serrée. Autour d'elle, le monde chancela ; son esprit ne pouvait formuler aucun mot ou appel à l'aide. Même si elle avait pu crier, qui aurait pu l'entendre ? Milo était loin... Pourquoi n'avait-elle pas écouté Milo ?

Les dernières sensations dont elle eut connaissance en glissant dans un état d'inconscience furent le souffle chaud de Fredo contre son cou et le son de son rire triomphant tandis que les hommes et les femmes de la *taverna* se remettaientà chanter.

La nuit passa, les lunes partirent. Le soleil prit leur place.
Aucun signe de ses parents pour l'apaiser.
Elle erra seule, sans savoir
Qu'un autre avait planifié de la terrasser.

Livre trois

—

la couronne

—

d'Olivier

27

Le palais de la ville de Cassaforte fut érigé sur la pointe la plus élevée des marécages sur laquelle la ville fut fondée. Bien que le palais ait été reconstruit à plusieurs reprises au fil des siècles, une résidence royale a toujours occupé ce même endroit.

— ANONYME, *UNE BRÈVE ET COMPLÈTE HISTOIRE DE LA VILLE DE* CASSAFORTE

On avait mis des rochers sur elle. Sinon, pour quelle raison se sentirait-elle ainsi ? Ses membres étaient si lourds qu'elle ne pouvait pas les soulever. Même respirer lui demandait plus d'efforts que normalement.

– …heureux d'être à votre service… du fond de mon cœur, j'aimerais… quoi que vous désiriez…

Fredo, se dit-elle, reconnaissant la voix. Ce simple mot vibra faiblement à travers son cerveau, prenant un moment à prendre son sens. Pourquoi ne pouvait-elle pas bouger ? Pourquoi ses yeux refusaient-ils de s'ouvrir ?

Le grondement d'une voix plus profonde et plus mesurée répondit. Elle ne put entendre que quelques mots.

— … risque… remercié amplement.

— Je renoncerais volontiers… simplement pour le plaisir… de vous servir…

— … curieux. Comment avez-vous fait…

Elle devait se débarrasser de ce qui la tenait prisonnière.

— … petite boîte à musique brillante… entendit-elle Fredo dire.

Ses mots venaient maintenant presque en phrases, mais elle avait encore du mal à saisir leur sens.

— Ça a failli marcher, mais la petite peste s'en est sortie. Quand j'ai su que vous cherchiez un moyen de l'avoir, après que vous ayez entendu cette ballade…

La chanson de Ricard a vraiment causé ma perte, pensa-t-elle, surprise de la lenteur avec laquelle les mots lui vinrent. *Même si nous avons fait le maximum…*

— Pourquoi ? continua la voix de Fredo, en réponse à une question dite en grondant. Parce que je les déteste tous ! Mon père s'est marié en dehors des Sept et des Trente et ils m'ont toujours regardé de haut, méprisant mon sang impur. Que ce serait agréable, à la place, qu'ils travaillent pour *moi.* Je sais que vous ne faites pas de promesses, mais vous avez dit que vous feriez de moi votre nouveau…

Elle entendit un tintement de pièces. Les *lundri* changèrent de main. Elle entendit Fredo laisser échapper un sifflement de satisfaction.

— Oh, oh ! répéta-t-il, semblant stupéfait. Comme c'est merveilleux !

Au plus profond d'elle, une voix chuchota un mot d'avertissement. Elle se manifesta doucement, comme une bulle de boue le ferait du fond d'une mare. *Nous avons un problème ici,* cazarra, entendit-elle. *Qu'allez-vous faire pour ça ?*

Ses lèvres s'entrouvrirent, faisant entrer l'air frais dans sa bouche et ses poumons.

— Milo ? dit-elle doucement.

De l'autre côté de l'espace vide dans lequel elle était allongée, des soieries et des tissus en velours bruissaient.

— Elle est réveillée, siffla Fredo.

— Occupe-t'en !

Pour la première fois, elle entendit clairement la voix de l'autre homme. Elle était comme une grosse cloche, profonde et cuivrée, faisant sonner son sort avec délibération.

À nouveau, l'arôme l'accabla, envoyant des marées d'écarlate et de noir qui la noyèrent dans leurs abysses.

Quand elle se réveilla une nouvelle fois, après ce qui lui sembla des décennies, ses doigts la picotèrent, puis les orteils. Ses extrémités lui donnaient l'impression d'avoir été chauffées devant un feu un jour d'hiver très froid. Le picotement au bout de son nez s'étendit à ses joues, puis à ses oreilles tandis que le reste de son corps reprenait vie. Elle grommela, consciente que sa gorge était desséchée.

— Ne bouge pas !

La voix était masculine, mais faible comme le discours des arbres à minuit quand ils bruissent en se touchant les uns les autres dans la brise. C'était la voix d'un vieil homme qui la rassurait.

— Tout ira bien, mon enfant. Mais ne bouge pas !

Elle battit des paupières, semblant déchirer la croûte qui les scellait ensemble. Il fallut un moment pour que ses yeux s'adaptent à la clarté de la pièce. Un visage se tenait au-dessus du sien.

— Cassamagi, murmura-t-elle.

Ferrer la regardait attentivement à travers ses doubles lunettes. Les croissants jumeaux de lumière qu'elles reflétaient lui rappelaient les lunes.

– Tu es encore sous l'effet de l'huile de graines de *camarandus*. Non, n'essaie pas de parler encore.

Elle le sentit appliquer quelque chose d'humide et de froid sur son front et ses joues. La douceur du tissu repoussa les flammes de sa peau.

– Le *camarandus* est une fleur des bois, tu sais. Sans danger dans sa forme indigène. Mais quand les graines sont cueillies et traitées avec de l'eau salée, puis pressées, elles produisent un philtre soporifique qui, bien qu'habituellement de courte durée, est remarquablement puissant. Non, ne te redresse pas encore. Tu seras...

La sensation de mouvement entraîna des remous dans son estomac. Des fluides brûlèrent son œsophage et elle eut des haut-le-cœur. Elle sentit le *cazarro* mettre brusquement un contenant dans ses mains. Tandis qu'elle vomit dedans, elle prit faiblement conscience qu'il lui tenait les cheveux pour qu'ils ne tombent pas dans le plat.

Heureusement, peu de choses sortirent de son estomac. Après quelques vomissements douloureux, la sensation d'inconfort dans son ventre commença à s'apaiser. Elle accepta le tissu mouillé que Ferrer lui offrit et tamponna son visage en sueur et sa bouche, gênée.

– Je suis désolée, dit-elle, essayant de cligner des yeux à travers les larmes qui s'étaient formées pendant les contractions de son estomac.

– Ah, la jeunesse d'aujourd'hui ! Si têtue ! Comme j'essayais de te le dire, l'autre effet possible de l'huile de *camarandus*, ce sont les nausées. Bon, on apprend avec l'expérience, n'est-ce pas ?

Avec une extrême douceur, il plongea un autre tissu dans un broc d'eau et le lui tendit, prenant le chiffon sale et le jetant dans le foyer.

— Où sommes-nous ? demanda-t-elle tout en regardant avec curiosité partout dans la pièce.

C'était un espace ayant à peu près la taille de sa propre chambre à coucher chez elle. Meublée de quatre canapés confortables disposés en carré à son centre, la pièce avait été aménagée avec un excès de tapisseries de laine, de tapis sur le sol et de belles décorations d'artistes. Il s'agissait assurément du petit salon d'un citoyen très fortuné ; même les pattes de la table étaient luxueuses. Le foyer était un magnifique objet de marbre, avec des raisins, des pommes et une abondance d'autres fruits sculptés qui entouraient les colonnes soutenant son massif manteau. Une étroite fenêtre fournissait le seul éclairage. La lumière du jour filtrait par ses carreaux.

— Et lui, qui est-ce ?

Recroquevillé dans une position fœtale sur le canapé opposé au sien se trouvait un grand garçon mince. Ses cheveux étaient noirs et en broussaille, comme s'ils n'avaient pas été coiffés depuis un certain temps. Il semblait dormir, mais son souffle était si peu profond et indécelable que, pendant un instant, elle craignit qu'il soit mort.

— Si nous nous fions à la vue que la fenêtre nous donne, nous sommes quelque part dans le palais, répondit le *cazarro*. Et notre compagnon, inerte, n'est nul autre que Baso Buonochio.

Risa se leva et fit quelques pas hésitants vers la fenêtre, ressentant un léger vertige en avançant. Pendant un instant, elle craignit que ce soit d'autres vomissements. Mais elle réalisa que la sensation au creux de son estomac était de la peur.

Tandis qu'elle regardait par la fenêtre, elle réalisa, catastrophée, qu'ils se trouvaient près du sommet du palais ; immédiatement devant la fenêtre, s'érigeaient les statues représentant des masques de Lena et de Muro, souriant à la foule en bas. En dessous, la place du palais était pleine de citoyens vaquant à leurs occupations quotidiennes. Quand elle essaya de tourner les poignées de la fenêtre, espérant ouvrir les carreaux verticaux et laisser entrer de l'air, voire crier à l'aide, elle les trouva solidement scellées.

Le soleil brillait vivement. Elle devina que c'était la mi-matinée. Une journée du milieu de l'été comme les autres pour les gens en dessous d'elle, mais pour Risa, c'était un moment sombre qu'elle aurait voulu bannir de sa mémoire.

– Baso Buonochio ? demanda-t-elle, perplexe. Vous m'avez dit qu'il agissait comme *cazarro*. Ça veut dire…

– Oui, confirma Ferrer. Nous avons trois remplaçants qui restent pour les cors. Le vieil enchantement d'Allyria permet à d'autres de réaliser l'acte de loyauté pour nous, mais notre disparition fera que les candidats y penseront à deux fois avant de risquer leur vie. À la tombée de la nuit, aucune de nos *cazas* ne sera protégée.

Frappée d'une vraie panique, Risa regarda vers la sortie, se cachant à moitié derrière une tapisserie représentant un mouton qui se faisait tondre par un berger.

– Il y a des gardes à l'extérieur, dit Ferrer, devinant ses intentions. La porte est fermée de façon à ce que lorsqu'elle s'ouvre par le couloir pour laisser entrer des gens, nous, les malchanceux, qui sommes retenus à l'intérieur, ne pouvons pas l'ouvrir. La fenêtre est également inutilisable pour nous. De telles serrures sont un enchantement assez banal des Portello.

– C'est inconcevable, dit Risa.

Tandis que la fatigue causée par la drogue s'effaçait, sa colère s'éveilla.

— Pas vraiment, jeune fille. La fonction de base d'une serrure, après tout, c'est d'empêcher d'entrer. Les enchantements des Cassamagi ne font qu'améliorer les fonctions de base des objets de tous les jours...

— Je sais, répondit-elle, impatiente. Ce qui est inconcevable, c'est que le prince Berto *ose* interférer dans l'ordre naturel du pays. Nous avons été enlevés de nos propres maisons au milieu de la nuit sans la moindre chance de résister ! Je n'arrive pas à y croire !

La liste des outrages du prince semblait s'allonger sans cesse.

Le vieil homme inclina la tête.

— À ma grande honte, c'est ainsi.

— Je lui ai été vendue par quelqu'un de mon sang !

— Des hommes vendent plus que leur famille pour de l'or ou le pouvoir, mon enfant, dit-il à voix basse.

— Je m'en suis aperçue, dit-elle, frustrée.

Elle fit un geste vers Baso, immobile dans son sommeil.

— Je suis sûre que le prince l'a obtenu aussi sournoisement. Il n'est même pas capable de nous affronter face à face !

La colère était inutile, toutefois. Elle ne pouvait pas accomplir grand-chose dans cet espace confiné où il ne semblait y avoir aucune fuite possible. Elle remarqua que l'attention de Ferrer se concentrait sur Baso.

— Pourquoi ne se réveille-t-il pas ? finit-elle par demander.

Le vieil homme secoua la tête.

— Celui qui l'a drogué a utilisé trop d'huile de *camarandus.*

— Comment le savez-vous ?

Quand Risa s'était partiellement réveillée sous effet de l'huile, elle s'était sentie comme si elle avait été aplatie comme une crêpe. Elle frissonna en pensant à ce que ça aurait été si elle avait reçu une dose plus forte.

– Son sommeil est trop profond. Je crains qu'il ait été empoisonné. Sans aide...

Le vieil homme, l'air grave, s'assit sur le bord du canapé, s'aidant d'une canne en bois sculptée avec des vignes. Il soupira et secoua la tête.

Risa attendit qu'il dise quelque chose de plus, mais il se tint simplement là, apparemment résigné devant l'état de Baso. Pendant quelques instants encore, elle attendit qu'il suggère une solution, la frustration la poussant à serrer le velours du canapé rembourré jusqu'à ce qu'il devienne humide.

– Sans aide, quoi ? Il va mourir ? finit-elle par demander.

Le vieil homme ne dit pas un mot en guise de réponse.

– Alors faites quelque chose pour l'aider ! Vous ne pouvez pas ?

À son grand désarroi, sa question sortit sèchement.

Par-dessus ses doubles lunettes, Ferrer la regarda attentivement.

– Que veux-tu que je fasse ? demanda-t-il, brandissant sa canne.

Ses paroles étaient parfaitement censées ; il posa la question comme il aurait parlé du temps qu'il fait.

– J'ai frappé à la porte à maintes reprises dans l'espoir que quelqu'un nous apporte de l'aide. Peu sont concernés par notre santé ou notre confort, mon enfant. C'est la triste vérité.

Elle ne sentait pas d'indifférence dans ses mots, mais un véritable sentiment de soumission et d'acceptation.

– On doit pouvoir faire quelque chose !

— Je ne possède pas d'antidote. Dans chaque partie d'échecs, vient un moment où un des prêtres et des gardes sont décimés et où les cavaliers ne peuvent plus défendre leur roi. L'échec et mat n'est jamais facile à accepter.

— Nous ne sommes pas encore en échec, lui dit Risa, qui réfléchissait. Vous êtes le plus grand enchanteur Cassamagi. Vous devez être capable de…

— Mon enfant. Vous flattez mes habiletés, mais je suis impuissant.

Il montra la pièce.

— Ma *caza* est connue pour ses capacités à améliorer la fonction originelle des objets. Nous pouvons créer des parfums pour séduire, des instruments de musique qui apaisent même les tempéraments les plus intempestifs et même des poisons si subtils qu'ils donnent la mort seulement des semaines après leur ingestion… bien qu'ils ne puissent survivre au bouchon d'un récipient Divetri enchanté pour garder un liquide pur, ajouta-t-il avec un sourire.

Pendant son discours, Risa ne bougea pas. Bien que l'envie de s'échapper de la cage qui les emprisonnait tous les trois l'ait tenaillée, elle était complètement absorbée par ce qu'il lui disait.

— Nous ne façonnons pas la structure originelle des objets avec des enchantements, comme ta famille, continua le *cazarro*. Nous ne pouvons pas construire des murs avec la bénédiction d'Allyria intégrée dans chaque brique, comme le font ceux de la *caza* Portello. Tandis que la magie Cassamagi peut être la plus dangereuse en raison de la grande variété des objets avec lesquels nous pouvons travailler, ceux-ci sont aussi les plus éphémères parce que nous ne créons pas les objets eux-mêmes.

Soudain, Risa eut une idée.

– Vous ne comprenez pas ? C'est parfait ! Il doit y avoir *quelque chose* dans cette pièce qui pourrait servir à nous sauver.

Mais tandis qu'elle disait ces mots, elle entendit une voix quelque part à l'intérieur de son murmure :

– Tu es parfaitement capable de prendre soin de toi, tu le sais.

Pendant un instant, elle eut une brève vision de Milo la conseillant. Elle la chassa et retourna son attention sur le *cazarro.*

– Ma chère jeune fille. Tu crois que je n'ai pas regardé ?

Ferrer fit un geste vers les décorations qui couvraient toutes les surfaces planes.

– Cette pièce contient assez d'or et de trésors pour qu'un citoyen moyen nourrisse sa famille pendant toute une vie, mais elle ne fournit rien d'approprié pour notre but. Il y a des récipients en abondance.

Avec un certain effort, il leva sa canne pour la planter dans les airs en direction d'une vitrine de beaux verres, dont Risa reconnaissait certains d'un style si vieux qu'ils avaient probablement été faits par son grand-père et ses ancêtres.

– Magnifique à voir, mais comment un liquide purifié pourrait-il ouvrir une porte ? Il y a des coussins à profusion où je pourrais insérer des enchantements pour en améliorer le confort, mais comment pourraient-ils nous aider ? Ce miroir, sur le manteau de cheminée, je pourrais l'adapter de sorte que si nous nous mettons en face de lui, il nous fasse paraître des êtres d'une rare beauté. Pour toi, ce ne sera pas une expérience nouvelle – à mon âge, ça serait presque une bizarrerie. Rien que je puisse faire n'ouvrira cette porte ni ne réveillera le jeune Baso, ni ne nous aidera d'aucune manière. Je compatis tout à fait à ton désir de quitter cette prison, jeune Risa, ajouta-t-il gentiment en lui souriant. C'est simplement que je ne vois aucun moyen de nous aider avec ce que nous avons sous la main.

Elle le regarda un moment, les épaules rentrées. Sur les coussins en face, Baso avait une respiration chétive. Elle regarda sa peau jeune et blanche sur les soieries bordeaux.

– Il est si jeune, dit-elle. Il doit bien y avoir quelque chose que nous pouvons faire pour lui.

– Tu es d'un an sa cadette.

La voix de Ferrer crépitait comme un feu l'hiver.

– La guerre n'est jamais tendre avec la jeunesse.

– C'est de ça qu'il s'agit ? demanda Risa. D'une guerre ?

– Ça le sera, une fois que les *cazas* seront anéanties.

La main du *cazarro* trembla quand il leva le bras pour ôter ses lunettes métalliques. Il les mit sur le siège et frotta son nez tacheté et rougi par l'âge.

– Ce sera une des plus grandes guerres que Cassaforte ait jamais connues, opposant les citoyens les uns aux autres. Bon nombre de gens n'accepteront pas facilement l'usurpation du trône par le biais des vils moyens que le prince a utilisés et s'élèveront contre lui. Ils se retrouveront face aux favoris du prince, les familles des Trente qui espèrent remplacer les Sept. Les gardes fidèles aux idéaux de Cassaforte se trouveront opposés aux gardes fidèles aux ambitions du prince.

Sa voix devint plus forte au fur et à mesure qu'il parlait et son regard était si intense qu'il semblait regarder quelque chose au loin.

– Comme le roi Alessandro n'a pas nommé d'autre héritier au trône – oh oui ! les rois de Cassaforte peuvent faire une telle chose et l'ont parfois fait, dans notre histoire, quand leur héritier présomptif ne convenait pas –, comme il ne l'a pas fait, d'autres rivaliseront pour l'honneur. Les meilleurs hommes et femmes de notre pays mourront, un par un, famille par famille, dans une marée de sang si horrible que nos descendants considèreront cette période comme la plus sombre de l'histoire de notre pays. Oh oui, mon enfant ! Ceci est bel et bien une guerre.

Ayant hâte d'agir, Risa prit la main du vieil homme dans la sienne, surprise de sa légèreté et de sa finesse. Elle formula sa demande tout bas :

– Alors, arrêtons-la avant qu'elle ne commence !

28

Je n'ai pas pu m'en empêcher. Vraiment ! Quand je l'ai vu sur la place sous ma fenêtre, il fallait absolument que je lui dise quelque chose. Il doit m'avoir trouvée effrontée ! Si tu l'avais vu cette après-midi-là, chemise ouverte et large sourire, toi aussi, tu l'aurais hélé.

– GIULIA BUONOCHIO DANS UNE LETTRE À SA SŒUR, SARA, UN MOIS AVANT SON MARIAGE AVEC ERO DIVETRI

Pour autant qu'elle puisse le supposer, leur prison était un petit salon dédié à ceux qui attendaient une audience avec la famille royale. Chaque objet visait à impressionner les sens et à éblouir. Sa mère l'aurait trouvée ostentatoire. Risa dressa un inventaire minutieux des objets de la pièce, dans l'espoir de trouver quelque chose que le *cazarro* pourrait enchanter.

– L'angelot ? demanda-t-elle.

Le bébé ailé était composé de plâtre et peint en doré. Il était assis, les pieds pendant, sur le manteau de la cheminée.

Ferrer ricana gentiment.

– Ma chère, même mon illustre maison ne peut rien faire avec un chérubin. Il n'a aucune utilité.

— Un tableau du roi Paolo IV et de son épouse, Maria ?

— Ah ! L'art pictural est un champ d'étude intéressant que quelques-uns des Cassamagi exercent. La fonction initiale d'une peinture ancestrale est d'exposer fièrement la famille et elle peut facilement être enchantée pour améliorer le sentiment de satisfaction des membres de celle-ci. Quant à l'iconographie religieuse, elle a pour fonction principale d'être l'inculcation de la solennité et de la richesse de la prière…

Pendant la dernière heure, Risa sentit qu'elle avait reçu autant d'éducation sur la fonction principale des objets quotidiens qu'elle en aurait eu pendant une année d'enseignement sur une *insula*. Sa tête était déjà lourde de cette abondance d'informations.

— Le bois de chauffage ? demanda-t-elle.

— … par exemple, l'*Adoration de la servante Lucia devant le tombeau de Lena* avait un inhabituel… Pourquoi ? La fonction principale du bois est de brûler. Tu sais aussi que les fagots de bois enchantés par les Cassamagi gardent les fournaises de ta *caza* à une température élevée et stable.

Ferrer ne semblait pas du tout offensé que son monologue ait été interrompu.

— Pourriez-vous l'enchanter pour le rendre assez chaud au point qu'il mette le feu à la pièce ?

— Facilement, mais je ne crois pas que ce soit sage.

Risa soupira de frustration. Elle était consciente que l'idée n'était pas excellente, mais elle ne voyait pas d'autres options.

— Si nous produisions assez de fumée, les gardes ouvriraient la porte pour voir ce qui se passe.

— Sauf que nous perdrions connaissance, jeune fille. Je te félicite cependant pour ta créativité.

Elle repéra les objets près du foyer.

— Un balai ? Un tisonnier ?

— En théorie, il est possible d'enchanter un balai pour améliorer sa fonction d'enlever la poussière, bien que je n'en aie jamais vu l'application. Expérience plutôt intéressante. L'utilisation principale du tisonnier est de faire brûler le feu plus vivement. Il peut être enchanté…

— Et si je ne voulais pas l'utiliser pour le feu ? demanda-t-elle, perdant patience.

Le vieil homme la regarda un moment.

— Les Dioro enchantent les armes de sorte que leurs lames soient plus tranchantes et leurs flèches, plus mortelles. Enchantez ce tisonnier pour que je puisse l'utiliser contre les gardes !

Avec les deux mains, elle saisit le lourd instrument et le brandit en direction du *cazarro*.

— C'est impossible, dit le vieil homme doucement. La destruction n'est pas sa fonction principale.

Elle tenait le tisonnier si fermement entre ses mains qu'on aurait dit que le métal frissonnait, se changeant en quelque chose de froid et dur.

— Je *pourrais* utiliser ce tisonnier comme une arme. Je pourrais utiliser un livre comme une arme, si je le voulais.

Ses souvenirs la ramenèrent à la nuit précédant l'Examen, quand Petro avait dit la même chose.

— Mais ce n'est pas leur fonction principale…

— Vos enchantements sont inutiles ! À quoi sert un tel pouvoir si on ne peut pas l'utiliser en dehors des fonctions principales ? cria-t-elle, en colère.

Sa façon de serrer le tisonnier frémissant était à présent si intense qu'on aurait presque dit une extension de son bras.

— Je suis *fatiguée* des fonctions principales ! Chaque objet a plus qu'une fonction, y compris celui-ci !

La colère prenant le dessus sur la raison, elle leva le tisonnier au-dessus de sa tête et en donna un coup directement sur la table basse au milieu des canapés.

Elle n'avait espéré rien de plus qu'un fort bruit après l'impact. Un tel son aurait été immensément satisfaisant, même si ça n'aurait duré qu'un instant. Quand le tisonnier heurta la table, cependant, des éclats de marbre volèrent dans les airs, piquant son visage comme des piqûres d'aiguille. Le bruit fut violent comme un roulement de tonnerre.

Elle suffoqua légèrement, le souffle coupé par l'effort. Là, devant elle, la solide table de pierre s'était brutalement fendue en deux. Les deux côtés du plateau de marbre étaient inclinés l'un vers l'autre. Un tas de poussière blanche recouvrait les poils du tapis et poudrait son uniforme de garde pourpre et sale. Sur son canapé, Baso continuait à dormir sans bruit.

Des mots d'excuse furent la première chose qu'elle essaya de marmonner quand elle vit l'expression d'étonnement de Ferrer. Une nouvelle fois, elle avait laissé son humeur faire ressortir le meilleur d'elle – le pire, en fait. Le vieil homme chercha ses lunettes à tâtons, puis en dissimula les branches sur sa tête.

– Mon enfant ! finit-il par dire. Impossible. Il est impossible que tu aies fait ça !

Son air choqué l'inspira. Elle avait fait quelque chose d'inhabituel. Est-ce que ça allait les sauver ? La mâchoire en avant, elle traversa la pièce avec le tisonnier dans la main en direction de l'unique fenêtre. Elle en asséna un coup à la vitre encadrée de bois, espérant la briser comme ce fut le cas pour la table. L'enchantement de la fenêtre toutefois était trop fort ; quand le fer entra en collision avec le verre, le tisonnier rebondit de façon inoffensive. Le contrecoup fit lâcher son arme à Risa.

Ses deux mains et ses poignets la firent souffrir à cause du recul violent sur ses os.

Ferrer la regarda à nouveau avec étonnement.

– C'est impossible, répéta-t-il.

Pour la première fois depuis que Risa l'avait rencontré, il semblait complètement abasourdi.

– Tu n'aurais pas dû être capable de briser cette table.

Ses mains étaient rouges et enflées. Des marques rouges se propageaient sur ses paumes. Elle savait qu'elles disparaîtraient dans peu de temps, mais en ce moment même, la douleur était difficile à supporter.

– Dites-moi comment j'ai fait, alors, l'implora-t-elle, les larmes lui montant aux yeux.

29

Chaque objet a une fonction naturelle et principale. Les bénédictions des dieux peuvent assurément améliorer cette fonction naturelle. Mais, comme les mains du travailleur, n'y a-t-il pas d'autres fonctions plus polyvalentes qu'on pourrait ajouter aux objets ?

— Extrait de textes personnels d'Allyria Cassamagi

(tirés des archives historiques de Cassamagi)

Même quelques minutes après l'exploit de Risa avec le tisonnier, le choc de Ferrer restait intense. Il transparaissait dans la pâleur de son visage et le tremblement de ses mains ; il dut s'arroser de plusieurs louches d'eau se trouvant dans le seau posé juste à l'entrée. Risa prit soin de lui du mieux qu'elle pouvait avec ses doigts encore enflés, craignant encore qu'il soit furieux contre elle. Les gardes dans le couloir n'avaient pas dû entendre ou avaient ignoré l'agitation dans la pièce, car ils n'avaient jamais enquêté sur la source du bruit.

Finalement, le vieil homme serra ses mains autour du pommeau de sa canne.

— Qui t'a parlé des enchantements secondaires ? demanda-t-il.

— Quoi ? Personne. De quoi s'agit-il ?

— Quelqu'un l'a forcément fait. Ta mère ? Non, elle ne s'est jamais intéressée aux traditions. En fait, peu de personnes sont au courant. Qui te l'a dit ?

Il fallut plusieurs négations avant qu'il semble croire qu'elle n'avait aucune idée de ce dont il parlait.

— Je vais te l'expliquer simplement. Allyria Cassamagi a laissé certaines archives indiquant comment elle accomplissait ses enchantements, mais elles nous sont incompréhensibles. Bon nombre de nos maisons, y compris la mienne, pensent que sa magie complexe était le résultat de ce que nous appelons les enchantements secondaires.

— Que sont-ils ?

— Écoute-moi jusqu'au bout, ma chère. Chaque objet a une fonction principale que les Sept peuvent appliquer dans leur art. Le principe des enchantements secondaires est basé sur l'idée que les objets peuvent être utilisés d'autres façons aussi et que les enchantements peuvent y correspondre. La fonction d'un casque ou d'une couronne est de protéger la tête et ils peuvent être enchantés pour écarter les blessures. Pourtant, Allyria avait compris qu'une couronne était un symbole de pouvoir et un symbole de fierté aussi. Elle était capable d'enchanter la couronne d'olivier sur tous ces points. Quand tu t'es emparée du tisonnier, il est devenu plus qu'un tisonnier. Tu en as fait une arme et…

— Il est devenu une arme qui pouvait diviser une table de marbre en deux.

Sa voix se transforma en chuchotement.

— Avais-tu fait de telles choses avant ?

— Non, jamais.

— Tu dois l'avoir fait. *Réfléchis*, mon enfant, réfléchis !

Alors qu'elle niait, Risa sut qu'elle avait déjà réalisé une tâche similaire.

— Mon bol... dit-elle. Mon bol. Je les ai vus dans mon bol.

— Explique-toi. C'est important !

— J'ai cru que c'était un enchantement de mon père ! Pas le mien !

Elle lui raconta rapidement comment elle avait fabriqué son bol, qu'elle avait tenté de le vendre, puis plus tard qu'elle avait vu des images de ses parents dansant parmi les lumières captivées dans sa surface concave. Il l'encouragea avec des hochements de tête et des grognements jusqu'à ce qu'elle arrive à la fin de l'histoire.

— J'étais en route pour vous l'apporter la nuit dernière pour voir si vous pouviez faire en sorte que ça se produise à nouveau, quand mon cousin m'a capturée et droguée.

Son ton était bas et respectueux.

— Oh non ! je ne peux absolument pas faire ça. J'ai plus de connaissances du métier que quiconque, mais je ne peux pas. Tout est ici.

Il montra son crâne.

— Et pas ici.

Il leva ses mains.

— Dis-moi, mon enfant, à quoi pensais-tu quand tu as vu tes parents dans ce bol ?

— Nous nous disputions, dit-elle.

Elle s'était souvent querellée avec Milo, mais elle aurait donné tout l'or et toutes les richesses de ce salon à ce moment pour ne serait-ce qu'un aperçu de lui lorsqu'elle l'avait vu à la *taverna* de Mina — fort, plein d'entrain et confiant. Elle aurait aussi donné toute la fortune de sa propre famille pour effacer le regard peiné qu'elle avait provoqué pendant leur dernière dispute.

— J'avais le bol dans mon sac. Je le touchais, dit-elle, se remémorant les faits. Puis, il s'est mis à me montrer les ombres de mes parents.

— Et le tisonnier ?

— J'étais en colère, se rappela-t-elle.

C'était bien plus facile à se souvenir.

— Je voulais casser quelque chose. Le tisonnier semblait lourd. Et puis, il est devenu encore plus lourd, comme s'il changeait dans mes mains.

Ferrer finit par dire doucement :

— Tu n'as aucune idée de ce que je donnerais juste pour connaître cette sensation. Si elle peut être sentie, elle peut être manipulée. Pendant toute ma vie, j'ai espéré une telle bénédiction. Mais toi, tu le fais instinctivement, sans même une seule leçon.

Son profond respect la surprit.

— Je ne comprends pas.

— N'aie pas peur ! Qu'est-il arrivé à ton bol, celui que tu voulais que je voie ?

— Oh !

Son soudain espoir s'écroula devant le souvenir du terrible bruit de casse lors de sa chute sur la chaussée.

— Mon cousin l'a brisé. Il l'a probablement laissé dans la rue.

Ses épaules s'affaissèrent de désespoir.

— Comment l'avais-tu transporté ?

— Dans un sac brun rembourré avec — c'est ça !

Au bout de sa canne pendait le sac. Tandis qu'elle parlait, Ferrer l'avait harponné avec l'extrémité de sa canne et tiré de sous le canapé. Risa l'ouvrit immédiatement pour en extraire son contenu.

– Ils l'ont sans doute trouvé inoffensif, car ils l'ont jeté à l'intérieur après toi quand tu as été amenée ici, dit Ferrer. Je l'avais caché pour le mettre en sécurité.

– Il est en morceaux.

L'impact avec la chaussée ou le dur traitement de son cousin après qu'elle soit tombée évanouie, avait brisé le verre en plusieurs morceaux. Le plus gros faisait à peu près le tiers du bol, une belle section où les verres bleus et verts s'étaient mélangés pour former une eau ondoyante. Chagrinée par cette perte, Risa rassembla les débris sur le canapé, les étendant côte à côte comme si elle espérait que leurs bords se rejoignent par magie pour former un tout.

– Parle-moi du verre, jeune fille, dit Ferrer. C'est quoi ? À quoi ça ressemble ? Qu'est-ce que ça fait ?

C'était une question étrange et elle avait évidemment pour but d'éloigner son esprit de sa perte. Elle tendit le bras et toucha le plus gros morceau de verre.

– Il est impossible de réaliser un enchantement quand l'esprit est confus.

L'interruption de Ferrer n'était pas du tout importune.

– Dans l'*insula*, on enseigne aux initiés comment clarifier leurs pensées, mais confuse comme tu es, ce serait vain…

– Oh ! Je peux le faire !

Le vieil homme la regarda avec un air surpris. Encore une chose pour laquelle elle pouvait remercier Milo, réalisa-t-elle. Elle ferma les yeux et respira profondément, pensant à une boîte. Les mains posées sur les restes du bol, elle ouvrit mentalement la boîte et en retira une bille conçue dans les flammes, striée de rouge. Elle s'imagina tenant le globe parfaitement rond dans la paume de sa main. Son cœur se réjouissait à la vue de celui-ci. Elle se sentait apaisée, à l'aise.

— Je croyais que le verre venait des lunes quand j'étais petite, lui murmura-t-elle. Mon père me disait qu'il devait aller voir les lunes et ramener le verre pour son atelier. Je savais qu'il me taquinait, mais j'aimais faire semblant.

Sa voix devint douce tandis qu'elle parlait. Un curieux sentiment de calme l'envahit.

— Je trouve encore que c'est magnifique. Chaque fois que je sors une de mes créations d'un four, je suis émerveillée. C'est formidable de penser que quelque chose de si dur et de si lisse peut naître du feu.

Elle entendit Ferrer émettre une profonde respiration, mais elle continua à parler.

— J'aime les couleurs — si pures. Sur les *insulas,* ils humectent le verre en fusion pour produire des couches, mais les couleurs semblent toujours si vivantes.

— Risa. Mon enfant, regarde.

Elle ouvrit les yeux. Les éclats de verre scintillaient avec la lumière et l'ombre. Ils frissonnaient au toucher, comme s'ils vibraient.

— Milo, murmura Risa.

Le débris le plus gros en forme de tarte reflétait parfaitement l'image de Milo qui se tenait au bord du balcon, le visage de profil. Tandis qu'elle regardait, osant à peine espérer que la vision soit réelle, elle vit Camilla le rejoindre et poser ses bras autour de l'épaule de Milo. La fausse image d'une gondole dérivant apparut.

Les autres débris étaient animés aussi. Bien qu'elle ait gardé ses doigts sur le morceau qui dansait avec le visage de Milo, elle tendit le bras avec un soupir pour voir sa mère se refléter dans un des morceaux et son père dans un autre. Ils regardaient tous deux le ciel au loin par une fenêtre. Alors qu'il était difficile de voir les détails, elle pensa qu'elle ne les avait jamais vus si rongés par les soucis. Elle pria silencieusement pour qu'ils n'aient pas encore perdu espoir.

Dans les plus petits éclats, elle pouvait voir d'autres personnes. Il y avait Tania, essuyant son visage avec un tissu et Ricard, qui dormait apparemment sur un lit. Mattio était assis sur un banc, la tête dans ses mains. Amo regardait quelque chose dans l'atelier de son père qu'elle ne pouvait pas voir. La bouche de Mattio bougeait – parlait-il au nouvel artisan ? Il y avait Fita qui pelait un fruit, l'air grave et les lèvres serrées. Son frère et ses sœurs, Romeldo, Mira, Vesta. Sa lèvre trembla à la vue de Petro assis dans une salle de classe, entouré d'autres enfants.

– C'est vous ! s'exclama-t-elle enthousiaste en montrant le dernier morceau.

Dans l'éclat de bleu et de vert, Ferrer baissait les yeux vers quelque chose d'impossible à voir – les mêmes morceaux de verre sur le coussin devant elle.

– Remarquable, dit-il en soupirant.

Puis, il leva les yeux directement vers le miroir au-dessus du manteau de la cheminée. Dans l'éclat de verre, il semblait regarder directement Risa.

– Je n'ai jamais pensé que je verrais ça un jour. Et avec quelqu'un de si jeune. Ce doit être la fonction secondaire du verre – une substance réfléchissante – qui te permet de réaliser ce si remarquable, si rare...

– Milo ! s'écria-t-elle, saisissant le plus gros morceau entre ses mains.

Ses bords coupants piquèrent ses mains, l'avertissant qu'elle était sur le point de saigner. Elle continua son examen.

— Je ne crois pas qu'il puisse t'entendre, ma chère. Il y a des limites.

— Il le doit ! Milo !

C'était comme si elle voulait que le verre lui livre son message. Avec le feu, elle avait modelé le matériel brut pour en faire un objet de beauté ; là, c'était encore elle qui était aux commandes.

La silhouette dans le morceau ébréché se tourna, soudain animée. Sa bouche bougea. Un instant plus tard, elle entendit prononcer son nom au loin. Sa voix était légère, plus douce que celle de ses parents quand elle les avait entendus parler la première fois par le biais du bol.

— Risa ? répéta-t-il. Par les dieux, Camilla. C'est…

— Milo ! Tu dois m'écouter. Nous sommes dans le palais.

Son visage grossissait au fur et à mesure qu'il avançait vers elle.

— Tu es dans le verre ! dit-il. Je peux te voir dans le verre !

Elle vit ses doigts toucher ce qu'il y avait devant lui, bloquant momentanément la vision de son visage.

La silhouette familière de Camilla apparut derrière lui, l'air à la fois craintive et admirative.

— Ne fais pas ça ! le réprimanda-t-elle. Tu fais des traces sur son visage.

Milo s'approcha et souffla sur le verre pour le nettoyer.

— Je ne t'entends pas bien. Peux-tu m'entendre ?

— *Oui* ! s'écria-t-elle.

Elle regarda vers la porte avec un sentiment de culpabilité, craignant que les gardes à l'extérieur puissent l'entendre.

— Nous sommes dans le palais ! répéta-t-elle, disant les mots distinctement. Tu as compris ?

Les lèvres de Milo bougèrent à nouveau et un instant plus tard, elle entendit sa voix. C'était comme s'il fallait quelques secondes pour que les sons qu'il émettait se rendent jusqu'à elle.

– Le palais, répéta-t-il.

Il se tourna et parla à Camilla.

– Nous devons aller au palais.

– Comment la trouverons-nous ?

– Cherchez-moi à une fenêtre ! s'écria-t-elle.

– Dis-le encore, suggéra Ferrer.

Sa voix s'était voilée depuis qu'il suivait la scène.

Elle répéta les mots.

– À une fenêtre, finit par dire Milo. C'est difficile de te comprendre ! J'espère que c'est ça.

– *Oui* ! dit-elle.

– Je te jure de te sortir de là ! Sur mon honneur, Risa. Oh, merci, Muro ! l'entendit-elle dire à Camilla.

Les ombres vacillèrent, puis s'évanouirent.

– Milo…

Elle avait tant de choses à lui dire. Tant de choses à se faire pardonner.

– Qui est ce garçon, Milo ?

La voix de Ferrer était douce tandis qu'il posa une main sur les siennes. Une faible chaleur se dégageait de sa peau et elle suffit à la réconforter.

Comme les chandelles s'éteignirent avec le vent, les visages des autres débris de verre s'évanouirent. Pendant un seul tic-tac de l'horloge sur la cheminée, elle pleura cette perte. Le souvenir de la facilité avec laquelle elle avait accompli sa prouesse l'encouragea à sourire rapidement. Quelque part à l'intérieur d'elle luisait une bille de cristal, striée de rubans et de verre rouge.

– C'est un ami.

– Un garde de la ville, ton ami ?

Elle se leva, irritée par la question.

– Oui. Il n'appartient pas aux Sept ni aux Trente, mais il est quand même mon ami.

Elle s'affaira avec les objets d'une des vitrines afin de détourner son visage. Elle ne devait pas montrer sa frustration.

– Ma chère, dit le vieil homme. Je ne voulais pas te critiquer. J'ai toujours pensé que si les Trente n'étaient pas si exclusifs et disons, avides de se distinguer socialement comme ils le sont devenus, nous n'aurions pas été aussi vulnérables au coup d'État que tente le prince ! Ma propre femme, que les dieux aient son âme, était la fille d'un médecin. La *simple* fille d'un médecin, comme certains disaient à l'époque.

Ce fait curieux effaça les peurs de Risa. Elle aurait été très déçue si Ferrer avait montré du mépris envers ses amis qu'elle avait rencontrés ces derniers jours.

– Vraiment ?

– Oui. Elle travaillait dans un des secteurs les plus pauvres de la ville, à distribuer des médicaments, quand je l'ai rencontrée. C'était une jeune femme charmante. Je crois que c'était il y a soixante ans… Mais que fais-tu, jeune fille ?

Même si les monologues du *cazarro* mettaient la patience de Risa à l'épreuve, son dernier lui avait inspiré une idée.

– Nous n'avons que quelques minutes avant que mon ami atteigne le château. Nous devons réveiller Baso.

– Il est profondément affecté par le narcotique. Il est trop tard.

– L'abandonneriez-vous si facilement ? Aidons-le, si nous le pouvons !

La sensation de ses pouvoirs fraîchement trouvés l'enivrait et l'inquiétait à la fois. C'était comme si elle était une petite fille à qui on aurait donné une fortune qu'elle pouvait dépenser à sa guise – mais l'or était une devise étrangère et personne ne lui dirait où elle trouverait des marchés capables de lui vendre les choses qu'elle désirait. Elle ne savait même pas ce qu'elle désirait. La mention des médecins de Ferrer l'avait inspirée, toutefois, et elle ferait ce qu'elle pourrait pour aider le jeune Buonochio.

– Si Milo arrive à nous trouver, nous ne devons pas avoir à le transporter et nous ne le laisserons pas ici à la merci du prince !

– Crois-tu vraiment que ton ami peut nous aider ? dit le *cazarro* tout bas.

– Oui.

Elle en était sûre.

Il se leva de sa position assise. Le dos penché en avant, il fit de tout petits pas autour de la table fendue.

– Je te fais confiance, mon enfant. Tu es notre unique espoir après huit cent ans.

Risa rougit devant un tel compliment.

– Non. Je suis juste une Divetri avec une mission.

C'était une phrase que sa mère avait utilisée plus d'une fois.

– Et une Divetri avec une mission, se murmura-t-elle, sentant la force d'un nouveau but… il faut s'en méfier.

Elle plaça toute son attention sur les babioles disposées partout dans la pièce.

– Avant qu'on t'amène ici, j'ai cherché partout des objets avec une fonction principale qui aurait pu lui faire reprendre conscience, déplora Ferrer. Il n'y a rien.

– Il y a quelque chose, le contredit-elle.

Elle avait fini par trouver l'objet qu'elle cherchait : une cuillère en argent ornementale avec un manche si richement incrusté d'argent et d'améthystes roses qu'on n'aurait pas osé s'en servir. Elle était à l'abri dans une vitrine. Sans hésitation, elle leva un affreux éléphant de porcelaine et en donna un coup contre le verre, grimaçant pour protéger ses yeux. Utilisant deux doigts et se montrant très précautionneuse, elle plongea la main parmi les éclats de verre et en retira la cuillère.

– La fonction naturelle d'une cuillère est de porter des aliments à la bouche, contesta Ferrer.

Risa n'aurait su dire s'il était surpris par l'objet lui-même ou par la façon dont elle l'avait obtenu. Elle avait très envie de rire, mais elle pensa qu'il pourrait se méprendre et la trouver présomptueuse plutôt que nerveuse.

– Un enchantement Cassamagi a pu l'empêcher de faire couler…

Risa avança vers le broc d'eau et le transporta à côté de Baso. Elle convenu que c'était le désespoir qui la rendait si audacieuse. Ils avaient peu à perdre si elle se trompait, mais beaucoup à gagner si elle avait raison.

– Quand mon frère et moi étions malades, ma mère nous donnait toujours un remontant.

Il la regarda, perplexe.

– Qu'elle nous donnait avec une cuillère, expliqua-t-elle. La fonction secondaire d'une cuillère est de donner des médicaments.

Ferrer semblait avoir du mal à comprendre son raisonnement, mais il opina. Doutait-il d'elle ? Le vieil homme était un expert en enchantements, après tout. Ne faisait-elle que jouer avec les enchantements et le distraire ? Se mordant la lèvre, Risa plongea la cuillère dans le contenant et la remplit au point de la faire déborder. Ferrer la regardait dans l'expectative.

Elle s'était trompée. Elle pouvait sentir que rien ne se passait. La cuillère était simplement une cuillère, avec de l'eau issue des sources du palais.

J'ai tant de choses à apprendre, pensa-t-elle, presque désespérée. Elle ferma les yeux et prit une profonde respiration. À nouveau, depuis cet endroit clos à l'intérieur d'elle-même, elle sortit le globe de verre qui représentait l'assurance et la confiance en soi. Il semblait plus gros depuis la dernière fois qu'elle l'avait vu et les rubans rouges semblaient grouiller de flammes. Elle imagina Giulia au-dessus d'elle tenant en équilibre une cuillère pleine de fortifiant.

Là où il touchait sa peau, le métal commença à piquer. Des filaments d'énergie se répandirent du bout de ses doigts et se faufilèrent sur toute leur longueur, délicats comme une toile d'araignée. Elle ouvrit les yeux et plongea à nouveau la cuillère dans le broc.

Le liquide qui autrefois était clair devint rouge vin quand elle le prit du pichet. La cuillère était pleine d'un liquide noir qui sentait exactement comme les tisanes revigorantes les plus infectes que Giulia gardait dans son placard à pharmacie — une mixture d'écorces de saule, de fleurs d'échinacée séchées, de graines de coriandre épicées et d'huile de poisson. À l'intérieur d'elle, la bille de verre s'évanouit quand, mentalement, elle la reposa une nouvelle fois.

— Tenez sa tête, ordonna-t-elle à Ferrer, essayant de ne pas renverser son précieux liquide.

Était-ce des larmes, dans les yeux du *cazarro* ? Elle ne pouvait pas passer plus de temps à le regarder. Les mains tremblantes, Ferrer posa la tête du jeune garçon sur ses genoux et baissa délicatement sa mâchoire. Risa avança précautionneusement la cuillère vers sa bouche et versa le contenu entre les lèvres de Baso.

Pendant un moment, rien ne se passa. Puis, la bouche du garçon se mit à bouger. Il fut d'abord choqué, puis il avala. Un souffle s'échappa de sa bouche tandis que sa mâchoire s'ouvrit en une violente toux. Ses paupières se mirent à battre. Des sanglots saisirent la poitrine de Risa. Elle avait réussi. Quand elle regarda Ferrer, elle vit des larmes parmi ses rides et les plis entourant ses yeux.

Il était douloureux de le voir pleurer, même si c'était des larmes de joie.

— Je vais surveiller Milo, dit-elle. Pouvez-vous…

Tandis qu'il berçait la tête du garçon et tamponnait son visage avec un tissu humide, Ferrer lui faisait déjà signe de s'éloigner.

— Va surveiller ton ami, dit-il, le visage baissé. Je m'occupe de Baso.

Ce ne fut qu'en arrivant à la fenêtre que Risa comprit que le vieil homme ne voulait pas qu'elle voie à quel point elle l'avait rendu heureux.

30

Avons-nous assez bien préparé nos enfants pour les insulas ? Ils y arrivent avec la connaissance du métier de leur famille, les bases des sciences et de l'histoire, et une ferveur à satisfaire, mais dans leur travail, je vois peu de véritable innovation ou réflexion. Pourquoi semblons-nous chérir l'obéissance et l'apprentissage par cœur plutôt que l'exploration ?

– ARNOLDO PIRATIMARE, ANCIEN DE L'*INSULA* DES ENFANTS DE MURO, DANS UNE LETTRE À GINA CATARRE, ANCIENNE DE L'*INSULA* DES PÉNITENTS DE LENA

– Pendant que tu étais encore inconsciente, j'ai tenté tous les renversements possibles de ma *caza*, dit Ferrer à Risa, apparemment aussi chagriné qu'elle. Rien ne pourra l'ouvrir.

– Mais il est là *dehors* ! dit Risa, frustrée.

Milo et Camilla étaient arrivés depuis une bonne dizaine de minutes. De sa fenêtre élevée, elle avait repéré leurs uniformes identiques, de simples ombres rouges, au moment où ils étaient entrés sur la place du palais en provenance de *via* Dioro. Après avoir disparu dans la foule parmi les étals du marché, ils étaient réapparus près de la statue du roi Orsino.

Depuis, elle pouvait les voir plus distinctement; deux hommes imposants les accompagnaient. Des larmes montèrent aux yeux de Risa quand elle reconnut Amo et Mattio.

Le vieil homme était toujours assis à côté de Baso, l'aidant à se redresser. Le garçon était encore assommé par l'effet du poison *camarandus*, mais au moins, il avait demandé de l'eau et semblait entendre leurs voix.

– Peut-il te voir ? demanda Ferrer.

– Je ne pense pas.

En bas, ses quatre amis se tenaient ensemble sur les pavés de la place, tournant la tête pour saisir l'immense mur à pic du palais devant eux. Le mur sud du palais était le seul côté que les canaux ne touchaient pas ; des rangées de fenêtres renforcées avec du verre fabriqué sur une *insula* faisaient face à la place, chaque fenêtre étant encastrée dans le mur et entourée de colonnes et de statues. Seraient-ils capables de la voir tout en haut au dernier étage ? Ils commencèrent à s'éloigner les uns des autres, continuant à étudier la façade fortifiée.

Il devait y avoir un moyen pour qu'elle ouvre la fenêtre. Il *fallait* qu'il y en ait un. Elle tendit les mains et une fois encore, sentit sous elles le frémissement de l'énergie de l'enchantement. Elle devait pouvoir modifier ces énergies si elle pouvait découvrir comment les dévier. La fonction première d'une fenêtre, comme Ferrer l'aurait dit, était de se protéger des éléments.

À quoi d'autre pouvait bien servir une fenêtre ? Quelles autres fonctions pouvait-elle avoir ? À voir à travers. À laisser entrer la lumière du soleil. À laisser entrer de l'air frais !

Un sentiment de triomphe la remplit quand elle tendit le bras pour sentir le cadre de métal. Elle se calma, faisant une nouvelle fois venir l'image de la bille striée de flammes. Comme un tableau Buonochio, son esprit se remplit d'une image animée de fenêtres s'ouvrant pour laisser entrer une brise qui sentait les fleurs, les épices et les eaux des canaux. Dotée du pouvoir de ce qu'elle visualisait, elle prit les poignées et les tourna.

Elles refusèrent de bouger.

— Ça n'est pas juste ! s'écria Risa, furieuse que ça ne fonctionne pas.

Sur le sol en dessous d'elle, Camilla traversait la place, suivie de deux nouvelles personnes — Ricard dans ses atours bariolés et Tania qui portait ses jupons de danse. Tous ses amis étaient là pour l'aider. Son cœur s'emballa quand elle le réalisa.

— Bien peu de choses sont justes, jeune fille, dit Ferrer, avec ce que Risa ressentit comme un excès d'esprit pratique.

Pour un homme plein de la sagesse accumulée dans sa *caza*, il savait certainement comment faire pour qu'elle se sente revêche.

— Tous les autres ont reçu des années de formation dans les *insulas* pour apprendre les enchantements et moi, je suis censée tout apprendre en une matinée !

Les masques de Lena et de Muro à l'extérieur de la fenêtre la reluquèrent, semblant se moquer de ses aspirations.

Au sol, Amo et Mattio qui venaient de finir une consultation avec les gardes, se dirigeaient vers l'est. Ils se rendaient de l'autre côté du palais, comprit-elle. Milo resta derrière, mais resterait-il là longtemps s'il ne parvenait pas à la voir ? Cette perspective la rendait malade. Le discours sérieux de Ferrer ne faisait que l'irriter davantage.

— La plupart des Sept et des Trente ont passé leur vie derrière les murs d'une *insula* à étudier inlassablement pour affiner leur art. Je suspecte qu'ils trouveraient plus injuste que leurs enchantements soient substantiellement moins remarquables que les deux que tu as réalisés en moins de deux heures. Tu ne devrais pas essayer si fort, suggéra-t-il. Je crois…

Baso se pencha en avant et mit son visage dans ses mains, distrayant le vieil homme du reste de son discours.

Ses réprimandes ne réussirent pas à la réconforter. Milo arpentait la place, allant jusqu'à s'arrêter une fois directement sous la fenêtre contre laquelle elle se battait sans succès. Risa y apposa sa tête. *N'essaie pas si fort* ! Elle ne voulait pas tenir compte de ce conseil, mais elle suspectait que Ferrer avait raison. L'enchantement avec la cuillère avait semblé facile quand elle l'avait plongée dans l'eau, comme si elle avait créé un lien direct entre le but qu'elle s'était fixé et la manière dont elle voulait le réaliser. Essayer d'ouvrir la fenêtre pour avoir de l'air frais semblait presque une fraude. Elle n'avait pas besoin d'air frais – en fait, la pièce dans toute sa splendeur était presque trop froide.

– Je n'ai pas souhaité ce genre de responsabilités ! Je souhaite juste que les choses redeviennent comme elles ont toujours été !

Risa fut presque embarrassée de la furie avec laquelle elle parlait.

Le ton de Ferrer était doux.

– Mon enfant, la première chose que nous souhaitons, dans des circonstances extraordinaires, ce sont des vies ordinaires.

C'était la chose la plus simple qu'il ait dite dans toute la journée.

– Nous voulons les choses que nous avons toujours voulues. Ça fait simplement partie de la nature humaine.

Mais que voulait-elle ? Elle regarda la fenêtre. De quoi avait-elle vraiment *besoin* ? D'appeler Milo, d'attirer son attention. Elle ne le reverrait peut-être jamais si elle ne parvenait pas à ouvrir les vitres et à l'appeler avant qu'il parte — tout comme il y a des années quand sa mère avait appelé son père depuis une fenêtre à l'étage.

Tandis qu'elle tâtait le cadre froid de la fenêtre, Risa sentit le métal la picoter avec énergie. Ses mains parcouraient distraitement le rebord de marbre et elle remarqua à nouveau le visage sculpté de Lena qui lui souriait depuis la colonne au-dessus d'elle.

C'était si simple. Ferrer avait raison. Elle avait essayé trop fort. Son cou et son visage la picotèrent, quand elle comprit que tout ce qu'elle voulait, c'était la même chose que sa mère il y a vingt-neuf étés : ouvrir une fenêtre pour héler un garçon dans la rue en dessous. Lui sourire, attirer son attention et garder cette attention pour le reste de sa vie.

Elle tendit le bras vers les loquets et les tira vers l'intérieur, sentant une énergie parcourir ses doigts quand les vitres se divisèrent. De l'air frais s'éleva depuis le rebord, suivi par les bruits de la place tout en bas. Risa se pencha en avant, les cheveux tombant autour de son visage.

— Milo ! cria-t-elle.

Dans son cœur, elle savait qu'elle appelait le seul garçon qu'elle ne voulait pas perdre. Pas maintenant, ni jamais.

— Milo !

Pendant un instant, elle craignit qu'il ne l'entende pas. Mais son soulagement fut soudain et brutal, quand il leva les yeux et que son regard rencontra le sien. Le visage de Milo s'illumina d'un sourire qu'elle avait chéri au cours des quatre derniers jours. Elle le lui rendit volontiers.

Il leva un doigt vers ses lèvres, l'avertissant de ne pas crier à nouveau, puis murmura quelque chose à sa sœur. Camilla aussi leva les yeux et repéra Risa au quatrième et dernier étage du palais. Milo informa rapidement Tania et Ricard de l'endroit où elle se trouvait ; quand Ricard leva un bras pour la montrer, Milo le rabaissa immédiatement.

Tania jeta un rapide coup d'œil, puis sauta dans les airs. Risa crut un instant qu'elle était sincèrement excitée de la voir, mais quand la jeune fille s'éloigna en sautillant en direction de la statue du roi Orsino, elle réalisa que Tania dansait. Elle attrapa un tambour accroché à sa taille sur lequel elle se mit à taper dans un rythme entraînant ; ses jupes tournoyèrent, suivant le tempo rapide. Ricard marchait derrière elle, jouant du luth qui n'était plus suspendu dans son dos, mais dans une position accessible. Même si elle ne pouvait pas entendre sa musique au milieu du bruit de la ville en dessous, Risa vit d'autres personnes se mettre à taper des mains à l'écoute de la chanson animée du poète.

Pendant un instant, elle se sentit déçue. Trahie, même. Elle avait pensé que ses amis étaient venus pour l'aide à s'échapper. À la place, tout comme ils l'avaient fait dans les heures après qu'elle ait soufflé dans le cor Divetri pour la première fois, ils avaient simplement essayé de se remplir les poches.

Elle regarda Milo tourner la tête pour suivre leur progression. Quand Ricard et Tania atteignirent l'ombre de la statue, qui se prolongeait parmi les pierres sur le sol tandis que l'après-midi avançait, il fit signe à Camilla. Puis, alors qu'il se dirigeait vers l'ouest et l'arrière du palais, Milo s'arrêta net et leva une main bien droite, sa paume face à elle. Était-ce un au revoir ? Non, il lui disait de s'arrêter et d'attendre. Elle savait qu'il lui aurait ordonné la *patience*. Elle hocha la tête et regarda le frère et la sœur gambader en direction du canal royal.

Elle était à peine consciente de la façon dont cette rencontre silencieuse la transportait jusqu'à ce qu'elle retraverse la pièce, se rassit, toujours le sourire aux lèvres. Bien que son estomac ait continué à être noué depuis les événements du matin, pour la première fois depuis des heures, elle se sentit optimiste que les *cazas* pourraient survivre à une autre nuit d'épreuves.

— Tu as réalisé trois miracles, ce matin, commenta Ferrer qui la scrutait à travers ses doubles lunettes. À combien d'autres pouvons-nous nous attendre ?

— Ce ne sont pas des miracles, dit-elle, mal à l'aise à cause du mot. C'est juste quelque chose que… quelque chose qui doit être fait.

C'était la meilleure explication qu'elle pouvait donner.

— *Cazarro,* quand vous réalisez vos enchantements, *sentez*-vous quelque chose ?

Baso, les mains sur son visage, semblait suivre la conversation bien qu'il n'ait rien dit.

— Sentir quelque chose ? répéta Ferrer. Dans les notes conservées par les Cassamagi, Allyria a écrit sur les énergies, produites par les objets quand ils étaient utilisés, et qui, selon ce qu'elle alléguait, pouvaient être altérées et… Mon enfant, as-tu *senti* ces énergies ?

Comme Risa opina, les épaules du vieil homme s'effondrèrent et il laissa échapper un soupir puissant.

— Comme j'aimerais connaître cette sensation ! Allyria a écrit que les énergies entre des objets reliés, comme la couronne d'olivier et les cors des *cazas,* pouvaient s'étendre sur de grandes distances.

— Comme une corde ? demanda Risa, soudain enthousiaste. J'ai ressenti comme si les cors lançaient une corde en direction du palais quand on complétait le rite. L'avez-vous senti aussi ?

Ferrer secoua la tête, surpris.

— Depuis combien de temps ressens-tu ces choses ? En as-tu déjà parlé à quelqu'un ?

Elle secoua elle aussi la tête.

— Depuis que je suis petite.

— Les dieux ne mentent décidément pas, murmura-t-il. Tu n'as jamais été nécessaire dans les *insulas*. En fait, ce sont les *insulas* qui ont besoin de toi.

Quelle étrange sensation d'être l'instrument des dieux. C'était plus effrayant que n'importe quel danger qu'elle avait rencontré cette semaine. Pourquoi était-elle si différente ? Comment les gens la traiteraient-ils s'ils savaient ? Réalisant qu'elle était nostalgique des jours passés, Risa se rappela ce que Ferrer avait dit — qu'elle souhaitait simplement de l'ordinaire au milieu de ce tumulte extraordinaire.

Mais redeviendrait-elle ordinaire ? Cette pensée la troubla. Puis, à nouveau, elle se demanda si elle était les mains de Muro et de Lena, s'il pouvait y avoir un espoir que les dieux l'aident dans sa quête de préserver la ville d'un avenir sombre ?

À l'extérieur de la fenêtre, le martèlement des roulements de tambour devint plus fort. Risa se leva du canapé et retourna vers la fenêtre ouverte. La foule en bas avait grossi. Ricard chantait toujours au centre d'un cercle entouré de près d'une centaine de spectateurs, mais il avait été rejoint par des luthistes, des jongleurs et des batteurs. Une harpiste — sûrement pas la même harpiste qu'elle avait vue Chez Mina — était assise en train de pincer ses cordes près du bord de la scène improvisée. Tania avait été rejointe par plusieurs danseuses de la *taverna* et elles criaient toutes vivement tandis qu'elles sautaient et faisaient tourner leurs jupes au rythme du tambour. De plus en plus de gens surgissaient du marché et du palais pour regarder les jongleurs, les avaleurs de flamme et les danseurs avec des sabres qui divertissaient la foule.

Quand elle vit un grand nombre de gardes vêtus de pourpre avancer en bondissant en direction des réjouissances et jetant des regards de culpabilité par-dessus leurs épaules, ce qu'elle comprit tout à coup la secoua. Ricard et Tania n'avaient pas entamé ce festival de musique et de danse pour gagner des *luni* – ses amis créaient une distraction ! La jolie fille et le beau musicien étaient sûrs d'attirer bon nombre de gardes du palais loin de leurs postes, donnant ainsi une chance à Milo et à Camilla d'entrer. Leur mère avait été la garde du corps du roi Alessandro – ils avaient pratiquement été élevés dans le palais, lui avait dit Milo. Il ne faisait aucun doute qu'ils sauraient la retrouver.

Elle regarda de bas en haut, puis de gauche à droite, là où les visages de Muro et de Lena étaient baissés vers elle et sur la place en bas. Lui souriaient-ils ou riaient-ils ? Elle ne pouvait qu'espérer qu'ils veuillent qu'elle réussisse.

31

Tu parles de nos élèves comme s'ils étaient des moutons ou au mieux, des agneaux dociles qu'on mènerait à la tonte. Mon ami, ce sont les futurs meneurs de Cassaforte que nous éduquons. L'innovation ne leur vient peut-être pas facilement, mais par les dieux, ils savent se battre pour ce qui est juste.

– *Gina Catarre, ancienne de l'insula des Pénitents de Lena, en réponse à une lettre d'Arnoldo Piratimare, ancien de l'insula des Enfants de Muro*

Alors que le soleil descendait plus loin dans le ciel, sa lumière pénétrait de biais dans le petit salon. Les rayons réfléchis ricochaient sur les miroirs et les surfaces soigneusement polies, créant un effet de chaleur et de brillance, mais aucun des prisonniers ne se leva pour fermer la fenêtre ou tirer les rideaux. Ils se tenaient en silence et ne s'intéressaient pas aux rondeaux et aux gigues sur la place en dessous. Il était cependant plutôt difficile de rester assis là, alors, pendant un certain temps, ils s'occupèrent à aider Baso à nettoyer son visage et ses mains. Puis, Risa le guida à plusieurs reprises autour des canapés disposés en carré. Il semblait faible sur ses pieds, mais heureux de pouvoir bouger.

Une heure et la plus grande partie d'une autre avaient passé à l'horloge sur la cheminée quand ils entendirent un craquement en provenance du couloir. Risa se rendit vers la massive porte de chêne et leva les tapisseries qui la recouvraient, son cœur battant la chamade comme si elle était un animal piégé essayant de s'échapper de sa cage. Ferrer aussi s'approcha, appuyé sur sa canne. Risa leva une main pour lui faire signe de ne pas faire de bruit.

Le bruit se fit entendre à nouveau, depuis l'ouverture entre le bas de la porte et le sol. Elle recula brusquement quand la pointe d'une épée fit tout à coup irruption en dessous, puis se retira. Elle se mit à genoux et, gardant son visage suffisamment loin de la fente sous la porte, murmura :

– Milo ?

Le grincement avec la pointe de l'épée cessa. Elle sentit un très léger souffle d'air en provenance du couloir contre sa joue quand quelqu'un de l'autre côté se baissa sur le sol.

– Risa !

Les doigts de Milo sondèrent le dessous de la porte en bois.

Quand elle toucha les doigts de Milo avec les siens, son cœur se mit à battre à tout rompre. Ce matin, ils étaient à une ville d'écart. Deux heures avant, elle l'avait vu depuis le quatrième étage. Maintenant, ils étaient à peine à quelques centimètres l'un de l'autre.

– Peut-on parler ?

Elle ne put pas entendre toute sa réponse, car elle sonna comme s'il avait tourné la tête au début de sa phrase.

– ... Il faut aller vite, l'entendit-elle dire. C'est une des portes qui a un... un enchantement, je crois.

– Je sais !

Elle prononçait chaque mot plus distinctement.

– On va essayer de la forcer, l'entendit-elle dire.

Derrière elle, Ferrer émit une interjection :

– Ma chère…

– Non ! s'écria Risa, l'ignorant dans sa hâte d'arrêter Milo. La briser fera trop de bruit. Laisse-moi réfléchir à un moyen d'améliorer l'enchantement !

– *Cazarra*, dit Ferrer.

– C'est impossible, dit Milo comme s'il avait les lèvres contre la fente. Éloigne-toi de la porte !

– *Risa !*

Elle se tourna, surprise que Ferrer ait prononcé son nom si brusquement.

– Mon enfant ! L'enchantement Portello ne s'applique qu'à *notre* côté de la porte. Tout ce que ton ami a à faire, c'est tourner la poignée et pousser.

– Oh !

La simplicité de la solution la fit rougir. Elle répéta les instructions de Ferrer sous la porte, puis se recula pour regarder la poignée tourner sans hésitation vers le sol. La porte s'ouvrit aisément, laissant entrer une bouffée d'air. Milo et Camilla se tenaient juste derrière, leurs épées prêtes à servir.

Aucune quantité d'air ne pouvait se comparer au soulagement qui envahit tout son corps quand elle les vit. Au début, Milo sembla surpris de voir d'autres personnes dans la pièce avec elle. Puis, reconnaissant le *cazarro* de Cassamagi, il le salua respectueusement et rengaina son épée. Il étudia un instant la silhouette allongée de Baso, puis se tourna à nouveau vers Risa, semblant ébloui à sa vue. Elle sentit qu'elle pourrait se prélasser pour toujours dans ses yeux.

Pourtant, elle savait qu'elle ne devait pas.

– Il faut se dépêcher, lui dit-elle, se forçant à penser aux dangers qui les guettaient. Comment vous êtes-vous débarrassés de nos gardes ?

Son sourire devint plus amusé.

– Je les ai convaincus que nous avions été envoyés par le capitaine pour leur donner une heure de repos afin qu'ils puissent aller à la petite fête dehors, expliqua-t-il. Ils avaient l'air contents d'avoir une pause.

– Très brillant, jeune homme.

Ferrer s'était levé pour se placer à côté de Risa alors que Milo parlait.

Même sous son teint hâlé, Milo rougissait légèrement devant ce compliment.

– C'était surtout l'idée de Camilla.

Il fit un geste vers sa sœur, qui inclina la tête, modeste. Elle aussi semblait heureuse de voir Risa, mais elle jetait sans cesse un œil derrière vers le long couloir.

– Elle est la meilleure stratège.

Ferrer salua en direction de Camilla tandis que Risa continuait à regarder Milo. Le fait qu'il provoque en elle ce sourire lui faisait tourner la tête.

Camilla rendit respectueusement le salut à Ferrer, reconnaissant son autorité. Avec ses mains, elle leur indiqua la route à suivre en parlant tout bas et d'un ton pressant.

– Nos gondoles sont devant la dernière porte sur le canal ouest.

Elle les conduisit dans le couloir et montra la direction pour s'échapper.

– Heureusement, notre route est la plus courte. On descend les escaliers dans la tourelle sud-ouest et on marche un peu jusqu'à la vanne. Tous les gardes qu'on pourrait rencontrer ont été avisés qu'ils pouvaient prendre une pause et aller à notre petite fête. Je crois que vous pourriez tous être rentrés dans vos *cazas* avant le coucher du soleil, *cazarro.*

Elle faisait comme si elle livrait un rapport à Tolio, son capitaine.

— Et les *cazarris*? demanda Risa.

Même si elle avait très envie de se retrouver libre, la pensée de ses parents n'était jamais bien loin dans son esprit.

— Sais-tu où ils sont?

Milo fit un geste vers le long couloir, dans lequel des douzaines de portes étaient ouvertes. C'était un des nombreux couloirs identiques du palais, comme le savait Risa, qui comprenait des centaines de portes similaires.

Elle secoua la tête.

— Vous n'avez probablement pas assez de gondoles pour les secourir tous, de toute façon.

Son cœur sombra un peu plus quand elle prononça ces mots. Comme Milo opina, elle prit une décision.

— Je comprends. Vraiment, je comprends.

Il était pourtant difficile de laisser aller son fantasme d'un sauvetage glorieux, mais l'après-midi tirait à sa fin. Elle ne pouvait pas se permettre de perdre du temps ni risquer d'être prise en cherchant ses parents.

Milo se pencha plus près.

— Nous irons les chercher bientôt. Je te le jure.

Elle acquiesça, le croyant.

— Celui-ci doit retourner chez les Buonochio. Il a du mal à tenir debout, dit Ferrer, montrant Baso.

Ses yeux toutefois regardaient Risa avec compassion.

— Je vais bien, monsieur, dit Baso d'une voix faible, s'efforçant de se lever.

Il trébucha légèrement en essayant de trouver son équilibre.

Camilla se rua à ses côtés. Il passa un de ses bras sur son épaule et elle le tint fermement par le torse. Elle sortit dans le couloir tandis qu'il protestait doucement.

– Il peut se tenir sur moi. Milo, toi, tu...

Peu importe ce qu'elle allait dire, elle fut interrompue par le grincement strident d'une épée tirée de son fourreau. Ils se tournèrent tous. Le pouls de Risa s'accéléra quand elle vit un garde large d'épaules courir vers eux, du feu dans les yeux et la bouche tordue en un air si menaçant qu'elle se figea, incapable de s'enfuir. On aurait dit qu'il se ruait directement sur elle, prêt à lui couper la tête avec une lame aussi tranchante qu'un rasoir et tout ce qu'elle pouvait faire, c'était rester là.

Une image floue pourpre passa devant elle – c'était Milo s'élançant dans le couloir. Elle entendit le sifflement du métal quand il dégaina à nouveau son épée ; le bruit en provenance de l'épée de Camilla se fit entendre quand elle bondit à sa suite. Tous deux s'arrêtèrent à quelques mètres dans le large corridor, attendant leur ennemi.

Des postillons jaillirent de la bouche du garde assez âgé. Son juron ordurier résonna dans le couloir. De son côté gauche, il retira un court poignard afin d'avoir une lame dans chaque main. Il avait deux fois l'âge de Milo et faisait deux fois sa taille. Il dominait donc les Sorranto comme une montagne surplombe les collines.

Il y eut un silence, une lourde pause pendant laquelle les trois se regardèrent. Alors que ça ne dura pas plus longtemps qu'il ne faut pour inspirer et expirer un seul souffle d'air, pour Risa, ce fut comme si le temps avait ralenti. Cette seconde lui parut durer une éternité.

Les lames d'acier commencèrent à tournoyer frénétiquement sans avertissement. Camilla et Milo se battaient contre lui avec leurs épées, mais il résistait, reculant doucement dans le couloir. Le son strident des lames les unes contre les autres résonna dans le couloir de pierres, faisant monter les larmes aux yeux de Risa. Puis, le garde s'élança en avant, faisant reculer le frère et la sœur.

Derrière elle, Risa sentit les os des doigts de Ferrer se presser contre son épaule pour la tirer en arrière. Elle résista, contrariée par son ingérence. Alors qu'une partie d'elle voulait fortement se tourner et courir, elle savait que la fuite les mettrait dans une situation encore pire. Il était impossible de ne pas admirer le talent artistique délicat des fentes et des parades athlétiques des Sorranto — c'était comme regarder des maîtres artisans à l'œuvre. Malgré sa fascination, toutefois, elle savait que leur destin à tous et leur vie reposaient sur les habiletés des Sorranto. Alors qu'elle était incapable de détacher son regard de la mêlée, elle craignait chaque coup donné par l'épée du garde plus âgé.

Camilla trébucha et tomba sur une torche. Telle une acrobate, elle transforma sa chute en une culbute et fit une roulade arrière, utilisant son épée pour s'aider à rebondir sur ses pieds. Sans même un regard latéral vers elle, Milo repoussa le garde avec davantage d'intensité et il réussit à déjouer les coups d'épée de son agresseur sans hésitation. Il esquivait et feintait, rendant coup pour coup, semblant même arrêter les attaques de l'homme.

Dans le vif de l'action, Camilla se tourna brusquement avec un cri qui émergeait du plus profond d'elle. Son épée brillait tandis qu'elle s'agitait en décrivant des cercles de chaque côté. Pour Risa, on aurait dit qu'elle passait la lame d'une main à l'autre dans un mouvement complexe qui la rendait inaccessible depuis n'importe quel angle; la manœuvre surprit assurément le garde, qui reculait et s'écartait au fur et à mesure qu'elle approchait.

Profitant de l'attention distraite du garde, Milo se mit en mouvement. Comme sa sœur, il commença le même complexe jeu d'épée, passant l'arme d'une main à l'autre. C'était déconcertant à voir. Risa était éblouie par tant de subtilité. Puis, avec la plus grande grâce masculine, il s'arrêta soudain, se tourna brusquement et mit en équilibre la pointe de son épée sur le sol. Il bondit et donna des coups de pied dans les airs en reculant. Le talon de sa botte rencontra directement la mâchoire du garde, soulevant l'homme massif à plusieurs centimètres dans les airs, puis le faisant tomber brutalement sur le dos. On entendit un terrible bruit quand la tête de l'homme heurta le sol de pierres.

Avec la même élégance athlétique, Milo atterrit sur le sol dans une position de défense, son épée à nouveau prête. Camilla prit la même attitude, prête à attaquer si l'homme essayait de se lever. Le garde, toutefois, était complètement inconscient.

Après un tel spectacle, Risa ne parvenait même pas à respirer. Elle n'avait aucune idée que ses deux amis avaient de telles habiletés. Si elle ne l'avait pas vu de ses propres yeux, elle n'aurait jamais cru que Milo puisse vaincre un adversaire si imposant et déterminé.

– Comment faites-vous *ça*? murmura-t-elle, impressionnée.

– Le livre des Catarre sur l'escrime était excellent.

Les termes faibles qu'il choisit firent penser à Risa qu'il se moquait d'elle.

– Celui-là était dangereux, ajouta-t-il en s'adressant à Camilla. Je t'avais dit qu'il était louche.

Camilla se releva de sa brève inspection, haletant comme son frère.

– On va l'enfermer dans le salon. C'est une juste récompense pour avoir emprisonner trois *cazarris* ici pendant si longtemps, n'est-ce pas ?

Elle prit la jambe du garde et, avec de gros efforts, commença à le tirer en direction de la pièce enchantée par les Portello.

Milo rengaina son épée et alla l'aider.

– Et si l'autre garde revenait de la place ? Il remonterait par la tourelle du sud-ouest.

– Nous devrons prendre un autre chemin.

Camilla sembla contrariée quand elle annonça ce choix.

Risa, inquiète, sentit à nouveau sa peau frémir.

— Quel autre chemin ?

Milo ouvrit la porte de leur ancienne prison et lui sourit.

– Ne t'inquiète pas, dit-il. C'est juste la partie où ça devient un peu dangereux.

32

Je n'ai trouvé aucune preuve solide confirmant la rumeur selon laquelle la lignée actuelle des monarques cassafortéens descendrait d'un brigand.

— L'espion Gustophe Werner, dans une lettre personnelle adressée au baron Friedrich van Wiestel

Quatre hommes pouvaient s'allonger de tout leur long sur les marches de l'Escalier du requérant et étirer leurs mains au-dessus de leur tête sans jamais toucher le pied de l'homme étendu en avant d'eux. Les marches étaient si larges que les mêmes hommes pouvaient tendre leurs bras sans en toucher les bords. L'Escalier du requérant montait du premier étage du grand hall d'entrée du palais, menant aux étages aux riches dorures jusqu'à ce qu'il atteigne la célèbre salle du trône officielle au sommet.

Chacune des grandes contremarches était sculptée avec des illustrations historiques et des personnages mythiques, leur grandeur croissant avec l'altitude. Entièrement visible depuis tout l'étage du dessous se trouvait le fameux trône doré du roi. Même le plus malpropre des mendiants, une fois assis sur le siège sculpté et éclatant, ressemblerait au plus puissant des hommes. Ceux qui désiraient avoir une audience avec le roi de Cassaforte devaient arriver au sommet de l'Escalier du requérant craintifs, admiratifs et modestes et – comme Risa l'avait longtemps suspecté – hors d'haleine pour se présenter avec rien d'autre que de l'humilité.

La lumière du soleil filtrait par l'énorme dôme vitré de la salle du trône. À ce moment de la journée, avec la lumière qui scintillait sur ses carreaux, le dôme pouvait être vu depuis des lieux à la ronde. Le groupe de Risa était toutefois enveloppé de noirceur. Dans le minuscule réduit où ils se trouvaient en silence, la peur les empêchant même de respirer, la seule lumière provenant de fentes étroites se découpait de biais dans la surface richement sculptée du paravent en bois doré Legnoli qui les entourait sur l'estrade du haut. Des lignes de blanc comme des coups de pinceau striaient leurs visages.

Prenant grand soin de ne pas heurter les débris de verre qui reposaient dans le sac qu'elle portait sur son dos, Risa se pencha en avant afin de pouvoir regarder par l'ouverture la plus proche. À côté d'elle, Milo et Camilla regardaient déjà par les fentes découpées dans les yeux de chérubins souriants. La pièce avait jadis été une cachette pour les gardes du corps du roi, pour qu'ils puissent veiller sur leur monarque et bondir en un instant depuis les portes secrètes et le défendre au prix de leurs vies. À présent, la pièce contenait cinq rebelles qui essayaient simplement de traverser le palais jusqu'à la tourelle nord-est.

Les longs doigts du prince tapotaient un bras du trône, ses ongles frappant la surface avec le rythme d'une caisse claire.

– Je commence à être fatigué d'attendre, annonça-t-il, insistant sur chaque syllabe.

– Vous n'aurez plus longtemps à attendre, dit un autre homme, vêtu des beaux vêtements des Trente.

Risa ne le reconnut pas.

– Ensuite, la couronne d'olivier sera vôtre.

– Quelle ironie que cela ! À quoi sert quelque chose qui ne peut être saisi ?

Le prince Berto leva son bras gauche de sorte qu'il devint visible pour Risa depuis son champ de vision limité. Elle retint tout juste un halètement – au bout de son membre, le prince exhibait une main atrophiée dans un crochet, la peau calcinée et noircie impossible à reconnaître ou à utiliser. Cette vision lui donna des haut-le-cœur. Elle savait qu'il y avait une raison pour laquelle il avait dissimulé ses mains le matin qu'il était venu sur le quai Divetri.

Le sous-fifre du prince recula aussi, puis se reprit.

– Votre Altesse, les pouvoirs de guérison de la couronne et du sceptre sauront...

– Plus de promesses de miracles ! C'est la malédiction de la couronne qui m'a tant affligé. La dissolution des Cassamagi sera ma vengeance.

Derrière le paravent, chaque mot était audible. Risa sentit, plus qu'elle n'entendit, Ferrer bouger anxieusement derrière elle.

– Plus qu'une heure, dit l'homme, se penchant pour faire une révérence. Ensuite, tout sera vôtre.

Tandis qu'il se rapprochait du prince, le courtisan sortit du champ de vision de Risa, dévoilant les socles où reposaient les deux objets les plus sacrés du pays : une couronne d'or qui avait l'air d'avoir été créée avec des branches d'olivier et un bâton conçu pour représenter une lourde branche d'un arbre épineux. Près d'eux se trouvait un cor – la réplique exacte de celui de sa *caza*. C'était le cor du palais, dans lequel, pendant des siècles, on avait soufflé depuis le toit au-dessus d'eux pour donner le signal du rite de loyauté. Des rayons provenant d'en haut faisaient chatoyer les trois objets. Risa pouvait sentir leurs énergies même à quelques douzaines de mètres ; elles semblaient l'appeler avec une chanson qu'elle était sûre qu'aucun de ses compagnons ne pouvait entendre. Cette chanson réjouissait son cœur. Son gai refrain semblait la rassurer et lui dire que tout allait bien et se déroulait comme ça devait

Pourtant, tout n'allait pas bien. Elle devrait être en route pour la *caza* en ce moment. À la place, elle était coincée dans ce sombre et déprimant réduit, poussée là par Milo et Camilla pendant leur fuite dans l'Escalier du requérant quand ils avaient entendu des bruits dans le couloir en provenance des appartements privés du roi. Le plan était de la pure folie. C'était seulement grâce aux réflexes rapides comme l'éclair des gardes et à leur connaissance du palais qu'ils avaient tous — y compris Baso et Ferrer qui avançaient lentement — réussi à se cacher avant de se faire repérer.

— Mais où sont les autres gardes ? s'était enquise Risa.

Milo lui avait dit qu'il ne restait que quelques gardes dans le palais et qu'ils semblaient se concentrer sur les entrées et l'intérieur des appartements du prince.

— Le prince n'est pas populaire, avait-il murmuré. Ceux qui ne sont pas d'accord avec ce qu'il fait disparaissent simplement, la plupart de leur propre initiative. Ceux qui sont encore ici feraient n'importe quoi pour obtenir une promotion ou du pouvoir. *N'importe quoi*, avait-il répété avec insistance.

Risa s'était rappelé la prédiction de Ferrer selon laquelle, dans la guerre qui se préparait, si le prince poursuivait, les gardes se battraient les uns contre les autres pour l'avenir du pays.

— Cet homme qui m'a amené cette petite peste, ce lèche-bottes, comment s'appelle-t-il ?

Le ton du prince était si froid qu'il glaça Risa jusque dans ses pensées.

— Je ne m'en souviens pas, Votre Altesse. C'était un Divetri.

Alors qu'elle écoutait à travers le visage d'une sculpture de chérubin, son cœur bondit au son de son nom.

— Oui, cet homme ennuyeux. Issu de la plus ennuyeuse des familles. Qui pense que je pourrais nommer quelqu'un de *son* genre dans les nouveaux Sept. Lui avons-nous offert l'hospitalité qu'il mérite ?

Risa n'aima pas le désagréable sous-entendu dans ses mots.

— Nous l'avons déshabillé avant de le jeter dans le canal.

Le ton du courtisan était suffisant. Il tendit la main vers une poche de son manteau et en sortit une boîte argentée familière à Risa. Il l'ouvrit et recula devant l'odeur du *tabacco da fiuto*, puis la jeta sur le sol.

— Il sera difficile pour quiconque de l'identifier… à condition que quelqu'un le veuille.

— Très bien.

Dans l'obscurité, elle sentit une main chercher la sienne à tâtons. C'était Milo qui essayait de lui exprimer sa compassion. C'était la dernière chose dont elle avait besoin ou qu'elle voulait, bien qu'elle ait apprécié le réconfort de son toucher. La nouvelle de la mort de son cousin ne faisait que la remplir d'une détermination ferme à réussir et à prendre le prince à son propre jeu. Fredo l'avait trahie, c'est vrai, et si elle avait eu le pouvoir de s'en débarrasser, elle l'aurait fait — mais par l'exil, pas avec une exécution sommaire.

Le prince n'était qu'à un mètre de l'endroit où elle se trouvait dans le réduit. Il aurait été très facile de sortir et de l'attaquer tout de suite.

Quelque chose dans ses mouvements dut trahir sa pensée. Elle sentit la main de Ferrer retenir son épaule et Milo serrer ses doigts plus fort. Se détendre était difficile, mais elle réussit à relâcher ses épaules tout en décidant intérieurement qu'elle vaincrait le prince peu importe le prix à payer.

– Et le domestique Buonochio qui nous a si gentiment aidés à trouver le garçon ?

– Il a subi le même sort, dit le subalterne doucement.

Risa savait qu'on découvrait régulièrement des cadavres dépouillés de leurs biens et de leurs vêtements dans les canaux de certaines zones de la ville. C'était seulement grâce à son intervention que le vieux mendiant, Dom, avait évité un destin similaire.

Le prince ricana.

– Excellent. Une heure, alors. Je peux attendre.

Il se leva de son fauteuil, son manteau pourpre bruissant quand il le ramena autour de lui. Elle remarqua qu'il gardait son bras rétréci bien caché dans sa longue manche gauche, replié près de son corps comme s'il le couvait.

– Va voir si on a apporté aux *cazarris* les restes de leurs provisions d'hospitalité pour leur dîner. Je veux que ces idiots entêtés aient l'estomac plein en regardant leurs précieuses maisons tomber.

Avec un regard d'aversion vers la couronne d'olivier, il avança en direction du long couloir menant à l'aile est.

– Je crois qu'ils apprécieront leur dernier repas en tant que *cazarris*. Est-ce que ça fait de moi un vieil idiot sentimental comme mon père ?

Le rire du prince, tandis que son subalterne commençait à descendre à la hâte l'Escalier du requérant, ressemblait à l'hilarité d'un homme fou. Dans l'obscurité, Milo serra la main de Risa. Ayant peur pour ses parents, elle serra la sienne avec la même intensité. Ils devaient tous retourner à leurs *cazas* pour que les *cazarris* emprisonnés ne perdent pas tout espoir.

Une porte claqua au loin. Son écho se répercuta sur les plafonds de stuc peints du couloir et s'évanouit peu à peu. Ils attendirent tous dans leur espace clos et sombre pendant un moment, osant à peine respirer. Camilla jeta un coup d'œil par la fente de la boiserie.

– Il faut qu'on parte et vite !

C'était un ordre, pas une suggestion.

– Impossible de savoir de combien de temps on dispose.

Alors qu'ils avaient été les derniers à rejoindre la sécurité de la pièce obscure où ils avaient été forcés de se cacher, Baso et Ferrer furent les premiers à suivre Camilla hors du réduit des gardes. Peut-être que le stress et l'agitation de leur fuite avaient anéanti les restes de l'empoisonnement au *camarandus*, car le fils Buonochio passa devant le trône, puis avança en direction du passage nord sans trébucher une seule fois. Ferrer marcha aussi rapidement qu'il pouvait, appuyé sur sa canne et ses vieilles jambes tandis que Camilla avançait en tête avec son épée levée, prête au combat. Milo et Risa sortirent en dernier. Avec un bruit d'entrechoquement métallique à peine audible, le paravent minutieusement décoré se ferma d'un coup sec. Le silence de la salle du trône rendit Risa mal à l'aise. Ils se mirent à marcher sur la pointe des pieds sur le sol de marbre.

Combien d'années avait-elle regardé le palais, soir après soir, en se demandant ce qui se trouvait sous son vaste dôme ? Après le réduit exigu, la salle du trône semblait l'espace le plus vaste et silencieux dans lequel elle avait jamais marché. Elle dominait tous les étages, se trouvant être la pièce la plus haute par rapport à n'importe quel palais. À l'endroit le plus éloigné, en bas des marches, se trouvaient les fameuses portes dorées qui, quand elles étaient ouvertes, permettaient aux visiteurs officiels de rentrer; elles avaient été fabriquées il y a des siècles avec le visage des dieux, visibles même à leur distance. Un tapis tissé pourpre royal s'étendait de l'entrée jusqu'à eux, montant vers le trône. Bordant l'entrée, sur les murs couleur lapis, faisaient saillie les balcons desquels les Sept et les Trente étaient autorisés à observer les événements royaux, avec des balustrades en demi-lune qui s'étendaient au-dessus du sol. Risa savait que le balcon qui était le plus près du sol était assigné à sa propre famille. Cependant, elle ne s'était jamais trouvée derrière sa balustrade en marbre blanc.

Ni Milo, ni Camilla, ni même Ferrer ne semblaient aussi éblouis par la salle du trône qu'elle. Il ne faisait aucun doute qu'ils avaient vu ses drapeaux avant – des douzaines de mètres de soieries brunes et pourpres suspendues à des étendards qui occupaient presque toute la hauteur de la pièce – et qu'ils connaissaient les statues dans toutes les alcôves. Quelle autre explication pouvait justifier le fait qu'ils ne semblaient pas impressionnés par la magnificence de ce qui les entourait? La tête de Risa commença à tourner quand elle regarda, bouche bée, le dôme au-dessus d'eux, dont les contours étaient peints avec une fresque de Lena et Muro tendant le bras vers le ciel, le bout des doigts étiré pour toucher la main d'un modeste mortel près de l'eau. Au centre du dôme se trouve le point culminant arrondi de verre au plomb, si haut au-dessus de sa tête qu'elle pouvait à peine discerner ses motifs complexes. Un de ses propres ancêtres avait créé ce vitrail, réalisa-t-elle, et elle n'avait jamais su qu'il était là.

— Attention ! dit Milo dans un murmure, la stabilisant avec une main dans son dos.

Elle baissa vivement la tête, clignant des yeux rapidement.

— Ça va ?

— Oui.

Une étrange sensation faisait palpiter sa poitrine. Pendant un instant, elle s'inquiéta, pensant avoir été la proie du vertige. Un étourdissement ne la rendrait toutefois pas si euphorique. Qu'est-ce qui l'attirait tant ?

— Je vais bien.

— C'est le contraire de *vite*, siffla Camilla qui continuait à avancer. Allez !

Une fois que Camilla se fût retournée, Risa regarda derrière elle. Là se trouvait le trône du roi, remarquablement imposant. Son dos seulement était plus grand que Ferrer et fabriqué avec un magnifique relief orné de branches enchevêtrées. Elle réalisa que tous ceux qui s'étaient assis sur cet énorme fauteuil devaient avoir eu l'impression d'être entourés d'un verger d'oliviers dorés. Un fauteuil plus petit se trouvait à côté en angle, luxueux avec un rembourrage somptueux. Risa supposa qu'il appartenait au prince.

Sur le piédestal devant le trône, se trouvaient la couronne d'olivier et le sceptre d'épines — les symboles du roi de Cassaforte. Elle ne savait pas pourquoi, mais elle ressentit des picotements quand elle passa à côté. Même après des siècles, leur brillance dorée n'avait pas terni ni ne s'était effacée. Elle s'arrêta pour les regarder, enchantée par les vibrations qu'ils semblaient lui envoyer — des vibrations un peu comme celles du cadre de la fenêtre et de son bol brisé, mais bien plus fortes. Qu'est-ce qu'elle donnerait pour les étudier ! Bien qu'ils aient eu plus de valeur que tout l'or du pays, ces deux objets n'étaient pas protégés ou cachés — le palais ne craignait pas le vol. Seul le roi légitime pouvait prendre ces objets et rester indemne. Le souvenir de la main détruite du prince la fit frissonner. Et pourtant…

— *Risa* !

Le vif appel de Milo la ramena à la réalité. Sa main saisit celle de Risa, qui se tendait en direction de la couronne. Il l'avait arrêtée à seulement quelques centimètres de l'objet.

— Que fais-tu ?

— C'est trop difficile à expliquer, lui dit-elle dans un murmure le plus faible possible. Les choses ont changé depuis la nuit dernière, Milo. Je suis différente maintenant.

Il secoua la tête.

— Réfléchis, *cazarra* ! Tu as vu ce qu'un seul toucher a fait au prince !

La Risa de la veille lui en aurait voulu pour cette remarque, mais au moment présent, elle ne faisait que l'admirer pour cela. Comme une source cachée d'eau froide émergeant tout à coup du sol, un sentiment de joie surgit du plus profond d'elle-même. Elle voulait le chanter au monde. Il prenait sincèrement soin d'elle !

— Je ne suis pas la même personne qui se disputait avec toi hier, lui dit-elle à nouveau, tenant ses mains dans les siennes. Tu m'as vue dans le verre ce matin — je l'ai *fait*, Milo. J'ai créé ça. Je peux faire tant de choses maintenant. Je sais pourquoi j'ai été exclue des *insulas* ! Je sais pourquoi les dieux nous ont mis ensemble et je sais que je veux que tu t'inquiètes de moi pendant encore longtemps.

— Vraiment ?

— Oui. Mais pour l'instant, tu dois avoir confiance en moi, d'accord ?

Son assurance sembla le surprendre. Son visage s'adoucit tandis que leurs mains se pressaient les unes contre les autres. Il finit par opiner.

– C'est juste que…

Il s'interrompit et secoua la tête.

– Je te crois. Vraiment.

Elle lui adressa un sourire pour le rassurer et tendit la main vers la couronne. Après seulement quelques secondes d'hésitation, elle la prit dans ses mains.

Le contact envoya une secousse à travers tout son corps. Ses bras tombèrent comme s'ils étaient en feu, mais ils ne la brûlaient pas. Elle vit la couronne comme elle était à son origine : un petit cercle rudimentaire de branches d'olivier. Des siècles de visions défilèrent devant ses yeux. En une seconde, elle vit des douzaines d'hommes et de femmes aux visages graves – certains jeunes, certains vieux, d'autres avec des marques de batailles et d'autres encore, trop gros d'avoir fait trop d'orgies – assis sur le trône élevé alors que, pour la première fois, ils s'emparaient de la couronne et la plaçaient sur leur tête. Des spectateurs fantômes vêtus de riches atours saluaient en signe d'obéissance en se courbant devant leurs nouveaux rois, ce qui la déconcerta. Elle reconnut le dernier roi Alessandro à la toute dernière procession ultra-rapide : un jeune homme vigoureux à la fleur de l'âge. Ses boucles brunes apparurent comme celles des portraits qu'elle avait vus régulièrement au cours de sa vie. Son visage n'était cependant pas un portrait. Il était *réel*, tout comme chaque autre roi qu'elle avait vu était réel, alors qu'ils reposaient en paix depuis des décennies, voire des siècles.

Elle tenait la couronne dans ses mains et l'étudiait sans la quitter des yeux. C'était un magnifique travail d'artiste. Il lui rappelait un des vitraux de sa mère – des milliers et des milliers de morceaux coupés, une multitude de couleurs et de formes créées et reliées par des ailes de plomb. Au cours de sa formation, Risa avait appris la théorie de la construction d'un vitrail et en avait réalisé de nombreux petits. Elle savait comment étaient faits les vitraux de sa mère, mais leur taille faisait paraître les siens minuscules.

L'énergie de la couronne la surprit de la même façon. Elle savait d'instinct qu'avec du temps et une analyse approfondie, elle pourrait ressentir comment Allyria avait réalisé les objets avec un enchantement remarquable. Elle sentait aussi que ce qu'elle avait accompli aujourd'hui en comparaison était bien moindre. Ferrer considérait ses prouesses comme des miracles, mais l'objet qu'elle tenait dans sa main, c'était ça le véritable miracle. Elle le maîtriserait en temps et lieu. *Un jour,* se promit-elle. *Un jour.*

– Risa.

La voix de Milo n'était qu'un murmure.

– Ça va, lui dit-elle, rompant son état de transe.

Elle ôta le sac rembourré de son épaule et en détacha le cordon.

– Je dois les avoir.

– Je ne comprends pas. Es-tu… C'est toi la reine ? C'est ça que tu… Oh, par les dieux !

– Non.

Elle secoua la tête.

– Je dois les garder jusqu'à ce que nous trouvions le nouveau roi légitime.

– Tu ne peux pas prendre…

Il se tut quand il pensa davantage à sa remarque. Son immunité contre les pouvoirs destructeurs de la couronne l'avait stupéfié.

— Je le dois, dit-elle simplement tout en mettant la couronne dans son sac.

Elle tendit le bras et ajouta le sceptre à son trésor.

— J'ai bien réfléchi, Milo. Si le prince Berto nomme de nouveaux Sept, ils ne pourront pas lui donner la couronne d'olivier si elle n'est pas là.

Il sourit devant la simplicité de sa déclaration, puis attendit qu'elle referme les cordons pour reprendre sa main.

— Ne le dis pas aux autres, lui demanda-t-elle.

— Nous ferions mieux de nous dépêcher, lui dit-il. Camilla doit probablement être en train de piquer une crise.

L'aînée Sorranto ne semblait en effet pas très heureuse du retard quand ils finirent par rattraper les autres dans l'antichambre.

— Vous ne pourriez pas attendre que tout soit fini, tous les deux, pour votre jolie petite rencontre romantique ? se plaignit-elle, remarquant leurs doigts serrés.

— Je te le rappellerai quand nous retrouverons Amo en bas des escaliers, lui répondit sèchement Milo, mais sans une pointe de ressentiment. Je parie que tu seras heureuse d'avoir ses mains de mouton partout sur toi.

Il s'interrompit devant le regard intense de sa sœur, mais fit un clin d'œil à Risa. Pour calmer les esprits, elle porta un doigt à ses lèvres lui indiquant de se taire et suivit Camilla dans la tour nord-est.

Leur descente dans les escaliers fut tout ce qu'il y a de plus ordinaire. Camilla descendait à la hâte, les oreilles à l'affût du moindre bruit, les muscles tendus prêts à un affrontement. Ils s'arrêtèrent à chaque palier pour vérifier les possibles sentinelles tandis qu'ils tournaient autour de l'étroit escalier en spirale. Comme Milo l'avait prévu, il n'y en avait pas, pas même à l'étage inférieur du château.

— C'est étrange, commenta-t-il à l'oreille de Risa tandis qu'ils hésitaient devant un couloir en pierres sombre et bas de plafond.

— C'est presque *trop* facile.

— Le prince vit dans un château désert, dit Ferrer.

Déjà voûté par l'âge, il trouva le passage bas moins embarrassant que les autres.

— Très peu de gardes, encore moins de domestiques. Ça donne une petite idée de la façon dont les affaires du palais sont gérées. Berto n'est pas un homme de précautions, mais de décrets.

— Je n'ai pas dit que je n'en étais pas reconnaissant, *cazarro.*

Il y avait une pointe d'humour dans la réponse de Milo.

— Après la journée que nous avons eue, je suis reconnaissant envers les dieux de nous offrir une sortie sains et saufs.

— Nous ne sommes pas encore sortis, lui rappela Ferrer, tendant le bras pour stabiliser Risa qui était en train de trébucher sur une pierre irrégulière.

Dans son dos, le contenu de son sac s'entrechoqua avec un bruit de métal.

Camilla força une vieille porte en bois voûtée qui avait été renforcée de barres de fer sur la largeur. Elle jeta un œil, puis ouvrit plus grand.

— Nous y sommes presque, annonça-t-elle, un triomphe sans joie dans la voix.

La lumière du soleil en provenance de l'extérieur afflua dans le long couloir voûté rempli d'eau et d'allées qui s'étendait devant eux. La lumière éblouissante aveugla presque les yeux de Risa habitués à la noirceur. Après avoir cligné des yeux plusieurs fois, elle remarqua les deux gondoles amarrées près des portes de fer au bout, sous une basse avancée de pierres mouillées et couvertes de mousse. Amo et Mattio s'y trouvaient, leurs rames prêtes. Les autres évadés et Risa avaient atteint la vieille porte donnant sur le canal royal, sous le pont est.

Le soulagement de respirer l'air frais rendit Risa heureuse et confiante. Ils s'étaient échappés du château. Elle s'amusa à remarquer l'indifférence polie avec laquelle Camilla salua Amo. Si la garde avait montré un quelconque enthousiasme à la vue de son amoureux, Milo aurait à tous coups émis des commentaires sur la taille des mains du souffleur de verre. Toutefois, Risa ne pouvait pas montrer tant de modération à la vue de Mattio. Quand elle passa des marches érodées par l'eau à la gondole, elle l'étreignit intensément, les bras autour de sa taille.

— Vous arrivez juste à temps ! dit-il avec un large sourire.

Puis, plus sérieusement, il l'enlaça si fort qu'elle en eut le souffle coupé.

— J'étais très inquiet, lui dit-il. Ton père m'en aurait terriblement voulu s'il t'était arrivé quelque chose.

— Tu m'as manqué aussi, lui dit-elle, s'installant dans son canot avec Milo.

Les autres grimpèrent dans l'embarcation d'Amo. Elle remarqua pour la première fois les bruits des accords de musique distants en provenance de la place.

— Jouent-ils encore ? demanda-t-elle, surprise.

Mattio acquiesça.

— Je suppose que ce Ricard jouera jusqu'à ne plus avoir de peau sur les doigts pour se faire pardonner ce qu'il a fait. Il a mal pris la nouvelle quand il a su que tu avais disparu.

C'était une pensée touchante. Risa se jura de penser moins durement au poète du peuple à l'avenir.

— Par les dieux ! s'écria Camilla.

Sa gondole se balança violemment quand, dans un mouvement rapide, elle sortit la rame de l'eau et la laissa retomber dans la barque avec un bruit sourd. Un sifflement traversa les airs quand elle sortit son épée de son fourreau, décrivant un arc étincelant.

Risa se tourna pour voir ce qui avait alerté Camilla. Son moral s'écroula quand elle remarqua les silhouettes de deux gardes courant vers eux dans le couloir.

— Arrêtez ! ordonna l'un d'eux, sa voix résonnant contre la pierre. Risa regarda partout autour d'elle. Les autres semblaient tout aussi interloqués qu'elle.

— C'est donc ça, grogna Mattio tout en poussant sa rame sur le fond du canal pour propulser la gondole en avant.

Amo poussa un soupir et grogna quand il se mit lui aussi à faire avancer la gondole.

Milo, à la poupe de l'embarcation de Risa, brandit son épée. Il se tenait difficilement debout, utilisant sa main libre pour se stabiliser tandis que le long canot faisait un bond en avant, quittant le couloir et entrant dans le canal. Seul l'avertissement que lui cria Amo l'empêcha de se cogner la tête aux pointes acérées de la porte surélevée. Il baissa vivement la tête. Puis, regardant le passage derrière lui où résonnaient encore les cris des gardes, il leva une main.

— Arrêtez les gondoles !

— On ne peut pas ! dit Ferrer. Nous devons nous dépêcher !

— Arrêtez ! ordonna Milo.

Mattio n'osa pas désobéir, et Amo et lui s'arc-boutèrent sur leurs rames, ralentissant les deux bateaux jusqu'à un arrêt presque complet.

Risa était restée silencieuse pendant l'échange, mais plus maintenant.

— On ne peut pas!...

Milo l'empêcha de continuer à protester avec sa main.

— Je sais comment ces gardes pensent. Aie confiance en moi, Risa. Aie confiance en moi comme j'ai confiance en toi.

Le rugissement des gardes à leur poursuite donnait envie à Risa de sauter dans les eaux du canal et de nager tout le long jusque chez elle. Mais, même très désireuse de mettre de la distance entre elle et le palais, elle combattit son envie de s'objecter. Ça la rendait folle de garder le silence, peu importe la confiance qu'elle avait en son ami et en son jugement. Elle se cramponna au sac dans ses bras, retint son souffle et essaya de ne pas paniquer.

— Ils étaient probablement juste dans un couloir à attendre le changement d'équipe, dit Milo à Camilla.

— Si c'est le cas, il n'y en a que deux.

Dans l'autre gondole, Camilla s'accroupit dans une position défensive, les muscles tendus.

— Nous devons bien organiser notre temps.

Milo leva sa main pour indiquer que les gondoles devaient rester immobiles. Ils n'étaient qu'à quelques mètres de l'entrée. Il expliqua à Risa :

— Si on part trop loin, ils feront demi-tour et reviendront avec plus de gardes. Nous serons perdus. Par contre, s'ils pensent qu'ils peuvent nous attraper...

Comme si ça avait été un signal, les deux gardes apparurent à la vanne. Le premier courait si vite qu'il eut du mal à s'arrêter; il trébucha sur les pierres rondes au bout et bascula dans l'eau en criant de désarroi. L'autre jura très distinctement et regarda derrière lui dans le couloir, comme s'il essayait de déterminer quoi faire.

— Attendez!

Milo s'accroupit et tendit la main.

Le premier garde postillonnait en refaisant surface. Sa casquette tournoyait à côté de lui dans l'eau. Des cheveux noirs jusqu'au menton cachaient ses yeux. Il cligna des yeux et repéra les gondoles tout près, mais, quand il essaya de battre l'air et de nager vers eux, il se retrouva les bras emmêlés dans le tissu lourd et détrempé de son manteau. Se gargarisant avec de l'eau dans sa colère, il saisit le cordon doré à son cou qui tenait son manteau attaché.

– Attendez… répéta Milo.

Les autres semblaient anxieux et blêmes. Risa contint son désir de parler, retenant sa respiration au point que des taches pourpres se formèrent devant ses yeux.

L'autre garde, un homme grand et musclé, jura devant l'incompétence du premier. Il ôta aussi son manteau, défaisant le nœud d'une seule main. La ceinture où était accrochée son épée heurta bruyamment le sol de pierres. Regardant toujours par-dessus son épaule dans l'attente d'une aide qui ne semblait pas arriver, il sautilla d'un pied à l'autre pour enlever ses bottes. Quelques secondes plus tard, il était en chaussettes. Le premier garde, au même moment, criait le nom de son compagnon tandis que son manteau détrempé s'enfonçait dans les profondeurs du canal.

– *Attendez* !

Le deuxième garde ne semblait voir aucune aide au bout du couloir. Ses épaules étaient tendues. Sans hésiter, il plongea depuis la vanne dans le canal. De l'eau jaillit dans les airs à l'endroit où il sauta.

Les deux gardes se mirent immédiatement à nager vers les gondoles. Ils n'étaient qu'à une douzaine de mètres. Dix. Huit. Le groupe restait cependant immobile sur les bateaux. Risa réalisa qu'ils agissaient comme des canards sur l'eau, inconscients que des serpents du canal les prenaient en chasse.

Quand ils ne furent qu'à quatre mètres, le deuxième garde leva la tête et secoua son visage pour en chasser l'eau, se préparant à crier un ordre.

— *Maintenant*!

Au mot de Milo, Amo et Mattio mirent tout leur poids sur leurs rames. Les gondoles identiques résistèrent au début, puis, en un mouvement, elles commencèrent à fendre l'eau. Risa, qui recommença à respirer, ressentit une douleur aux poumons et sa tête tourna. Elle n'avait pas réalisé qu'elle avait retenu son souffle si longtemps.

— Ils s'arrêtent! dit-elle, indiquant les gardes derrière elle.

La plupart des autres étaient déjà en train de regarder dans cette direction. En raison du poids de leurs uniformes détrempés, les deux gardes avaient cessé d'essayer de nager après eux. Ils n'étaient à présent plus que deux taches rouges qui s'estompaient rapidement à la surface de l'eau. Seuls Mattio et Amo gardaient un œil vers l'avant tandis que leurs bras forts faisaient avancer les rames dans l'eau, transportant le groupe loin du palais.

En raison des pulsations de son cœur, Risa n'avait pas tout de suite entendu le son métallique en provenance des étages les plus élevés du palais. Le bruit, faible au début, monta en crescendo quand les fenêtres s'ouvrirent et que des têtes en sortirent.

— La cloche d'alarme, dit brusquement Milo.

— Mais pourquoi?

Camilla semblait exaspérée. Elle s'était glissée jusqu'aux *cazarris* dans sa gondole et se tenait aussi près de la poupe que possible sans gêner Amo qui manœuvrait la rame.

— Ils ne peuvent pas déjà avoir vu qu'on avait disparu. Les deux dans l'eau n'ont pas appelé à l'aide. Comment ont-ils pu *savoir* ? Donne-moi ça ! ordonna-t-elle à Amo, s'emparant de la rame avec colère.

Amo sembla soulagé de céder sa place ; ses poumons l'oppressèrent tandis qu'il essayait de reprendre son souffle. Les éclaboussures couvrirent les dernières injures marmonnées par leurs poursuivants.

— Peut-être avons-nous dérangé quelque chose, dit Milo.

Il regarda Risa, demandant pardon du regard. Comprenant immédiatement de quoi il s'agissait, Risa, paniquée, serra son précieux chargement plus près de sa poitrine. Il ne voulait pas la trahir.

L'anxiété la tenailla quand elle réalisa soudain combien son coup de tête les avaient tous mis en danger. Comment leur expliquerait-elle que l'enlèvement de la couronne et du sceptre était quelque chose qu'elle était obligée de faire ?

— Je suis désolée, dit-elle tout haut.

— De quoi ? voulut savoir Mattio.

Risa aurait tout avoué si Milo n'avait pas secoué la tête en la regardant. Peut-être était-il plus sage de rester silencieux sur le contenu de sa musette.

Ils quittèrent enfin les eaux presque désertes des alentours du palais et se dirigèrent vers une des places de marché en périphérie ; tandis qu'ils glissaient vers un pont commercial, Camilla et Mattio durent ralentir la cadence pour ne pas entrer en collision avec les gondoles amarrées sur les côtés. Un mendiant isolé laissa tomber la pleine brassée de gourdes qu'il avait récupérées sur l'une d'elles, étonné de les voir passer.

— Sommes-nous en sécurité ? demanda Ferrer, levant les yeux vers les gens sur les allées au-dessus d'eux.

La plupart regardaient en direction du palais, duquel on pouvait entendre la clameur distante des cloches d'alarme. L'air semblait plein de brouhahas excités et personne ne prêtait la moindre attention à leurs embarcations qui fendaient l'eau.

– Je suppose que je devrais dire « relativement en sécurité » ?

Risa se posait la même question. Baso était étendu si loin de la proue de l'autre bateau que, pendant un instant de panique, Risa crut qu'il était tombé. Il ne faisait qu'écouter, cependant.

– J'entends des sabots, expliqua-t-il, les yeux exorbités.

Ils les entendirent tous à présent. Le cliquetis sur les pierres et l'écho entre les grandes résidences derrière eux. Risa tendit le cou pour voir, mais leurs gondoles passèrent à nouveau sous un pont, qui se trouvait probablement être celui d'un des plus petits marchés du quartier. Il était exaspérant de ne pouvoir rien voir d'autre que du lichen pendre des pierres au-dessus de leur tête et le soleil se coucher sur les eaux à l'extrémité du pont. Chaque bruit était étouffé par leurs propres poumons tendus et les éclaboussures des rames tandis que Camilla et Mattio les propulsaient plus loin.

Ils apparurent à nouveau à la lumière du jour. Un hennissement se fit entendre. Risa bougea la tête de tous les côtés pour finir par voir un destrier blanc s'arrêter vivement près d'une charrette sur le bord du pont. Tout ce qu'elle vit ensuite fut un éclair rouge foncé quand le cavalier sauta de son dos et plongea dans l'eau, emportant presque la petite charrette avec lui. Le garde se retrouva dans le canal après avoir fait un plat remarquable, qui envoya de l'eau partout. Comme leurs poursuivants précédents, il se retrouva vite emmêlé dans son uniforme officiel de garde du palais et se débattit pour nager sans succès.

Aucun d'eux ne prit le temps de s'en réjouir, toutefois, car deux gardes à cheval suivaient, s'arrêtant seulement un bref instant sur le bord pour regarder le cheval abandonné par le premier. Aux balustrades de l'allée se trouvaient de nombreux citoyens de Cassaforte, surpris et s'enfuyant pour se protéger tandis que les cavaliers pilonnaient inexorablement la chaussée. Milo montra un escalier érodé qui descendait jusqu'à l'eau à l'avant du pont.

– Nous devons aller plus vite, s'écria-t-il. Nous allons avoir de la visite.

– J'ai vu, grommela Camilla.

Son visage était rouge à cause de l'exercice, mais elle continuait à manier la rame. Les deux gardes avaient déjà de l'avance, ralentissant leurs bêtes et criant des ordres aux commerçants à proximité. Leurs capes se gonflèrent derrière eux quand ils descendirent les marches vers un autre rassemblement de gondoles amarrées. Quand le canot de Risa passa devant eux, navigant dans l'ombre du pont, elle put distinguer leur visage marqué par la hargne.

Amo avait retrouvé son souffle.

– Laisse-moi faire, conseilla-t-il vivement à Camilla, essayant de reprendre sa place à la rame.

Elle secoua la tête, juste une fois, violemment. Les lèvres de Ferrer se serrèrent quand il essaya de voir à travers ses lunettes dans l'obscurité du pont voûté.

– Plus vite ! cria Milo à Mattio.

– Je ne pourrai pas tenir longtemps, mon vieux ! l'avertit le vieil artisan.

Ses cheveux bouclés étaient trempés de la sueur ruisselant de ses tempes.

Il fit avancer la rame, cependant, craignant peut-être qu'une des gondoles amarrées se détache des autres et vienne à leur rencontre. Il n'y avait aucune façon pour eux de maintenir leur première position. Pas avec deux gardes puissants faisant avancer un seul bateau.

L'épée de Milo brilla au soleil quand ils sortirent du dessous du pont et commencèrent à décrire une courbe dans le canal.

– Reste où tu es! conseilla-t-il à Risa. Ils vont nous rattraper.

– Que pouvons-nous faire? cria-t-il à sa sœur.

– Rien de bon, grogna-t-elle tout en regardant la gondole à leur poursuite. Reste devant nous! Mais pas trop loin devant.

Les deux bateaux maintinrent le rythme en se dirigeant vers le sud sur le canal royal, mais Risa finit par dépasser ses amis qui étaient sur la gondole de Camilla – en premier Amo, puis Ferrer et finalement Baso à l'avant du bateau. Camilla, qui ralentissait la gondole, s'efforçait de garder ses appuis.

Risa se tourna sur son siège, inquiète du soudain changement de rythme.

– Que fait-elle?

– Je l'ignore, dit Milo en secouant la tête.

Même pendant ce moment tendu, il réussit encore à lui offrir un sourire.

– Mais, je suis sûr que ça sera bien.

La voix de Camilla retentit avec l'eau. L'embarcation qui les poursuivait s'approchait à vive allure.

– Laissez-nous passer, demanda-t-elle, la voix étonnamment faible.

On aurait même dit qu'elle allait pleurer, ce qui sembla étrangement différent du personnage aux oreilles de Risa.– S'il vous plaît! Nous ne voulions rien faire de mal!

— Vous auriez dû y penser avant, traîtres, dit férocement le garde à la proue de la gondole, laissant l'autre garde ralentir leur embarcation.

— Baissez les bras et arrêtez-vous au nom du prince!

— Très bien!

Les doigts de sa main droite toujours enveloppés autour de la rame de la gondole, Camilla tendit le bras jusqu'à sa ceinture sur son côté gauche et avec sa main libre, sortit son épée. Milo comprit son signal et s'agenouilla, détachant son épée dans l'espace inoccupé entre Mattio et lui. Puis, il se leva de façon mal assurée, montrant ses mains libres.

— Nous ne sommes pas armés.

— Elle est plus facile que tu le pensais, Vercutio, dit le garde à la poupe de la gondole.

Ils n'étaient plus qu'à un mètre de la gondole de Camilla et ils s'approchaient encore.

— Les femmes sont toujours comme ça, dit le garde qui s'était adressé à eux le premier.

Quand il sourit de triomphe, Risa vit qu'une de ses incisives était en or. Elle crut aussi remarquer que Camilla se hérissa silencieusement à sa prochaine remarque.

— De belles choses. Elles ne devraient pas être gardes, par contre.

— Ni avoir d'épées, rit l'autre.

La partie en fer de la proue de la gondole des gardes heurta le bateau de Camilla. Ayant manifestement l'intention de monter à bord, le garde leva un pied. Risa comprit soudainement, à son expression joyeuse, qu'il n'avait pas saisi que Camilla leur avait délibérément permis de les rattraper. Il se hissa sur sa gondole.

Tout à coup, la lourde rame en bois de Camilla jaillit hors du canal. Des gouttelettes formèrent un arc parfait dans les airs tandis qu'elle arqua la rame au-dessus de sa tête et la rabattit directement sur le bras du garde. Le craquement du bois contre son os fit plisser les yeux à Risa.

— Je n'ai pas *besoin* d'épée, déclara Camilla.

Le garde vacilla dans l'eau et se mit à crier de douleur — des cris aigus et perçants comme un cochon qu'on amène à l'abattoir. Les deux mains fermement serrées autour du centre de la rame, Camilla la leva à nouveau dans les airs. Sans hésiter, elle en plongea l'extrémité en plein milieu du front de l'homme.

Les cris cessèrent immédiatement. Pendant ce qui sembla une éternité, le garde ondoya de haut en bas suivant le mouvement modéré des vagues, assommé. Ses yeux roulèrent en arrière.

— Allez ! cria Camilla à Mattio, le pressant de faire avancer la gondole à plein régime à nouveau.

Un cercle rouge cerise se propagea sur le front du garde à l'endroit où la rame l'avait frappé. Ses yeux ne voyaient plus et étaient ternes. Puis, tout en douceur, son corps s'enfonça sous l'eau.

Camilla semblait avoir mal au cœur. Se retenant de vomir, elle tendit la rame à Amo. Quand elle atteignit sa place, elle se pencha sur le bord de la gondole et vomit dans l'eau. *Elle n'avait jamais tué quelqu'un avant*, réalisa Risa. Même en service, il ne devait pas être facile d'enlever la vie de quelqu'un. Un frisson la parcourut. Combien d'autres corps sans vie y aurait-il avant la fin de la journée ?

— Et de un, se dit Milo en lui-même, avec une mine grave.

33

Un pays, c'est plus que ses étendards, plus que ses fortifications.
Du plus élevé au plus bas, un pays, c'est avant tout son peuple.

— Orsino, roi de Cassaforte, pendant l'invasion azurite

– Il nous faut un plan, dit Milo en montrant le sud, là où le pont du temple s'érigeait devant eux.

Si Risa l'avait regardé depuis son perchoir familier sur le balcon de la *caza*, entourée de sa famille et des hommes de l'atelier de son père, le plus long et le plus large de tous les ponts de Cassaforte aurait été magnifique dans la lumière du soleil couchant. Mais à présent, elle ne pouvait pas admirer ses cinq arches gracieuses et richement ornées, car elle était étonnée de ce qu'elle voyait en dessous : des douzaines et des douzaines de gondoles avaient été amarrées sous et autour des arches, obstruant complètement la voie navigable.

La première pensée inquiétante de Risa fut que les gardes avaient réussi à avertir leur groupe et qu'ils conspiraient à leur bloquer la route. Toutefois, en regardant l'ensemble des bateaux, elle remarqua qu'ils étaient remplis de gens serrés qui portaient des châles et des manteaux usés. Des cordes attachées entre les bateaux avaient été accrochées avec des torchons. Même de loin, il était impossible de ne pas entendre les cris des enfants dans les bras de leurs mères ainsi que les rires et les disputes des gens rassemblés sur l'île flottante de bateaux.

Risa, étonnée, se tourna pour regarder Milo, mais il ne semblait pas surpris.

— Tu n'as jamais dû prendre cette voie à la tombée de la nuit, lui dit-il, regardant toujours par-dessus la poupe pour garder un œil sur le seul garde encore déterminé à les poursuivre. Les gondoles du peuple sont amarrées ici pour la nuit. C'est embêtant !

— Les gondoles du peuple ?

Ferrer était demeuré tendu et silencieux pendant les dernières minutes, mais il parla depuis la courte distance qui les séparait.

— Bon nombre des pauvres et des parias de la ville vivent sur leurs bateaux, mon enfant. J'ignorais totalement qu'ils étaient si nombreux.

Il secoua la tête.

— Mais comment allons-nous passer à travers ?

Risa savait qu'elle avait l'air hystérique, mais il n'y avait visiblement aucun passage devant eux. Ils s'approchèrent, accélérant vers le pont à un rythme alarmant pour ceux qui se trouvaient dans les gondoles immobiles. Plusieurs hommes se levèrent et leur crièrent rageusement de ralentir.

— On ne peut pas, dit Milo, les mâchoires serrées. On va devoir traverser la flotte en courant — oui, en sautant de bateau en bateau — et réquisitionner une embarcation de l'autre côté. Camilla, tu t'occuperas du vieil homme. Sans vouloir vous offenser, *cazarro*, ajouta-t-il avec respect.

– Pas de problème, dit Ferrer doucement.

– Je ferai de mon mieux pour nous guider, mais vous devez tous garder l'œil ouvert. Tenez-vous bien !

S'emparant de la rame de Mattio, épuisé, Milo l'enfonça brusquement dans le fond du canal. Leur gondole se mit à décrire des cercles, tournant hors de contrôle vers un des supports de pierre du pont. Sa sœur suivit son exemple. Étourdie et confuse, Risa regarda la gondole de Camilla commencer à tourner loin d'eux. Derrière eux, le garde qui continuait de les pourchasser cria de stupeur et de colère en tentant de ralentir sa propre embarcation.

Un tollé se souleva dans l'assemblée de bateaux sous le pont. Derrière elle, Risa entendit les hurlements perçants des femmes et les cris profonds et furieux des hommes.

– Tenez-vous bien ! s'écria Milo à nouveau avec tant d'autorité que Risa s'arc-bouta immédiatement.

Alors que leur bateau heurta l'extrémité des gondoles amarrées, l'impact faillit lui faire perdre l'équilibre. Il les fit tourner à nouveau et rentrer dans une autre embarcation, secouant tellement Risa qu'elle eut l'impression d'être un paquet quelconque lâché depuis les hauteurs du ciel. Enfin, leur gondole heurta un pilier en pierres. L'embarcation du garde les percuta, ce qui le fit tomber la tête la première dans le fond. Ils tombèrent tous à la suite de l'impact.

Un homme furieux avec une épaisse moustache leur cria après quand ils se remirent sur pied, essayant tous de garder l'équilibre pour que la gondole ne se renverse pas. Quand Milo sortit son épée, l'homme s'arrêta de crier, remarquant pour la première fois que Milo et Risa portaient les uniformes des gardiens de la ville. C'est seulement quand Milo bondit dans la gondole de l'homme depuis la leur qu'il protesta. Milo se pencha et tendit une main à Risa.

— Viens ! l'empressa-t-il, ignorant la stupeur de l'homme. Suis-moi !

Risa était passée d'un bateau à l'autre à de nombreuses reprises, mais jamais autant et jamais dans des circonstances si tendues. Chacune des gondoles était remplie d'une variété déconcertante de vêtements, de paquets, de boîtes et même de cages avec des poulets ou des lapins. À chaque pas, Risa craignait de piétiner les biens de toute une famille.

— Désolée, dit-elle à une femme qui mangeait un poivron et qui se donnait des coups de tapette sur les jambes avec une serviette quand ils passèrent sur son bateau.

— Désolée, répéta-t-elle à une fillette au visage sale qui suçait son doigt et regardait, impassible, les trois fuyards tituber sur le plat de pain qui était son dîner.

Les bateaux étaient si étroitement amarrés dans l'obscurité du pont qu'il y avait de faibles chances qu'on les capture. À divers endroits, il était facile de sauter d'un siège en bois à l'autre, mais souvent certains de ces sauts étaient périlleux. Risa ne sut plus où se mettre quand elle marcha sur un panier d'œufs et reçut tout un tollé d'insultes de la part d'une vieille femme qui venait de les arranger. Sous l'arche suivante, Camilla et Amo aidaient Ferrer dans les dédales de gens et de bateaux ; ils pouvaient croiser le groupe de Risa n'importe quand. Baso sembla suivre un chemin qui lui était propre, derrière le reste du groupe.

Derrière elle, Risa entendit le cri d'une femme, suivi d'éclaboussures.

— Nom de Muro ! jura Mattio, à quelques gondoles de là. Il est tout près.

Le garde ennemi s'était hissé dans une des gondoles. De l'eau provenant du fond de son embarcation coulait de son uniforme. La colère alimentait chacun de ses mouvements.

Avec une force extraordinaire, il sauta par-dessus plusieurs sièges en bois dans un bond désespéré. Un homme large de poitrine se leva et commença à crier après lui, mais le garde lui asséna un coup violent dans le ventre et continua à avancer vers sa proie.

– Maintenant, on peut l'affronter, grogna Milo. Assieds-toi!

Il poussa Risa sur un siège, où elle se retrouva face à face avec une jeune fille qui la regardait avec une hostilité à peine voilée. Même si la jeune fille avait manifestement son âge, Risa fut étonnée de voir qu'elle était en train d'allaiter un bébé. Milo fonça en direction du garde.

– J'arrive, entendit crier Risa en provenance de Camilla.

Elle lança un ordre à Amo pour qu'il continue à avancer avec Ferrer vers le périmètre le plus au sud du pont. Milo s'empara d'une rame accrochée sur le côté du bateau et la tint à deux mains, près de son centre. La jeune fille en face de Risa regarda Milo, puis Mattio quand il sauta pour atteindre une barque à côté de la gondole et qu'il arriva près de Risa. Elle continua à alimenter son bébé, le faisant bouger doucement de haut en bas, sans sembler se préoccuper de l'affrontement imminent à quelques bateaux de là. Risa se demanda si les bagarres se produisaient fréquemment parmi les gondoles du peuple.

Au bruit du rire outrecuidant du garde ennemi, Risa détourna les yeux du visage boueux et grêlé de la jeune fille. Le garde avait lui aussi saisi une rame. Il feinta Milo. Avec une dextérité déconcertante, il fit tournoyer la rame, l'arrêta soudainement et la poussa brusquement de sorte qu'il faillit heurter le visage de Milo et de Mattio. Milo esquiva à temps, mais Mattio dut l'éviter en se penchant sur le côté, cognant un pilier avec sa tête. Il se donna une tape sur le visage en grognant. Risa se tourna vers la jeune fille.

– Aide-nous, lui demanda-t-elle.

– Vous aider ? se moqua-t-elle.

Sa voix était dure comme du silex.

– Tu rigoles. Ce que tu portes ne me trompe pas. Je t'ai déjà vue. Tu fais partie des Trente, n'est-ce pas ? Tu ne m'as jamais aidée, *moi*. Pourquoi t'aiderais-je *toi*, aussi noble et belle sois-tu ?

Promptement, Risa fit quelques calculs dans sa tête. Ces personnes ne les aideraient probablement pas et elle pouvait comprendre pourquoi. Ils avaient envahi leurs maisons, piétiné leur nourriture et mis en danger leur peu de biens. Son groupe était seul.

– Parfait, dit-elle sèchement à la jeune fille avec plus de sévérité qu'elle ne le voulait, et elle s'empara d'une grande canne à pêche sur le plancher de la gondole.

– Je te la ramène plus tard, lança-t-elle, ignorant les hurlements de la jeune fille.

Elle bondit vers le centre du passage. Des claquements de bois résonnèrent quand Milo et le garde imposant se mirent à se battre en se donnant des coups et en en parant d'autres. Sa canne à pêche était faite d'un robuste morceau de bois ; elle espérait s'approcher suffisamment derrière le garde pour lui faire perdre l'équilibre.

– Tu dis n'importe quoi ! aboya Mattio derrière elle.

Risa se tourna et le vit enlever sa main de son nez. Du sang tachait ses doigts.

– Elle ne fait pas partie des incapables Trente. C'est une Divetri. La *cazarra* des Divetri !

La jeune fille articula silencieusement les mots après lui :

– La *cazarra* des Divetri…

Quand elle entendit un cri aigu en provenance de Milo, Risa craignit un instant qu'il ait été blessé. Mais le bruit venait d'une fillette recroquevillée derrière lui, pleurant et se couvrant la tête. Milo, aussi, entendit le cri, et se tourna immédiatement pour voir.

Son assaillant saisit l'avantage de sa distraction momentanée et asséna à Milo un coup énergique avec sa rame — un coup qui le renversa. Risa faillit crier, mais avant que Milo n'atterrisse sur la fillette sans défense, il enfonça l'extrémité de sa rame dans le plancher de la gondole, fit un saut acrobatique dans les airs au-dessus de la fillette, puis atterrit dans le bateau à côté.

Bien que cette pirouette ait fait remuer le bateau de la fillette, elle était hors de danger, remarqua Risa avec soulagement. Une femme l'attrapa depuis un bateau contigu et s'enfuit avec elle.

— La *cazarra* des Divetri ? Risa ?

Elle était si étonnée d'entendre la jeune fille incrustée de saleté prononcer son nom qu'elle s'arrêta presque dans son avancée vers le garde.

— Tessa ! cria la jeune fille à une femme dans la gondole d'à côté. Tu as entendu ça ? Risa, la fille du souffleur de verre, est dans mon bateau !

Elle était assez près maintenant. Pourrait-elle le faire ? Elle trembla pendant une fraction de seconde — se battre n'était pas quelque chose qu'elle était habituée de faire. Toutefois, elle avait passé toute la matinée à réaliser des tâches impossibles. Une de plus ne devait pas être au-dessus de ses forces.

Le gabarit du garde éclipsait Milo. Risa attendit qu'il lève la rame. Utilisant autant de force qu'elle pouvait en rassembler, elle enfonça la canne à pêche dans le creux de son dos, aussi fort que possible, en émettant un puissant grognement.

— Pas possible ! répondit la femme, deux bateaux plus loin. Celle de la chanson ?

C'était comme essayer de défoncer le mur d'un palais avec un brin d'herbe. Le garde ne trébucha même pas. Il ne fit que bondir sur le côté pour avoir à la fois Milo et Risa dans son champ de vision. Tout en souriant, il s'empara d'une main de la canne à pêche de Risa et la fit tourner dans ses mains. Elle cria de douleur quand le bois dur érafla ses paumes.

— La même. Dans *ma* gondole.

La jeune fille sembla contente de ce fait.

— Risa ! Reviens !

Mattio se frayait un chemin jusqu'à elle à présent, le visage sanglant et mouillé. Il tomba dans le bateau de la jeune mère, sa jambe s'emmêlant dans une corde. Risa n'avait aucune intention de repartir, de toute façon. Elle commença à regarder autour d'elle à la recherche d'une autre arme pour faire une autre tentative.

Camilla avait réussi à traverser pour se rapprocher d'eux, mais elle était encore hors de portée. Risa pouvait à peine voir Milo et le garde continuait à combattre avec les rames de bois ; les deux gardes semblaient aussi habiles l'un que l'autre. Ils alternaient leurs attaques d'une manière déterminée, visant soit le crâne, soit le torse de l'adversaire.

— Risa de Divetri ? J'adore cette chanson ! ajouta un homme quelques bateaux plus loin.

Il sauta de sa gondole dans une plus près. Les manches courtes de sa tunique dévoilaient des avant-bras musclés. Dans chaque main, il tenait une tomate.

— On ne devrait pas s'en prendre à Risa, la fille du souffleur de verre, cria-t-il au garde, lançant un de ses fruits avec force.

Il heurta le côté de la tête du garde, le prenant au dépourvu et le faisant tituber. C'est avec une grande satisfaction que l'homme lança l'autre tomate qui explosa contre la joue du garde.

Un poivron venu de nulle part fendit l'air, puis un œuf fit de même. Sans qu'on s'y attende, l'air se retrouva rempli de cris, d'interpellations et de bombardements depuis toutes les directions. Des fruits, des légumes, des œufs, des poires, des chandelles, des pierres — tout volait sous les arches du pont du temple en direction du garde poursuivant, le faisant reculer et tenter de les éviter. La rame lui échappa des mains et valdingua dans une gondole avoisinante quand une seconde vague d'artillerie fut lancée de tous côtés. Ces produits étaient quelconques pour elle, mais elle savait qu'ils étaient précieux pour ces gens qui n'avaient presque rien. La gorge de Risa se serra quand elle vit la jeune fille sale, son bébé toujours pressé contre sa poitrine, se lever et en se gaussant, jeter une boulette de vieux ruban.

Milo profita du fait que le garde se trouvait sans défense et incapable de voir, pour lui asséner un coup de rame sur la tête. Le garde prit son crâne dans ses mains et tomba à genoux tandis que Milo le frappa à nouveau, plus fort. Le garde tomba la tête la première, les bras écartés, s'effondrant comme une masse sur le côté de la gondole. Des acclamations s'élevèrent des environs immédiats, alors que, depuis les zones plus éloignées, des légumes continuaient à voler, rouant de coups le corps inconscient de l'homme.

Immédiatement, Risa rebroussa chemin vers Mattio afin de pouvoir l'aider à se démêler. La jeune fille la regarda comme si elle était une vieille amie venue lui rendre visite.

— Je sais que ce n'était pas le genre de magie sophistiquée que vous, les gens des Sept, vous faites, mais c'était bien drôle pour nous, les gens ordinaires, dit-elle, agitant son bébé.

Risa ne put que rester bouche bée à ces mots. Au cours de la dernière heure seulement, ils avaient tous connu plus de peur et de dangers que la plupart des gens qu'elle avait rencontrés dans toute sa vie. Elle avait vu une de ses amies tuer un homme. Elle avait vu de parfaits étrangers, ceux qui auraient pu la mépriser pour sa richesse et son titre, la défendre. Bien qu'émerveillée du fait qu'ils se soient tous levés pour l'aider, tout ce qu'elle ressentait c'était une tristesse douce-amère que les événements en soient arrivés à ce triste résultat.

Alors qu'elle se levait, elle sentit le pouvoir de la couronne d'olivier et du sceptre d'épines toujours vif dans le sac qu'elle transportait. Tout autour d'elle, toutefois, elle sentait un pouvoir d'une autre sorte — insaisissable et pourtant incontestable. Il venait de Camilla et Milo, si courageux et volontaires de se battre pour ce qu'ils croyaient juste. Un autre venait d'Amo et Mattio. Et de la foule émergeait encore plus d'énergie, forte et aussi palpable que n'importe quel enchantement. C'était le courage. C'était le dévouement.

— Non, tu te trompes, dit-elle à la jeune fille. Ce que chacun de vous vient de faire, c'est de la magie.

Spontanément, elle tendit le bras pour mettre la main de la jeune fille dans la sienne. Elle se jura que lorsque tout cela serait fini, elle ne se rappellerait pas seulement de la jeune fille et de tous les braves gens sans domicile qui s'abritaient la nuit sous le pont du temple, mais qu'elle chercherait ce qui pourrait être entrepris pour les aider.

— On tient simplement plus facilement la magie pour acquis quand elle est là tout le temps.

34

Quel dommage que ces gens étranges, ces Cassafortéens, avec tout leur luxe et leur dépendance envers les enchantements, manquent cruellement des qualités que nous tenons pour acquis dans nos terres plus civilisées : la résolution, la détermination et la capacité de distinguer le vrai du faux. Pour toutes ces raisons, il est improbable qu'ils deviennent un jour une nation majeure.

— Célestine du Barbaray, *Traditions et caprices de la côte Azur : un guide pour le voyageur hardi*

– Nous devons prendre une décision, et maintenant ! annonça Camilla avec ses manières énergiques et efficaces.

Une des personnes sur les bateaux du côté le plus au sud de la flotte leur avait offert d'utiliser sa gondole, un large bateau avec assez de place pour tout le monde.

– Si nous avions pu avancer plus vite, continua Camilla, nous aurions été capables de tous vous ramener dans vos *cazas*. Mais le problème des gardes et comme trois d'entre vous…

– Ce que ma sœur essaie de dire, c'est que nous n'avons pas plus que vingt minutes avant le crépuscule, s'interposa Milo, l'air grave. Il va être assez difficile de retourner à une *caza,* encore plus à trois. Vous devez choisir.

Il y eut un court silence tandis que les gondoles dansaient sur l'eau. Autour d'eux, les gens des bateaux qui avaient entendu le discours se mirent à murmurer. L'espoir de Risa de retourner chez elle se transforma en cauchemar. Elle eut à nouveau cette vision réaliste terrifiante de toutes les fenêtres de sa *caza* volant en éclats une fois leurs enchantements anéantis : l'atelier de sa mère devenant un piège mortel de projectiles coupants comme des rasoirs, les fours de son père entrant en éruption dans un brasier visible à des kilomètres. Des siècles d'artisanat ruinés, s'ils ne retournaient pas à la *caza* Divetri.

Elle regarda les autres *cazarris,* surprise des ressentiments qu'elle éprouvait à l'instant à leur égard. Ses amis avaient connu de gros ennuis pour l'aider *elle,* pas eux. Il fallait choisir la *caza* Divetri !

C'était comme si l'histoire, le passé et le futur, mettait en branle ce moment singulier.

À travers son sac rembourré, elle pouvait encore sentir les énergies complexes qui battaient dans la couronne d'olivier et le sceptre d'épines. Tout autour d'elle, battaient les pouvoirs qu'elle avait sentis en provenance de ses amis et des gens du pont du temple.

Non, pensa-t-elle, riant presque de son égoïsme absurde. *Ça n'est pas juste du tout.*

Les pauvres et les parias ne la connaissaient pas en dehors de la chanson de Ricard – ils n'avaient pas attaqué le garde pour protéger leurs intérêts. Camilla et Milo n'avaient pas risqué leur vie et leur carrière pour sauver l'insignifiante Risa

Divetri, mais pour faire respecter ce qu'elle représentait. La liberté. Le fait de défier la tyrannie. Tous ses amis avaient couru des risques énormes pour protéger la liberté de Cassaforte.

C'est pour Cassaforte qu'ils se battaient tous, en ce moment, unissant leurs énergies pour éviter la prophétie de guerre et de catastrophes de Ferrer. Un pays libre est une chose plus importante qu'un individu ou même qu'une famille libre, réalisa Risa.

Milo l'avait toujours su. En cet instant, elle l'admira, lui et son allégeance contre la noirceur, plus que jamais.

– La *caza* Cassamagi, déclara-t-elle, sans regretter un seul mot de ce qu'elle dit. Nous devons sauver Cassamagi et ses archives.

Les autres regardèrent tous vers Ferrer. Pendant un instant, il sembla soulagé, comme si lui aussi luttait contre les mêmes démons. Puis, il secoua la tête.

– Cassamagi est une vieille maison, dit-il doucement, menée par un vieil homme qui importune les jeunes et les domestiques de la même façon avec ses bavardages. Nos archives ne sont rien. Tu es l'avenir de Cassaforte, jeune fille.

Il tendit le bras et prit son menton dans sa main tremblante, puis soupira.

– Sauvons la *caza* Divetri. Je crois que Baso est d'accord avec moi, n'est-ce pas, mon garçon ?

Le garçon opina sans hésiter.

Des larmes montèrent aux yeux de Risa devant cette déclaration. Sa peau rougit en même temps qu'elle ressentit des frissons et la chair de poule. Le vieil homme lui sourit.

– Merci, dit-elle.

– Ça n'est rien.

– La *caza* Divetri est la plus près, reconnut Milo.

— Je ne peux pas nier que je suis heureux de ce choix, dit Mattio, manifestement soulagé.

— Mais que ferons-nous quand nous y serons ? demanda Amo, prêt à faire avancer la gondole. Il nous faut un plan. Milo ? Camilla ?

Camilla secoua la tête.

— Ça n'est pas à moi de décider.

Milo déclina aussi cette responsabilité.

— Une affaire aussi grave nécessite la décision d'un vrai *cazarro*.

Il fit un mouvement respectueux en direction de Ferrer.

— Ou d'une vraie *cazarra*, dit-il, regardant Risa, les yeux pleins d'espoir.

Risa réalisa qu'il croyait en elle. Il ne sentait pas le besoin de l'instruire — il croyait simplement en elle. À ce moment présent, elle eut l'impression de pouvoir faire quelque chose.

— J'ai un plan.

Il lui était apparu, complètement formé, grâce à la joie de découvrir la confiance qu'il avait en elle.

— Nous retournons à la *caza* Divetri et nous en faisons notre forteresse. Il y a un grand nombre de personnes dans la ville qui veulent que nous gagnions contre le prince.

Elle fit un geste vers les gens sur les gondoles autour d'elle. Ils répondirent avec des acclamations et des applaudissements énergiques.

— Il y en a d'autres qui se tiendront avec nous contre le prince et tous sont les véritables fils et filles de Muro et de Lena ! Si nous le devons, nous en ferons des gardes et les posterons à chaque pont, à chaque porte et à chaque fenêtre de la *caza*. Nuit après nuit, je hisserai le drapeau de ma *caza* et sonnerai le cor, et nuit après nuit, ma ville saura que la *caza* Divetri se tient fièrement contre un usurpateur corrompu.

Sa détermination captivait l'attention de la foule. Elle sentit le poids de l'or dans son dos l'animer encore davantage.

– Nous lutterons contre lui pendant des semaines ou des mois. Des années, s'il le faut ! Nous le devons ! Êtes-vous tous avec moi ?

L'ovation qui en résulta la submergea. Mais, au beau milieu du tumulte, elle n'avait d'yeux que pour Milo. Sur son visage radieux, elle put lire sa réponse aussi clairement que s'il l'avait criée à pleins poumons.

– Il faut qu'on y aille, dit Mattio, larguant les amarres du pont du temple. Amo, tu prends l'autre rame.

Les eaux du canal semblaient immobiles, mais, quand leur groupe quitta le canal royal pour une voie plus étroite qui les mènerait à la *caza* Divetri, le cours de l'eau qui se jetait dans la mer accéléra leur voyage vers le sud. Risa fut surprise quand elle se tourna sur son siège, de voir des gondoles en provenance du pont du temple qui suivaient leur sillage. Les poitrines des hommes forts se gonflaient avec fierté. Les femmes avec des fichus sur leurs tresses ramaient aussi, tout comme les plus jeunes désireux de rattraper la gondole de Risa. Certains d'entre eux chantaient la mélodie de Ricard tandis qu'ils filaient sur l'eau.

Cette vue aurait pu réjouir le cœur de Risa. Pourtant, elle ne cessait de fixer l'ouest, elle ne remarqua que le gros soleil gonflé qui s'abaissait à l'horizon. Il était d'un rouge inquiétant avec ses derniers rayons de lumière qui commençaient à danser vers les surfaces ondoyantes des canaux. Intérieurement, elle entama un chant silencieux quand elle observa les rameurs forcer : *Plus vite ! Plus vite !*

Elle était si concentrée sur le soleil et sa descente continue que le bruit des bottes piétinant à l'unisson la fit sursauter. Milo s'arrêta, la rame enfoncée à moitié, pour montrer un des ponts de biais au-dessus de leur tête. Tous cessèrent de chanter. Ils virent un escadron de gardes courant en formation vers le sud. C'était comme si la main atrophiée du prince s'emparait d'elle à distance à ce moment, comprimant ses poumons et ses tripes. Elle était sûre qu'ils se dirigeaient vers la *caza* Divetri.

— On peut les dépasser, la rassura Camilla.

Risa ne se sentit pas plus apaisée.

Aussi grande et grosse qu'était leur nouvelle gondole, les efforts combinés des rameurs et le courant naturel de l'eau lui permettaient de glisser promptement. En un instant, elle put entendre qu'ils avaient rattrapé les gardes qui couraient ; il ne leur fallut que quelques secondes de plus pour les dépasser complètement.

Les bâtiments visibles de la basse surface de l'eau devinrent de plus en plus reconnaissables pour Risa. La plupart étaient ceux qu'elle voyait de sa fenêtre tous les jours. Après tant de gens et d'endroits inconnus et hostiles, cette vue stimula son cerveau. Elle arriverait avec du temps en plus, entourée de gens déterminés à se battre à ses côtés pour leur ville et leur pays. Il y avait de l'espoir. Elle réussirait.

La proue de la gondole heurta le quai de pierres, et elle fit quelques soubresauts avant de s'arrêter. Immédiatement, Milo se mit debout, aidant Risa à être la première à poser les pieds sur la terre.

— Allez ! lui dit-il, sa main dans le creux de son dos quand il la guida pour monter.

Elle n'avait pas besoin de ses encouragements. Sans regarder derrière elle, elle courut sur le quai public et monta l'escalier cahoteux qui menait à la *caza* Divetri. Tandis qu'elle montait les marches deux par deux, elle cherchait dans sa tête le chemin le plus rapide pour traverser la *caza* jusqu'à l'imposant balcon tout en haut. *Ce sera plus rapide,* pensa-t-elle, respirant difficilement tandis qu'elle parvenait à la dernière marche, *de prendre le pont supérieur et puis de...*

Puis, elle s'arrêta et regarda sans comprendre ce qu'elle voyait. En face d'elle, bloquant l'entrée du pont, 20 gardes étaient au garde-à-vous. Ils étaient alignés épaule contre épaule, les épées dressées et croisées, une barrière infranchissable. Elle se tourna en direction du pont inférieur, une petite course vers l'est. Mais, dans les longues ombres de la tombée de la nuit, elle vit une autre équipe de gardes dans une formation similaire.

Le point le plus bas du soleil glissait vers l'horizon à l'ouest. Au loin, en provenance du centre de la ville, elle entendit le son du cor du palais. Long et bas, il résonna contre le ciel pourpre et rouge avant de décroître et de mourir.

Il n'y aurait pas de son de réponse en provenance du cor Cassamagi, ce soir. *Je suis tellement désolée,* dit une partie de son esprit en pensant à Ferrer. Elle était à peine consciente que Camilla et Milo l'avaient rejointe. Les jurons de déception qu'ils marmonnèrent la ramenèrent au moment présent.

Même s'il y avait beaucoup de danger, elle n'avait aussi rien à perdre. Elle agissait comme la *cazarra* Divetri. Tout reposait sur elle. Risa se calma et avança vers la rangée de soldats, sentant le regard de chacun d'eux sur elle. Elle sentait qu'ils n'hésiteraient pas à l'anéantir.

Le capitaine Tolio se tenait devant les hommes, ses armes croisées. Tandis qu'elle approchait, il fit deux pas en avant et l'arrêta d'une main.

— Vous êtes assez près, dit-il. Je ne veux pas que mes hommes soient forcés de vous blesser.

Se plaçant chacun d'un côté d'elle, Camilla et Milo tendirent le bras vers leurs épées. Immédiatement quatre gardes avancèrent et les arrêtèrent à la moitié de leur mouvement, prêts à attaquer.

— Vous êtes un traître, Tolio, grogna Camilla.

— Vous êtes tous les trois en état d'arrestation selon les ordres du prince Berto, dit Tolio d'une voix traînante, manifestement content de lui.

— Un prince ne peut pas ordonner des arrestations, riposta Milo.

— Celui-ci le peut, car il sera roi. Je sais que ça ne sera pas long.

Au loin, Risa entendit le bruit des pétarades. Elle fut triste à l'idée que les bruits secs et les pétillements qu'elle entendait étaient l'autodestruction des enchantements dans la plus ancienne des *cazas*.

— Le reste d'entre vous est aussi sous arrestation.

Il fit un geste en direction de ceux qui arrivaient juste en haut depuis le quai en dessous. Le cœur de Risa souffrit de voir Ferrer tomber à genoux, se recroquevillant en entendant les bruits distants de la destruction de sa maison.

— Je ne peux pas croire que vous soyez tombé si bas.

La rage de Camilla était si intense qu'elle fonça droit devant. Deux des gardes la saisirent par les coudes pour la retenir.

— Que vous a-t-il offert ? Une promotion ? Vous étiez un héros contre les Azurite !

D'instinct, Tolio leva sa main vers les vieilles cicatrices qui s'entrecroisaient sur son visage.

— L'héroïsme ne permet pas de manger. Un homme doit reconnaître qui permet de mettre du beurre sur son pain, dit-il. Emmenez-les !

— Non !

Risa ne savait pas ce qui l'enhardissait — la panique ou les énergies positives émanant du sac qu'elle transportait. Elle fit un grand saut et se catapulta en avant, se dérobant aux bras de Tolio. Elle plongea dans l'espace laissé par un des gardes qui retenait Camilla, prévoyant s'y faufiler et courir aussi vite que possible vers le balcon. Si elle avait été plus rapide ou plus chanceuse, ça aurait marché, mais un des hommes de Tolio l'attrapa par les cheveux et la tira d'un coup sec. Elle se retrouva sur le dos avec fracas. Le sac atterrit sur elle.

C'était comme si toute sa tête était en feu. Ses yeux se remplirent de larmes. Mais ce qui peinait le plus Risa, c'était d'être à présent certaine que dans quelques instants, la *caza* Divetri serait anéantie. Et avec elle tout le pays tomberait. Les explosions de verre et de feu qui seraient bientôt assourdissantes ne seraient que la première salve d'un siècle de guerre. Les gardes se battraient les uns contre les autres et les familles aussi tandis que la noirceur envahirait peu à peu tout le pays.

Elle regarda autour d'elle, plissant ses yeux pour éloigner les larmes. Les nuages du soir, telle de la dentelle, s'amoncelaient dans le ciel. Sereins et lents malgré le bruit et la confusion autour d'elle, ils se séparaient pour dévoiler les deux lunes. Muro et Lena, le frère et la sœur, regardaient vers elle en bas depuis les cieux et c'est à peine si elle pouvait les voir.

Le frère et la sœur, les plus proches d'une famille — comme Camilla et Milo, réalisa-t-elle. Comme Tania et Ricard, ou Petro et elle. À nouveau, ses yeux s'humectèrent quand elle constata avec étonnement combien elle avait été idiote. *Vous ne m'avez jamais abandonnée. Vous m'avez envoyé des frères et des sœurs, comme vous,* pensa-t-elle, tout en regardant leurs formes lumineuses. Les vents marins soufflèrent les frêles nuages, les voilant à nouveau. C'est avec désespoir que Risa les regarda disparaître. *Les dieux m'ont observée tout le temps. Si seulement j'avais compris… peut-être que je n'aurais pas échoué.*

Une note unique ressortit de l'agitation. Riche et douce, comme du velours. Elle passa dans le ciel en direction du palais, entraînant le silence partout autour d'elle. Elle ressentit le pouvoir de la tonalité. Elle apaisa sa peine. La couronne et le sceptre dans son sac réagirent en frémissant, approbateurs. Comme si elle agrippait la corde invisible de la note, lancée de la *caza* au palais, Risa se leva de là où elle était couchée. Elle cligna des yeux pour chasser ses larmes et tendit son cou pour voir.

De profil, au sommet de la *caza* Divetri, sous le drapeau bleu et vert de la famille, se trouvait la silhouette solitaire d'un homme. Le son du cor s'évanouit tandis qu'il remit l'instrument sur son coussin. Il recula tandis que les acclamations de remerciement s'élevèrent des gens des gondoles derrière eux, qui remontaient encore du quai en dessous.

– C'est impossible, dit Tolio, furieux. Personne dans la maison n'a le pouvoir de… Seuls les *cazarris* ou le roi lui-même peuvent souffler dans les cors !

Seuls les cazarris *ou le roi lui-même peuvent souffler dans les cors de Cassaforte.*

Même un enfant le savait.

Le cœur de Risa s'emballa d'exaltation et chaque atome de son corps se retrouva rempli de courage alors qu'elle tenait fermement les trésors du pays sur sa poitrine. Tirant avantage de la confusion, elle se faufila en vitesse dans le rang des gardes et courut vers le grand pont, entendant les hurlements furieux de Tolio et les cris de Milo et Camilla. À mi-chemin, elle regarda derrière elle et vit les gens des gondoles se précipiter sur les gardes, les combattant afin de lui donner le temps d'arriver la première. Jetant un coup d'œil rapide vers le ciel en signe de remerciement, elle se précipita vers la résidence, l'esprit perplexe devant cette énigme à moitié résolue.

Quand elle monta les dernières marches de la résidence, rouge et à bout de souffle, l'homme qui avait soufflé dans le cor était assis au bout du balcon. Au début, il ne la vit même pas approcher. Ce n'est que lorsqu'elle s'assit à côté de lui et qu'elle tendit le bras pour toucher sa peau tachetée et translucide qu'il se tourna lentement pour la regarder.

– Tant de choses se sont mal passées, dit-il simplement.

Ce furent les premiers mots qu'il lui dit depuis qu'elle l'avait sorti du canal.

– Pourquoi ne nous avez-vous rien dit ? demanda-t-elle.

Quelques heures plus tôt, la couronne d'olivier le lui avait montré comme un jeune homme – un jeune homme plein de vie avec des cheveux bouclés épais. Ridé. Âgé. Il n'avait comme seul ornement sur son crâne que quelques mèches de cheveux blancs.

Il secoua la tête.

– Personne ne croit les divagations d'un vieil homme vêtu de loques. Qui me croirait même maintenant ?

Elle savait qu'il avait raison. Si le vieux mendiant lui avait dit qu'il était son roi, elle ne l'aurait pas cru.

– On vous croira, maintenant, lui promit-elle.

C'est avec une grande révérence qu'elle s'agenouilla devant lui. Elle sortit de son sac d'abord le sceptre, qu'elle plaça à ses pieds. Utilisant ses deux mains, elle prit la couronne d'olivier et la leva dans le ciel. Une fois de plus, les nuages se divisèrent et ils furent baignés de la lumière de la lune. Les reliques semblaient briller comme si elles étaient frappées par les rayons du soleil.

– Ça faisait bien longtemps que je n'avais pas vu la couronne, dit Dom doucement.

Il la regarda avec envie.

— Quand je me suis retrouvé malade, mon fils m'a enfermé loin d'elle et a dit à tout le monde que je refusais de voir quiconque sauf lui. Il savait que sans la couronne je serais faible et que je dépérirais. Il ne se doutait pas que même à distance, elle me garderait en vie pendant presque deux ans. À de nombreuses reprises, j'ai voulu qu'elle me laisse mourir.

Son regard caressa les branches dorées tandis qu'il continuait à parler de sa voix faible et basse.

— Mais il était négligent. Je me suis échappé, espérant trouver de l'aide dans l'une des *cazas*. Puis, j'ai appris qu'il avait annoncé ma mort. Quand j'ai entendu — quand j'ai entendu la rumeur selon laquelle il avait kidnappé les *cazarris*, j'ai su qu'ils lui avaient refusé la couronne parce qu'il n'y avait pas de corps.

— Je suis désolée, dit-elle, incapable de trouver les mots pour lui exprimer la peine que son histoire lui inspirait.

— J'ai prié, répondit-il, la regardant de la même façon abasourdie que Ferrer pendant leur incarcération. J'ai prié les dieux tant de mois pour qu'ils m'envoient de l'aide. Je les priais de réaliser un miracle. Et toi… tu m'as apporté la couronne d'olivier.

— Elle est légitimement vôtre.

Risa se leva et l'aida à la poser sur sa tête, l'installant délicatement pour qu'elle y reste. Il ferma les yeux et soupira, comme s'il ressentait les mêmes frissons d'énergie qu'elle.

Quand il rouvrit les yeux, ils étaient plus clairs et moins las. Il n'était pas moins âgé qu'il l'avait été en tant que Dom, mais il semblait avoir les débuts d'une nouvelle énergie et autorité. Il tendit le bras vers elle. La touchant aussi délicatement qu'une plume, il prit sa main dans la sienne et la déposa sur sa bouche pour l'embrasser.

Elle n'ignorait pas que la foule avait commencé à se rassembler sur le balcon derrière eux. Milo était là, ainsi que Camilla, Amo et Baso. Quelqu'un avait aidé Ferrer a monté les escaliers. Tolio était là aussi, les mains liées, entouré de nombreuses personnes de la flotte du pont du temple. Un bébé cria quelque part derrière ; Risa ne put voir s'il appartenait à la jeune fille qui l'avait aidée. Ceux qui étaient arrivés assez tôt avaient assisté au couronnement du vieux mendiant. Ceux qui s'entassaient encore pour voir saisirent rapidement l'humeur solennelle et restèrent respectueusement calmes.

Les dieux l'avaient mise de côté, oui, mais c'était pour réaliser ce moment. Comme si elle avait soudain hérité du don de prophétie de Ferrer, elle vit que le pouvoir de la couronne enchantée et du sceptre permettrait au monarque de retourner au palais. Il punirait son fils pour sa trahison et nommerait un nouvel héritier pour lui succéder. Les *cazas* seraient reconstruites et les *insulas* assiégées seraient libérées de leurs barricades. Il n'y aurait pas de guerre.

Sa mère et son père reviendraient à la maison et Petro, Romeldo et ses sœurs viendraient. Elle les accueillerait à bras ouverts et leur raconterait tout.

Le bonheur lui serra la gorge, mais l'amour pour son roi et son pays la revigora. Elle prit sa respiration et s'adressa à la foule.

– Voici Alessandro !

Elle était fière de voir que Milo fut le premier à s'agenouiller, suivi rapidement de Camilla et du reste de l'assemblée.

Il semblait à ses oreilles que la joie dans sa voix n'était pas moins musicale que le cor qui reposait à côté d'elle.

– Voici votre roi et digne porteur de la couronne d'olivier !

Épilogue

Sur la place Divetri, en raison des bruyants coups de marteau, il était difficile pour Risa d'entendre ce que la vieille femme disait. Mais comme ses paroles se terminèrent par une étreinte et des baisers sur les mains, Risa sut qu'elle avait reçu un autre témoignage d'affection d'une femme qui lui souhaitait bonne chance et une longue vie. Elle en avait tant reçus ces derniers temps de la part de gens qu'elle n'avait jamais rencontrés auparavant. Qu'ils soient jeunes ou vieux, riches ou pauvres, elle répondait toujours à leurs bénédictions par un sourire et un baiser sur une de leurs joues.

Tandis que la vieille femme se retirait lourdement, lui faisant des gestes d'adieu, Milo approcha avec les derniers paquets de Risa sur les épaules. Il alla vers le chariot et les posa au-dessus des autres marchandises.

– Pauvres vieux ânes ! dit-il, feignant d'être ému.

Il leur tapota la peau avant de la rejoindre près de la balustrade donnant sur le canal.

– Ils vont s'écrouler en chemin avec tout ce que tu leur fais tirer.

Spontanément, elle prit sa main dans la sienne et ensemble, ils s'appuyèrent contre la balustrade de pierre de la place. Au-delà du pont inférieur et au-dessus des canaux, des groupes d'hommes et de femmes s'affairaient sur les restes de Portello. Ils n'étaient pas plus gros que des insectes à cette distance, mais leurs marteaux et leurs leviers brillaient dans le soleil matinal alors qu'ils procédaient à la reconstruction.

– Urbano Portello m'a dit la nuit dernière qu'il était assez heureux que sa *caza* soit reconstruite, lui dit Milo. Il a dit que les enchantements ne pouvaient compenser les erreurs d'architecture de ses ancêtres. En plus, cela donne à ceux des *insulas* quelque chose de constructif à faire de leur temps.

Lors du banquet royal de la nuit précédente, Milo avait été un hôte populaire. Les sept *cazarris* l'avaient traité comme leur propre fils. Michele Catarre avait remis aux Sorranto des livres magnifiquement enluminés sur les armes et le maniement de l'épée ; le *cazarro* de Piratimare avait promis à Milo une gondole fabriquée spécialement pour lui. Au cours des spectacles de Ricard et de Tania après le dîner, Urbano Portello avait monopolisé l'attention de Milo et le *cazarro* Dioro avait donné sa parole à Camilla et à Milo de leur fournir les armes de la plus grande qualité qu'ils pouvaient désirer, pendant toute leur vie.

Le plus humiliant, toutefois, fut quand Dana Buonochio fit promettre à Risa et à Milo de poser ensemble pour un tableau qu'Alessandro avait commandé pour la salle du trône — une peinture d'eux deux à genoux devant le roi retrouvant sa couronne sur le balcon Divetri.

— Ah, mais *cazarra*, je dois en commander deux, s'était interposé le roi à son annonce. Car j'aimerais avoir un portrait de ma nouvelle garde du corps en chef aussi.

Camilla était devenue blanche devant cette nouvelle et elle s'était efforcée pendant tout le reste de la soirée de maintenir son calme.

— Tu penses au tableau ? demanda Milo.

Une mouette croassa dans le ciel alors qu'elle descendait en piqué pour prendre un déchet sur les eaux du canal.

Surprise, Risa se tourna vers lui.

— Comment le sais-tu ?

— Tu caches encore ton nez.

Elle ôta promptement sa main de son visage.

— Franchement, Risa. Je ne sais pas ce qui t'inquiète. Tu n'as pas un nez de canard. Tu es très jolie.

Sa voix devint basse et sérieuse.

— Je l'ai pensé la première fois que je t'ai vue.

— Non, c'est faux, dit-elle, rougissant et espérant qu'il la contredirait avec plus de flatteries.

C'était un luxe de se tenir là avec lui à la lumière du soleil, tenant ses mains sans craindre le lendemain. Il lui avait semblé, pendant les dernières semaines, que les choses simples lui avaient procuré les plus grands bonheurs. Le son du rire de sa mère. Les singeries de son plus jeune frère. Le mauvais caractère de Fita. Le sourire de Milo.

— Si. Je te l'ai toujours dit. Tu sais t'y prendre pour attirer les compliments.

Son ton pince-sans-rire la fit rire.

Derrière eux et au-dessus de leur tête survint le son grave d'un homme qui s'éclaircissait la gorge.

— J'espère que je n'*interromps* rien !

Les reproches de Giulia suivirent rapidement.

— Voyons, Ero !

— Je ne sais pas, ma chérie. Nous ne connaissons rien de ce garçon qui emmène notre fille.

Son père semblait sévère, mais Risa devinait qu'il n'était que taquin. Juste après sa libération, Ero avait décollé Milo du sol et l'avait étreint comme un fils, puis il avait passé le reste de la semaine à tenter de le convaincre de quitter son emploi de garde de ville et de devenir souffleur de verre dans les ateliers Divetri, comme Amo.

— Il ne fait que m'emmener à la *caza* Cassamagi, feignit de se plaindre Risa.

— Je ne sais pas si je serai capable de dormir la nuit en t'imaginant là-bas, s'inquiéta Giulia. La résidence est en ruines et Ferrer est un vieil homme. Sait-il même s'il y a encore un toit sur la chambre de Risa ?

La plupart des rides d'inquiétude sur le visage de sa mère s'étaient effacées depuis sa libération du palais, mais elle semblait quand même avoir vieilli pendant sa captivité. Quelques cheveux blancs striaient ses tresses foncées. Étaient-elles récentes ou Risa ne les avait-elle simplement jamais remarquées ?

— Ce ne sont pas toutes les *cazas* qui sont aussi endommagées que Portello, ma merveilleuse inquiète, la rassura Ero, sa voix basse grondant d'amusement. L'affranchissement des petits enchantements Cassamagi a fait peu de dommages. Même les dommages des Piratimare sont concentrés sur les embarcadères devant ses digues et ses cales sèches. Notre fille ne dormira pas sous les étoiles.

— J'aurais préféré qu'elle n'y aille pas.

Alors qu'elle souriait, Giulia se déplaça à côté de son mari à la recherche de réconfort et posa sa tête sur son épaule.

La nuit dernière, le roi Alessandro et Ferrer avaient fait l'annonce publique que Risa partagerait son temps entre leurs résidences. Elle passerait les prochaines années chez les Cassamagi, à tenter de décoder les archives les plus anciennes de la *caza* et les notes manuscrites d'Allyria Cassamagi elle-même. Comme elle l'avait choisi, elle étudierait aussi les anciens manuscrits dans les bibliothèques du palais, à la recherche des clés qui permettraient de libérer le pouvoir qu'elle détenait en elle et qui n'était encore que potentiel.

Au début, elle avait reçu ces nouvelles en plissant son nez ; même dans ses moments les plus enthousiastes, Risa n'avait jamais été un rat de bibliothèque. Toutefois, la vision des volumes poussiéreux et des journées sans soleil avait été supplantée par le discours du roi à Milo.

— Pour ton avenir, j'ai en tête un poste spécial, avait-il dit à Milo quand il les avait rencontrés tous les deux pour une audience privée.

La lumière dansait dans les yeux du monarque, comme s'il détenait un secret.

— Un poste très spécial, en effet. Il nécessitera une connaissance de la diplomatie et de l'histoire, de la guerre et de l'entretien de la paix. Je crois que c'est un poste approprié à un jeune homme tel que toi, un jeune homme de nature intrépide, avec un esprit vif et habile avec une épée — mais tu dois étudier.

Quand Milo demanda où il allait étudier et qui lui enseignerait, Alessandro avait répondu :

— Il y a des textes dans les bibliothèques du palais que je te demanderai de lire. Je te ferai office de professeur… pendant un certain temps. Au cours des années qui suivront mon départ, cependant, tu devras te reposer sur ta propre expérience et ton instinct. Tout comme je l'ai fait.

Le roi Alessandro leur avait souri, puis les avait retournés au banquet, mais Milo avait une autre question. La question la plus importante.

— Pourrais-je voir Risa ?

Son expression occasionna au roi des éclats de rire vigoureux. Quand il se calma, il secoua la tête.

— Comme si je pouvais vous garder séparés ! Elle sera dans les bibliothèques assez souvent et la *caza* Cassamagi n'est qu'à quelques coups de rame avec ta nouvelle gondole Piratimare. Tu verras suffisamment cette jeune fille, si elle le veut bien.

Tout de suite après, Milo se triturait l'esprit à propos du poste que le roi Alessandro lui avait mis en tête. Était-ce ambassadeur du pays d'Azur ? Ou un poste de diplomate pour une des frontières ? Toute la nuit, il s'était inventé de plus en plus de scénarios. Il s'était même mis à spéculer que le roi l'enfermait dans la vieille bibliothèque poussiéreuse seulement pour le protéger des dangers de l'extérieur.

Risa avait ses propres idées sur le poste que le roi Alessandro avait en tête, mais elle se jura de ne jamais les divulguer. Son rapide contact avec la couronne et le sceptre l'avait rapprochée des pensées de ceux qui les portaient. Même si elle ne prétendait pas être voyante, elle ressentait une chaleur devant la certitude que l'avenir de Milo serait à la fois brillant et glorieux.

— Une chose, mon amour, dit son père, l'emmenant sur le côté tandis que Milo sautait dans la voiture Divetri. J'ai un cadeau pour toi.

Il retira de l'arrière du chariot une boîte qu'il avait cachée là peu de temps auparavant — une des boîtes rembourrées dans lesquelles il mettait les verreries Divetri pour aller chez Pascal au *via* Dioro.

Se sentant comme un enfant le jour de la Fête des oranges, Risa ouvrit la boîte. Elle haleta. Son père lui avait soufflé un vase délicat avec du verre d'un bleu et d'un vert profonds. Les couleurs ondulaient comme des vagues.

— C'est magnifique, lui dit-elle à voix basse, transportée par la beauté de ses couleurs.

— C'est un vase à fleurs, dont la fonction principale est de garder les fleurs fraîches. Elles ne dureront pas toujours, mais elles resteront fleuries longtemps, très longtemps. Tu le reconnais ?

Il sourit quand elle secoua la tête, déconcertée.

— Mattio a rassemblé les morceaux que tu avais abandonnés sur le balcon, la nuit où tu nous as ramené notre roi. C'est ton propre bol, ma petite lionne.

Sa mère prit rapidement la boîte tandis que Risa se jetait dans les bras de son père. Plus que jamais auparavant, Risa réalisa pleinement qu'elle les quittait tous les deux. Dire qu'elle en avait eu tant envie, dans le passé. À présent que le moment était venu, elle aurait voulu rester plus que n'importe quoi. Les moustaches d'Ero lui chatouillèrent l'oreille quand il la souleva. Il chuchota :

— Tu seras toujours la vraie *cazarra* ici, ma fille. Plus que je ne l'ai jamais été. Peu importe où tu seras, peu importe ce que tu deviendras, tu *es* la *caza* Divetri. Moi, ou celui qui soufflera dans le cor, ne ferons que te remplacer. Tu comprends ?

Elle opina quand il la redéposa, trop dépassée par son admission pour parler. Des larmes remplirent ses yeux tandis que sa mère l'embrassa doucement et du fond du cœur pour lui dire au revoir. Milo eut la politesse de trouver la maison Sorrendi fascinante alors qu'elle grimpait dans la carriole et ôta les mèches de son visage. Puis, donnant un petit coup sur les rênes, il mit les ânes en mouvement.

Après les derniers gestes d'au revoir à ses parents, Risa prit un moment pour se ressaisir.

– Eh bien, finit-elle par dire, se trouvant presque ridiculement excitée à l'idée de ce que serait le reste de la journée. Je suppose que maintenant je vais enfin pouvoir faire quelque chose *d'important* de ma vie!

Milo rit, juste au moment où elle pensait qu'il le ferait.

– Tu as déjà fait des choses importantes et tout le monde le sait, du roi à cette petite vieille femme dans la rue!

Il semblait encore rire de sa plaisanterie.

– Que te disait-elle, au fait?

– Qui?

– La petite vieille femme.

– Oh! elle voulait me donner la bénédiction des dieux, répondit Risa, se souvenant comment la femme avait murmuré au-dessus de ses mains en pressant ses lèvres contre elles.

– Tu as eu plein de baisers sur les mains cette semaine! dit-il.

Ils quittèrent la place pour aller dans la rue qui les mènerait le long de la côte est de la ville. Un des ouvriers Portello, un garçon portant la robe des Pénitents et transportant un panier de pierres, leur fit signe gaiement quand ils le dépassèrent. Sur le canal en dessous, les oiseaux se disputaient des restes de pain qui flottaient. Par-dessus le cliquètement des sabots des ânes, Milo se mit à siffler un air. C'était la chanson de Ricard, écrite pour elle.

Peu importe ce qui lui arriverait, peu importe ce qu'elle deviendrait, elle était Risa, la fille du souffleur de verre. Elle le serait toujours.

Pendant un moment, elle posa sa tête sur l'épaule de Milo, profitant de sa chaleur et de la douce odeur de sa peau. Il n'y avait qu'une seule réponse qu'elle pouvait lui donner :

– C'est parce que je suis abondamment bénie !

La chanson de
La fille du souffleur de verre

Des cris de souffrance résonnent dans la nuit calme.
Le silence de la ville fait du tort.
En haut du palais, un roi dans sa robe
Repose calme et tranquille : il est mort.

Un roulement de sabots martèle le pont –
Résonnant sur l'eau et sur la terre.
Oh père, ne me quitte pas ! retentit en une douce plainte –
La plainte de la fille du souffleur de verre.

– La caza *est si vide, mes frères sont partis.*
Aucune sœur vers qui je puisse me tourner !
Des larmes coulent sur ses joues, si douces et si pâles.
Pour les effacer, les hommes se laisseraient brûler.

Elle se tenait sous les lunes, qui projetaient leurs doux rayons.
Une déesse en blanc, oui, c'est elle qui erre.
– Aucun mal ne sera fait ici. Oh, dieux, entendez mon vœu !
Pleurait Risa, la fille du souffleur de verre.

La nuit passa, les lunes partirent. Le soleil prit leur place.
Aucun signe de ses parents pour l'apaiser.
Elle erra seule, sans savoir
Qu'un autre avait planifié de la terrasser.

– C'est ma caza *! dit son cousin*
– Chaque pièce, chaque chaise, chaque sanctuaire.
Je suis le cazarro *et je le prouverai cette nuit*
À tous et à la fille du souffleur de verre !

Le soleil se couchait très près du sol
La regardant là, tout en haut
Et notre Risa, frissonnante, sursauta de peur
Au son du cor du château.

– Souffle maintenant, cousin ! cria-t-elle vivement
À l'homme déterminé à lui faire vivre un calvaire.
– Nous allons tous périr et la maison sera détruite,
Ainsi l'implora la fille du souffleur de verre.

Un tremblement secoua les pauvres Portello qui veillaient.
Les fondations branlaient
comme le tonnerre parfois gronde en été.
Et le pauvre cousin et les serviteurs de Risa eurent peur :
La jeune fille parla tandis qu'ils regardaient, bouche bée.

– Je ne laisserai pas ma caza *connaître un si terrible destin !*
Et comme son père le lui avait enseigné, si fier,
Elle souleva le cor. Tout le monde fut étonné
Par la bravoure et l'audace de la fille du souffleur de verre.

Un son fleuri assourdit tout ce qui se trouvait autour
Tandis qu'elle soufflait dans le merveilleux cor.
– Je suis la cazarra *! cria-t-elle tout haut, sans peur,*
Et elle regarda son cousin avec un mépris très fort.

La caza, *elle l'a sauvée, cette nuit de sombre destin –*
Chaque brique est restée bien figée dans son mortier de terre.
Et les foules chantèrent tout haut, autour de la belle demoiselle,
Cette histoire de la fille du souffleur de verre !

À propos de l'auteur

V. Briceland voulait être archéologue, quand il était jeune. À la place, il a travaillé comme serveur, comme fabricant de fleurs en papier dans un parc d'attractions, comme pianiste dans des chorales offrant des spectacles pour personnes âgées, comme professeur d'anglais et comme artiste verrier. Mais ce qu'il préfère, c'est écrire des romans. Il vit à Royal Oak, au Michigan, où il manque terriblement de ruines à fouiller.